Tous Continents

Du même auteur

Adulte

Prague sans toi, Québec Amérique, 2013.

SÉRIE LES ENQUÊTES D'ANDRÉ SURPRENANT

L'Homme du jeudi, La courte échelle, 2012.

Le Mort du chemin des Arsène, La courte échelle, 2009.

Prix littéraire de la Ville de Québec et du Salon du livre de Québec, adulte, 2010
Prix Arthur-Ellis de la Crime Writers of Canada 2010
Prix des abonnés de la Bibliothèque de Québec, fiction, 2010

On finit toujours par payer, La courte échelle, 2003.

Prix littéraire Association France-Québec/Philippe Rossillon, 2004
Prix Arthur-Ellis de la Crime Writers of Canada, 2004

La Marche du Fou, La courte échelle, 2000.

La Lune rouge, Québec Amérique, 1991 ; La courte échelle, 2000.

Jeunesse

Le Trésor de Brion, Québec Amérique, 1995, nouvelle édition, 2010.

Prix 12/17 Brive-Montréal, 1995
Prix du livre M. Christie, 1996

FX Bellavance, vol. 1, La courte échelle, 2010.

Le Chasseur de pistou, La courte échelle, 2007.

Ma vie sans rire, La courte échelle, 2006.

Le Fil de la vie, La courte échelle, 2004.

Prix littéraire de la Ville de Québec et du Salon du livre de Québec, jeunesse, 2005

Le bonheur est une tempête avec un chien, La courte échelle, 2002.

Les Conquérants de l'infini, La courte échelle, 2001.

Pas de S pour Copernic, La courte échelle, 2001.

La Cousine des États, Québec Amérique, 1993.

Le MAUVAIS CÔTÉ des CHOSES

Projet dirigé par Marie-Noëlle Gagnon, éditrice

Conception graphique : Sara Tétreault
Mise en pages : Andréa Joseph [pagexpress@videotron.ca]
Révision linguistique : Sylvie Martin et Diane-Monique Daviau
En couverture : Réalisé à partir d'œuvres tirées de shutterstock
© Concept Photo / © Arsentyeva E

Québec Amérique
329, rue de la Commune Ouest, 3e étage
Montréal (Québec) Canada H2Y 2E1
Téléphone : 514 499-3000, télécopieur : 514 499-3010

Nous reconnaissons l'aide financière du gouvernement du Canada par l'entremise du Fonds du livre du Canada pour nos activités d'édition.

Nous remercions le Conseil des arts du Canada de son soutien. L'an dernier, le Conseil a investi 157 millions de dollars pour mettre de l'art dans la vie des Canadiennes et des Canadiens de tout le pays.

Nous tenons également à remercier la SODEC pour son appui financier. Gouvernement du Québec – Programme de crédit d'impôt pour l'édition de livres – Gestion SODEC.

Catalogage avant publication de Bibliothèque et Archives nationales du Québec et Bibliothèque et Archives Canada

Lemieux, Jean
Le mauvais côté des choses
(Tous continents)
ISBN 978-2-7644-2836-8 (Version imprimée)
ISBN 978-2-7644-2851-1 (PDF)
ISBN 978-2-7644-2852-8 (ePub)
I. Titre. II. Collection : Tous continents.
PS8573.E542M38 2015 C843'.54 C2014-942657-7
PS9573.E542M38 2015

Dépôt légal : 1er trimestre 2015
Bibliothèque nationale du Québec
Bibliothèque nationale du Canada

quebec-amerique.com

Imprimé au Québec

JEAN LEMIEUX

Le MAUVAIS CÔTÉ des CHOSES

Québec Amérique

À Evelyn

Je me sentais à la fois honteuse et fière d'être sa fille. Il avait partagé le monde en deux unités franches et distinctes qui figuraient le bon et le mauvais côté des choses. Lui seul avait accès à ce dernier, lui seul ne le craignait pas.

Jacques Ferron

— Où tu vas ?

— J'en ai pour une minute.

— Mon rendez-vous est à 3 heures !

— C'est un régulier. Il attendra.

Sa grosse main noire, ornée d'une lourde chevalière en or, se pose sur ma cuisse. Ce n'est pas un geste d'affection ou même de protection. C'est un rappel de sa première colère devant ma réticence à travailler dans les hôtels. « Tu ne discutes pas avec Desmond, jeune fille. » Ce gros con régurgite des dialogues de films d'action à la troisième personne, comme s'il était Sauron ou De Niro. Mais je dois reconnaître que je n'ai pas eu d'embrouilles, si ce n'est cet Américain qui voulait renégocier le prix. Et la drogue est toujours top.

La Mercedes, qui sent encore le cuir, s'enfonce dans le parking souterrain. Je ne sais pas si Desmond l'a volée ou s'il vient de se la payer avec ce fric qui lui sort par les oreilles. SS2, SS3, SS4… Ce gros con ne comprend pas. Je flotte toujours, mais qu'est-ce que ce sera dans une heure, dans une heure et demie, si Roger insiste pour me lire des extraits de son manuscrit ? Est-ce que je trouverai un endroit qui convient pour me filer ma dose ? Dans les halls, dans les ascenseurs, je ne suis pas une pute tant que j'ai l'air dégagé. En manque, je suis un animal malade, une chose pitoyable obsédée par la peur d'être reconnue et jugée.

SS5. L'étage est désert. Ici, dans cet espace de béton gris, il n'y a pas d'amélanchiers en fleurs, pas de saisons, le printemps appartient à un univers lointain. Desmond stationne la Mercedes le long d'une cloison, comme s'il voulait la dissimuler. Il ouvre la boîte à gants et en sort de petites jumelles.

— Je reviens. Tu restes ici.

Il disparaît de l'autre côté de la cloison de béton. Il n'a pas eu besoin de lever sa grosse main. Il sait que je ne bougerai pas. Je vérifie mon maquillage dans le miroir du pare-soleil. Pas trop, juste assez. Avoir les yeux pâles, c'est terrible quand tu es une junkie. Mes pupilles, ces petites îles noires dans un océan de bleu, me trahissent. Je ne suis pas moi. Je suis Anna-Belle, ce personnage archétypal, jeune étudiante distinguée, aux allures bohèmes, qui arrondit ses fins de mois en vous libérant de votre solitude et de votre semence, messieurs. Vous ne l'exploitez pas, gentils mécènes, vous lui permettez de survivre, de s'élever vers la connaissance. Jouir dans la bourse d'une lettrée, c'est doublement satisfaisant quand on ne lit que des revues d'avion et des rapports financiers.

Cinq, dix minutes passent. Je vais être en retard. J'ai besoin de cet argent. J'ouvre la boîte à gants. Je ne me suis pas trompée. Là où se trouvaient les jumelles, il y a une enveloppe pleine de cash. Du doigt, je soulève le rabat. Des billets de cinquante, de cent, il y en a pour quelques milliers de dollars. Je referme la boîte à gants. Je préférerais crever de faim plutôt que de voler un vingt à mon pimp.

Qu'est-ce qu'il fait? Des fourmillements naissent dans mes pieds, dans mes mains. Fumer. Pas dans cette Mercedes neuve. Desmond aime cette odeur de cuir luxueux, qui s'harmonise avec sa bague vaudoue. Je sors, allume une cigarette. Depuis notre arrivée, aucune auto n'est descendue au SS5. De quoi ai-je l'air, avec mon jeans trop serré, mon chemisier trop décolleté, dans ce parking souterrain? Je ne suis plus Tinamer de Portanqueu, l'héroïne de mon arrière-grand-oncle Ferron, mais une héroïnomane, guidoune à temps partiel.

Où est la réalité, où est la fiction? Je redeviens Tinamer et risque un œil du mauvais côté des choses, derrière le mur de béton. Aucune trace de Desmond. Au fond du stationnement, j'aperçois une drôle de voiture bleue, qui ressemble à une auto de gangster. Une autre voiture, une Ford d'un brun anonyme qui pue le char de flic, se dirige vers moi. Je me cache derrière la cloison. La Ford passe à quelques pas de moi, disparaît dans la montée qui mène à l'air libre. Le conducteur, un petit homme aux cheveux blancs, en veste de cuir, a eu le temps de se retourner et de m'apercevoir.

J'éteins ma cigarette et retourne en vitesse dans la Mercedes.

Mon cœur bat comme un oiseau affolé dans sa cage d'os.

Je connais cet homme. Où l'ai-je vu ?

Le père de Juliette ?

Trente secondes après, Desmond est de retour dans la Mercedes, l'air satisfait.

— Qu'est-ce que tu as ? demande-t-il en remarquant mon trouble.

— Rien.

— C'est bon.

Il ouvre la boîte à gants pour ranger les jumelles. Il saisit l'enveloppe et vérifie son contenu.

— Tu ne toucherais pas à mon argent, Anna-Belle ?

Je fais non de la tête. Il abandonne soudain son air menaçant, sourit de toutes ses dents et me tend un billet de cinquante.

— Prends ça et oublie que nous sommes venus ici.

1
EXIT LUCA

L'homme, un petit gros dans la cinquantaine, était couché sur le côté, contre le pneu avant gauche d'une Chrysler PT Cruiser bleue, une veste de cuir noir ouverte sur sa poitrine ensanglantée. Sa tête était tournée vers l'arrière du restaurant, comme s'il avait, un instant, espéré qu'on vienne à son secours. À en juger par les points d'impact des deux balles, au centre du thorax et au-dessus de l'oreille gauche, cet instant avait été bref.

La pluie, dégoulinant le long de son cou, formait, au haut de la fourchette sternale, une flaque rosée.

— As-tu vu ça ? demanda Brazeau à voix basse.

Si une flaque de sang n'avait pas maculé l'extrémité de la manche droite de la veste de cuir, on aurait pu croire que l'homme était manchot. Accroupi, André Surprenant souleva la manche de sa main gantée. Un moignon sanguinolent apparut, les deux os de l'avant-bras tranchés net au-dessus du poignet.

— Le tueur était bien équipé. On se croirait chez le boucher.

Surprenant avait beau crâner, il éprouvait un vertige trop familier. Cette main tranchée avec une précision quasi chirurgicale situait d'emblée ce meurtre en dehors de l'ordinaire.

Du doigt, il désigna un trousseau de clefs qui brillait sur l'asphalte luisant.

— Pour moi, il s'apprêtait à embarquer dans son char, dit une voix derrière lui.

Surprenant se dévissa le cou pour voir à qui il avait affaire. Il s'agissait du jeune patrouilleur Nguyen.

— Bien observé, dit-il en essayant de ne pas paraître ironique. Ça s'est produit à quelle heure, exactement ?

— L'appel est entré à 0 h 18.

— Beau début d'Halloween ! grogna Brazeau. Identité ?

— Luca Brancato, dit l'agent. C'est le patron du restaurant.

— Un Italien ! pesta Brazeau. Me semblait aussi…

— Parle pas en mal des Italiens, dit Surprenant.

Sous un ton léger, l'avertissement était sérieux. Dans cette ruelle délimitée par les rues Saint-Laurent, Saint-Dominique, Beaubien et Saint-Zotique, ils se trouvaient au milieu de la Petite-Italie, à quatre pâtés de maisons de l'église de la Madonna della Difesa, à deux cents mètres du duplex de la rue Dante, où résidaient ses ex-beaux-parents, Guiseppe et Giannina Chiodini. Certains des badauds qui les observaient de l'extérieur du périmètre, mains dans les poches pour se préserver de la fraîcheur de la nuit d'octobre, ne ressemblaient pas particulièrement à des enfants de chœur.

— Qui l'a trouvé ? demanda Surprenant.

— Le serveur, répondit l'agent. La victime a quitté le restaurant par la porte arrière vers minuit cinq pour rentrer chez lui. Quinze minutes plus tard, le serveur a remarqué que l'auto de son patron n'avait pas bougé. Il est sorti, a constaté qu'il était mort et a tout de suite composé le 911.

— Il n'a pas entendu de coups de feu ?

— Non.

— Un règlement de comptes, avança Brazeau. C'est comme le nez au milieu de la face.

— Tu le connais ? dit Surprenant en se relevant et en notant, une fois de plus, que son genou droit se souvenait du coup de Sher-Wood que lui avait donné le grand Dextraze, sur la patinoire de l'école Saint-Georges, un soir de février 1972.

Brazeau, un quadragénaire corpulent connu sous le surnom de LP, se massa la mâchoire.

— Brancato ? Connais pas…

Surprenant ne dit rien. Bien qu'il n'ait intégré le SPVM que depuis trois mois, il avait eu le temps d'observer que les policiers des crimes majeurs, même les sous-fifres, considéraient les figures de la mafia sicilienne avec une familiarité qui n'était pas dénuée de respect. La Cosa Nostra, ou ce qu'il en restait après l'opération Colisée et l'emprisonnement de Vito Scifo, gardait un prestige un peu désuet, qui référait aux cinq familles de New York et à la mythologie des films de gangsters. Montréal, un carrefour international du trafic de la drogue avant les attentats de septembre 2001, avait son parrain. Ce n'était pas rien. Sous des dehors de bons pères de famille, ces *hommes d'honneur* consacraient leur vie à s'enrichir sordidement, mais étaient soumis, comme leurs vis-à-vis de la police, à une hiérarchie et à un code. Ils étaient moins sujets aux dérapages que les motards et les gangs de rue. Le pragmatisme avec lequel ils veillaient sur leurs intérêts avait quelque chose de rassurant. Certains policiers, philosophes ou corrompus, en étaient venus à les considérer comme des bactéries nécessaires à la digestion de la ville, en un mot comme un moindre mal.

— En tout cas, reprit Brazeau, si je le connais pas, toi non plus !

Vas-tu te la fermer ? songea Surprenant en faisant semblant de ne pas avoir entendu. Son atterrissage au sein de la section des crimes majeurs, un club sélect auquel tous les jeunes loups du SPVM rêvaient d'accéder, ne s'était pas fait sans heurts. Il endurait les silences, les allusions, les quolibets avec un stoïcisme fondé sur ce précepte : quoi qu'il fasse, il ne ferait jamais partie du groupe. Il cachait aussi, comme une tare ou un atout, son mariage avec Maria Chiodini. Il s'appelait Surprenant, mais gardait toujours, ne serait-ce que par le sang de ses enfants, quelques antennes dans la communauté italienne.

Il pointa la poche gauche du pantalon du mort : un renflement rectangulaire évoquait un portefeuille.

— En tout cas, le vol ne semble pas le mobile du meurtre.

— Il allait peut-être faire un dépôt, risqua Brazeau.

— Ou plus probablement rapporter les recettes du jour à la maison. Nos amis ne déposent pas toujours tout ce qu'ils gagnent.

— Parle pas en mal des Italiens, se moqua Brazeau.

— On verra tantôt, quand on pourra toucher à quelque chose.

Surprenant se recula et rejoignit son partenaire à plusieurs mètres du cadavre de Brancato. Au SPVM, on ne badinait pas avec l'intégrité des scènes de crime. Bien des accusés, défendus par des avocats retors, avaient été libérés à la suite de vices de procédure.

— Quelqu'un a entendu ou vu quelque chose ? demanda Surprenant à Nguyen.

— Rien, sergent. Nous avons demandé au serveur de demeurer à notre disposition.

La pluie, subitement, avait cessé. Surprenant scruta les alentours. Côté Saint-Dominique, la ruelle était bordée de duplex et de triplex. À l'ouest, sur Saint-Laurent, s'alignaient les entrées de service des commerces, dont celle du Stromboli. La plupart des cours des logements étaient ceintes de clôtures et abritaient des garages ou des remises. Cordes à linge, vignes grimpantes, grilles proprettes : les ruelles de la Petite-Italie différaient de leurs cousines, plus anciennes, du Plateau. Moins de craquelures dans la brique et l'asphalte, des proportions plus généreuses, une certaine ouverture vers le ciel. On n'était plus dans les quartiers centraux, mais aux portes de la banlieue, du moins de ce qui la constituait en 1930.

Des réverbères érigés tous les vingt mètres et des lampes extérieures répandaient une clarté parcimonieuse. La position de Brancato et les points d'impact ne permettaient pas de déterminer s'il avait été abattu d'une certaine distance ou abordé par une personne familière dont il ne s'était pas méfié.

— Penses-tu comme moi, LP ? Une main tranchée, deux balles, tirées comme ça… Ça ne ressemble pas à un règlement de comptes de la mafia, cette histoire-là.

— Aujourd'hui, il y a plein de sous-traitants qui n'ont pas le sens de la tradition.

— Une main coupée…

— Ça fait partie du code. Brancato a pu être puni parce qu'il avait volé. Ça peut aussi être le fait d'un fou. On est dans une ruelle, en pleine ville, et le meurtrier prend le temps de couper une main au gars qu'il vient d'abattre avant de s'enfuir !

— Un fou. Pourquoi pas ? On pourrait mettre l'accent là-dessus si on ne veut pas se faire piquer l'affaire par les gars de l'antigang ?

— Crains pas ! On va les avoir au cul dans un quart d'heure.

Surprenant recula encore. Où un tireur avait-il pu s'embusquer ? Côté est, une cache semblait idéale : l'angle d'une remise, qu'un toit en surplomb gardait dans l'ombre. Il s'y rendit. La vue sur l'arrière du restaurant, identifié par une plaque « STROMBOLI SERVICE », était parfaite. Il sortit sa lampe de poche et inspecta les lieux : quelques éclats de vitre sur l'asphalte, des mauvaises herbes jaillissant des fondations, quelques mégots, un poteau de bois créosoté où une affiche de papier jauni, gondolée par la pluie, signalait la disparition de Jenny, une sympathique chatte d'Espagne de treize ans. Pas de douilles sur le gravier mouillé, rien de suspect si ce n'était, fichée perpendiculairement dans une anfractuosité du poteau, une branche d'arbuste.

Surprenant la libéra, la secoua, l'examina. Les feuilles étaient oblongues, simples, nervurées, tachetées de roux. La branche, longue d'une quinzaine de centimètres, semblait avoir été coupée récemment. La botanique n'étant pas son fort, il glissa la branche dans un sac de plastique, à tout hasard, et se dirigea vers l'unité de commandement, qui arrivait par Saint-Dominique.

Le Stromboli était un établissement à la vocation indéfinie, café le jour, restaurant et pizzeria le soir. La décoration possédait une touche marine, coquillages incrustés dans les murs, photographies vieillottes de ports méditerranéens. Les tables, avec leurs pieds nickelés, évoquaient un *diner* américain. Un téléviseur à écran plat, branché à un récepteur satellite, semblait destiné à attirer les amateurs de sport. Un comptoir séparait la salle des trésors de la maison : une machine à café, un four à bois et, dissimulée derrière un rideau, une pièce intime, une table, six chaises, où Luca Brancato avait accueilli, en des jours plus heureux, ses meilleurs clients.

Surprenant trouva Vinny Palizzolo en train de fumer une cigarette, seul dans la salle. L'éclairage au néon, les chaises renversées sur les tables, la veste aux couleurs de l'AC Milan accrochée près de la porte donnaient au lieu un parfum mélancolique.

— Vous permettez ? demanda Surprenant en déposant une chaise devant le serveur.

— Fais comme chez toi.

Vincente Palizzolo, le visage ridé, en lame de couteau, paraissait aussi calme, et aussi coriace, qu'une huître. Était-ce son âge, soixante-sept ans, ou le fatalisme propre aux subalternes ? Le meurtre de son patron, qu'il connaissait depuis qu'il était « haut comme ça », ne semblait pas l'affecter.

Après avoir noté ses coordonnées, Surprenant revint sur les événements de la soirée. En quelques phrases simples, sans hésitation, Palizzolo répéta sa première déposition : Brancato avait quitté le restaurant par la porte arrière, comme d'habitude, à 0 h 05.

— Vous êtes très précis quant à l'heure.

— Les *highlights* de minuit finissaient au réseau des sports.

— Ça dure plus que cinq minutes.

— Luca regardait juste ceux des Canadiens.

— Qui a gagné ?

— 4 à 1 Buffalo. Price a été pourri.

— Ça lui arrive.

— Luca et moi, on regardait toujours les *highlights*.

Surprenant perçut un soupçon d'émotion.

— Et vous êtes retourné à l'arrière du restaurant à…

— Minuit et quart, après les buts des autres parties. La PT Cruiser était toujours là, ce n'était pas normal. C'est là que je l'ai vu.

— Qu'est-ce que vous avez fait ?

— Je suis sorti et j'ai vu qu'il était mort.

— Plus précisément ?

— Je me suis approché. Il avait un trou là, un autre là, et il ne respirait plus. Je ne suis pas docteur, mais je sais reconnaître un mort quand j'en vois un.

— Et la main ?

Palizzolo éteignit sa cigarette, ébaucha le geste de prendre son paquet de Players, changea d'idée, puis fixa Surprenant droit dans les yeux.

— La main, c'est une merde !

Surprenant observa un moment de silence. Le serveur faisait-il allusion au code ou, plus simplement, était-il indigné qu'on ait charcuté son patron ?

— Monsieur Brancato n'avait aucune raison de se faire couper une main, si je comprends bien ?

— Luca était un homme honnête. Fouille partout, tu ne trouveras rien sur lui. Vous autres, vous voyez un Italien et vous dites : « C'est la mafia ! » Luca était un propriétaire de pizzeria, un petit commerçant qui gagnait la vie de sa famille, monsieur !

— Aucune dette ? Aucun ennemi ?

— Luca n'avait pas d'ennemis.

— Des histoires de femmes ?

Palizzolo secoua la tête avant de s'allumer, cette fois, une autre cigarette, qu'il brandit, entre le pouce et l'index, en direction de Surprenant.

— Ce crime est une… cochonnerie. Peut-être une erreur sur la personne. Mais sois assuré d'une chose: le gars qui a fait ça, il va le payer!

— C'est à nous d'y voir, monsieur Palizzolo.

Le serveur parut étonné par le ton ferme de Surprenant, mais choisit de ne pas commenter.

— Une dernière question: vous n'avez rien entendu?

— Le tueur a dû se servir d'un silencieux. Je ne suis pas jeune, mais j'ai encore mes deux oreilles.

Palizzolo tira sur sa cigarette, subitement vieux et fatigué. Surprenant se taisait.

— J'ai une faveur à te demander, reprit le serveur. Ne va pas chez sa femme cette nuit. Laisse-la tranquille. Elle est déjà au courant.

À 3 h 30, Surprenant et Brazeau laissèrent leurs collègues Guzman et Sasseville responsables de l'unité de commandement et retournèrent au QG de la Place Versailles, au coin de Sherbrooke et de l'autoroute 25. Le centre commercial, un assemblage de structures hideuses, naufragées dans une mer d'asphalte, n'avait en commun avec le château des rois de France qu'un nom, probablement choisi pour illusionner les banlieusards de l'est de l'île sur les charmes de leur bungalow. Outre les habituels magasins à grande surface, la section des crimes majeurs y voisinait avec les escouades antigang, des agressions sexuelles et des crimes économiques, de même qu'un tribunal de la cour municipale. Symboliquement, ce lieu d'échange fonctionnel, ni glauque ni charmant, semblait rappeler que le crime, à Montréal, n'avait rien de pittoresque. La violence s'y exprimait sous ses formes les plus banales. Les mobiles étaient universels: l'argent pour les criminels de carrière, le pouvoir pour les psychopathes, l'amour pour les cœurs meurtris, la misère pour les laissés-pour-compte.

À l'intérieur d'un cube de briques brunes, en haut d'ascenseurs, au bout de couloirs, les enquêteurs travaillaient dans des espaces encombrés de paperasse, violemment éclairés, séparés les uns des autres par des cloisons amovibles dont l'ornement, réduit le plus souvent à des calendriers ou des photographies fixés par des punaises, constituait leur principal exutoire. Dans ce lieu qui ne permettait aucune intimité, les détectives étaient à la fois solidaires et rivaux. De leur côté, les officiers supérieurs, murés dans des bureaux individuels qui jouissaient d'une vue sur les stationnements, brassaient du papier, raidis par la hantise de commettre une faute administrative ou de se faire piéger par un concurrent.

— Ouf! fit Brazeau en déverrouillant son classeur. Mon royaume pour mon lit!

Parmi les obstacles que Surprenant avait rencontrés lors de son arrivée au SPVM, le moindre n'avait pas été son jumelage avec Louis-Philippe Brazeau, dit LP. En plus d'être affligé d'un embonpoint qui le rendait presque inapte au service, l'homme avait déjà été suspendu pour ivresse au volant. D'après les rumeurs, il ne devait son accession au statut de sergent-détective qu'à ce don inattendu: il se classait premier à tous les examens écrits. Cette intelligence était d'autant plus intrigante qu'elle résidait chez un être qui ne présentait aucun des attributs classiques du surdoué. Il jouissait d'une excellente vision. Bien qu'empâté, le visage était viril: des joues rongées par une barbe vigoureuse, un nez fort, des sourcils impressionnants. Il parlait d'une voix grave, menaçante, exhibait, sur son annulaire boudiné, un anneau capable de ceinturer Saturne. Aux yeux du profane, LP Brazeau était un dur. Surprenant avait mis cinq minutes à le démasquer: ce taupin était un doux qui camouflait ses peurs sous une fausse assurance.

— Mon royaume pour un lit… Comment ça se passe avec ta machine?

— Ça va…

Le ton de Brazeau n'était pas convaincant. Son médecin de famille ayant eu la malencontreuse idée d'explorer ses problèmes de fatigue et d'hypertension, il traînait désormais le diagnostic d'apnée du sommeil. Le médecin-conseil du SPVM ne badinait pas avec le règlement: LP devait régler son problème sous peine de perdre son permis de conduire et de se faire parquer derrière un bureau. Depuis deux semaines, il dormait avec un masque à pression positive qui indisposait Nathalie, épouse en titre, une jolie blonde dont les charmes alimentaient l'imaginaire de toute la section.

— Qu'est-ce que tu penses du Brancato ? demanda Brazeau pour changer de sujet.

— Ça peut être n'importe quoi : une querelle de commerçants, une histoire de cul, un règlement de comptes…

— Moi, je trouve que ça sent la *famiglia*.

— On le saura demain, quand nos amis de l'antigang vont daigner se pencher sur la question.

— Ils dorment, les verrats. Quand même bizarre qu'ils ne se soient pas pointé le museau…

Surprenant ne renchérit pas sur les travers de leurs voisins de palier. Il tira de sa poche le sac contenant son artefact végétal et ouvrit son classeur.

— Qu'est-ce que tu fais là, André ?

— Je range ça.

— Montre.

Surprenant tendit le sac à son coéquipier.

— Une branche ! Où tu l'as trouvée ?

— À cinquante pieds du mort, piquée dans un poteau de téléphone.

— Tu connais le règlement.

Surprenant se gratta l'occiput.

— Écoute, LP, c'est un bout de branche.

— Je vois bien que c'est un bout de branche, mais tu n'es pas à Cap-aux-Meules, ici !

LP Brazeau n'était pas différent des autres enquêteurs de la section. De temps à autre, il ne pouvait s'empêcher de rappeler à Surprenant que ses principaux faits d'armes, ceux-là mêmes qui auraient pu expliquer son parachutage au SPVM, avaient eu pour théâtre un archipel perdu au milieu du golfe du Saint-Laurent.

— Sais-tu ? Des fois, j'y retournerais.

— Tu dois enregistrer ton bout de branche en bonne et due forme. C'est une pièce à conviction, même à cinquante pieds du mort. Redonne-moi ça. Je ne peux pas distinguer un sapin d'une épinette, mais je trouverai ce que c'est.

Tirant son téléphone de sa poche, il prit deux clichés du branchage.

— Voilà. Si tu ne veux pas de trouble, écoute ton chum LP.

— Oui, mononcle.

— Comment ça, mononcle ?

— Avec ta bedaine, de même, tu me fais penser à mon oncle Jos avant qu'il crève de son infarctus.

Sans prendre la mouche, Brazeau rangea ses effets et se dirigea vers la sortie.

— Huit moins vingt au Tim ? demanda-t-il sans se retourner.

— Sept et quart. Ça nous prend un plan de match.

Surprenant, son sac toujours à la main, resta planté devant son bureau, sous le regard curieux d'Esmeralda, la femme de ménage colombienne. Il consulta sa montre-bracelet. 3 h 45. Il retira son holster, verrouilla son Walther, tel que le stipulait le règlement, et le rangea dans son classeur, à côté de ce bout de branche qui lui paraissait maintenant ridicule. Il ferma le tiroir à clef. Les temps où il enquêtait sans son arme, aux Îles-de-la-Madeleine ou même à Québec, étaient révolus. Montréal, après tout, était une grande ville.

2
LA MAISON DE L'AVENUE DE L'ÉPÉE

Laissant derrière lui la lueur orangée des raffineries de Pointe-aux-Trembles, Surprenant gagna l'autoroute Métropolitaine. La nuit, la voie rapide, abandonnée aux routards, aux insomniaques et aux fêtards, ressemblait à un pont jeté sur la ville. *I thought my heart was safe, I thought I knew the score.* Lacordaire, Pie-IX, Saint-Michel, Saint-Denis… Guidé par la voix mélancolique de Chet Baker, Surprenant survola Saint-Léonard puis Rosemont, retenant sagement sa Z3 en deçà de 130 km/h. L'héritage de son oncle Roger et la vente de sa maison de Beauport l'ayant soudainement muni d'un coussin, il avait troqué sa Cherokee contre une BMW décapotable. L'achat du roadster, vieux de cinq ans et sujet à des soins coûteux, n'avait pas manqué d'intriguer Geneviève, sa compagne, qui l'avait illico baptisé « le Fantasme ».

— Quoi ? Tu protestes parce que j'achète une deux places ? avait rétorqué Surprenant.

— Vu sous cet angle…

Ils se fréquentaient depuis sept ans, cohabitaient depuis cinq. Les fils de Geneviève, âgés de douze et treize ans, avaient repris goût à voir leur père, domicilié à Brossard, depuis que ce dernier avait mis de l'ordre dans sa vie. Quand la santé de leurs mères respectives ne leur ménageait pas de surprises, Surprenant et son ex-coéquipière se découvraient de plus en plus en possession de ce luxe inédit : du temps libre, seuls.

Saint-Laurent. Quelques rues au sud de la Métropolitaine, le sang de Luca Brancato maculait la cour arrière du Stromboli. La scène de crime, à première vue, était peu bavarde. Le lieu était soumis aux intempéries, tapissé de gravier ou d'asphalte. Il était difficile de dater la présence d'un indice matériel ou de le mettre en lien avec une personne. Dans cette ruelle bordée de logements, personne n'avait vu ou entendu quoi que ce soit. Le meurtrier s'était esquivé en douce, laissant la police devant ce vide familier : l'inconnu.

Ce qui parlait, c'était la main coupée. L'image qui revenait constamment à son esprit, c'était les deux os, les tendons, les vaisseaux dénudés dans la manche de cuir, sous la pluie. Sur des lieux d'accidents, il avait vu des corps réduits en bouillie, encastrés dans des masses d'acier tordu. Ces thorax déformés, ces crânes éclatés, ces os saillant des chairs l'avaient dégoûté. La main coupée de Luca Brancato lui inspirait un autre ordre d'émotion. Cette violence froide, contrôlée était *mauvaise*, associée au mal. Se laissait-il entraîner par son imagination ? Cette mutilation si nette, en apparence si facile, laissait aussi entendre qu'elle pouvait être répétée.

Stromboli. Le volcan n'était-il pas situé en Sicile ? Brancato faisait-il partie, comme le soupçonnait Brazeau, de la Cosa Nostra, la *chose nôtre* ? Si c'était le cas, l'enquête se heurterait à ce silence si feutré, l'omerta. La mafia obéissait à des lois dont Surprenant n'avait eu, par le biais de son ex-belle-famille, que des échos. Les deux frères de Maria, les jumeaux Mario et Marco, faisaient bien dans la construction de faux manoirs, mais rien n'indiquait qu'ils soient plus malhonnêtes que l'entrepreneur moyen. Par ailleurs, les Chiodini étaient d'origine napolitaine. Quelles relations entretenaient-ils avec les Siciliens et les Calabrais, maîtres du terrain montréalais ?

Surprenant prit la sortie L'Acadie en direction sud, en proie à un malaise qui n'avait rien à voir avec le meurtre. Il s'inquiétait des liens de plus en plus serrés qui unissaient son fils Félix aux Chiodini. Que Félix soit fier de ses racines italiennes, très bien. Qu'il soupe presque chaque dimanche chez Guiseppe et Giannina, encore mieux. Qu'il entretienne d'excellentes relations avec Miles, le mari flambant neuf de Maria, rien à redire, bien que ce Miles… Qu'il abandonne l'université et ses piges chez Ubisoft pour se consacrer à sa compagnie de dépannage informatique et à la « comptabilité » de ses oncles, il y avait problème. Félix, vingt et un ans, venait d'acheter, prétendument avec l'aide de sa copine Sabrina, dite Bouba, un loft de 1 400 pieds carrés dans Griffintown. Bien sûr, il branchait et dépannait à gros prix des entreprises, jouait au poker et boursicotait sur des titres de technologie. N'empêche…

Surprenant arriva à Outremont par du Parc et Bernard. Les bruits de la circulation diminuèrent, les lumières des tours d'habitation et des gratte-ciel disparurent. Dans ces rues tranquilles, ombragées par de hauts érables, bordées de demeures bourgeoises, il n'était plus tout à fait à Montréal. Avenue de l'Épée, il retrouva la façade familière de la maison de son oncle Roger, la lourde porte de chêne au haut du perron gris, le balcon de l'étage soutenu par les colonnes de bois couleur crème, le renflement des *bay-windows* du salon et de la chambre principale.

Il avait passé ce seuil une première fois à l'âge de quinze ans. À la suite d'une saisie de haschich à la polyvalente, son oncle était venu le chercher à Iberville. « André, tu vas aller passer l'hiver chez Roger », avait décrété Nicole, sa mère, en écrasant sa cigarette dans le cendrier Red Cap qui ornait en permanence la table de la cuisine de la rue Riendeau. Patins sur l'épaule, valise à la main, il avait grimpé dans la Volvo avunculaire et avait pris le chemin de la ville. Assis aux côtés de son oncle préféré, un grand homme qui parlait mieux que ses frères et qu'il croisait trois fois par année, quand l'architecte débarquait, habillé comme une carte de mode, dans une réunion de famille, le jeune André avait vu apparaître, passé La Prairie, les lumières de Montréal. Il avait connu la ville à l'âge de six ans, quand sa mère l'avait emmené à Expo 67. Il se souvenait des manèges, de la barbe à papa, de la grosse boule du pavillon des États-Unis, du fleuve qu'il avait admiré du haut du minirail, mais aussi de ces tours argentées, cinq fois, dix fois plus hautes que le clocher de l'église Saint-Athanase.

Son oncle l'avait conduit jusqu'à cette maison silencieuse, où il vivait seul, alimentant dans la famille des rumeurs quant à ses préférences sexuelles. Il lui avait désigné une chambre à l'étage, munie d'un lit à une place. « Installe-toi ici. Tu as faim ? » La semaine suivante, il était inscrit, par quelque artifice, au collège Brébeuf. Peu avant Noël, son oncle, remarquant sa fascination pour le piano à queue qui ornait le salon, lui avait demandé s'il aimerait prendre des leçons. Au fil des mois, le jeune André avait appris à apprécier la compagnie de son mentor, un homme calme, cultivé, pince-sans-rire, qui cachait avec discrétion le drame de son existence, une relation sans espoir avec la femme du recteur de l'Université de Montréal. Aussi, en avril, au moment de s'inscrire pour l'année suivante, avait-il simplement demandé, en essuyant la vaisselle :

— Roger, est-ce que je peux rester ici jusqu'à la fin du secondaire ?

— Ici, c'est chez toi, mon gars. Tu peux rester tant que tu voudras.

La semaine suivante, son oncle lui achetait une bicyclette dix vitesses et lui demandait s'il aimerait avoir un boulot aux Olympiques. Venu à quinze ans passer l'hiver, André était demeuré avenue de l'Épée jusqu'à l'âge de vingt-trois ans, ne retournant à Iberville que de loin en loin, pour visiter sa mère et son frère Jacques. La maisonnette de la rue Riendeau avec sa galerie bancale et son revêtement de déclin de bois, le petit centre-ville avec ses rues et ses avenues numérotées, l'école Saint-Georges séparée du couvent des filles par cette cour de gravier où il avait fait les quatre cents coups, l'église de pierre grise face au Richelieu et à la ville jumelle de Saint-Jean, l'air même qu'il respirait, chargé de l'humidité de la rivière, le ramenaient invariablement au drame qui avait marqué son enfance : la disparition mystérieuse de Maurice, son père, livreur de bière, un soir d'octobre 1970, quand il avait neuf ans.

Malgré les cernes qui lui rongeaient les yeux, sa mère avait refait sa vie avec un commis voyageur qui passait à Iberville les fins de semaine. Elle s'ennuyait de son fils aîné, mais était heureuse de le voir se muer en un jeune homme instruit, qui jouait du Bach et étudiait l'allemand. « Étudie, étudie ! Tu finiras pas comme ta mère, serveuse dans un snack-bar. » Le petit Jacques, quant à lui, semblait incapable de quitter son personnage d'enfant timoré.

Surprenant suivit l'allée de ciment, grimpa les sept marches du perron, ouvrit la porte surmontée d'une imposte en vitrail.

Depuis trois mois, son refuge d'adolescent lui appartenait.

Il avait eu un choc quand il avait vu son oncle en mai. Assis au bar du Château Frontenac, face au fleuve, Roger Surprenant, amaigri, semblait soudain avoir été rattrapé par ses soixante-treize ans.

— Vous paraissez fatigué, mon oncle, avait risqué Surprenant après quelques minutes de conversation.

— Prétendre que je suis en pleine santé serait sans doute exagéré.

Jusqu'à la fin, il avait cultivé une pudeur et un humour surannés. Quand il eut dit que séjourner au Château répondait à un rêve d'enfance, certainement ridicule, il était entré dans le vif du sujet.

— Tu sais, ton projet de revenir à Montréal ? C'est le moment.

— Vous croyez ?

— Postule au SPVM.

— Au SPVM ! Mais…

— C'est le moment, je te dis.

De la même façon qu'il l'avait inscrit à Brébeuf, qu'il l'avait introduit auprès d'un professeur du Conservatoire, qu'il lui avait prêté vingt mille dollars pour sa première maison, l'oncle Roger avait réussi à le faire admettre au sein de la section des crimes majeurs du SPVM. Quelles relations avait-il fait jouer ? Surprenant n'en savait rien. À Montréal, son oncle fréquentait ce qu'il appelait, toujours pudiquement, des *cercles*. Au milieu de ces cercles, de toutes obédiences politiques, d'après ce que Surprenant avait compris, les services se rendaient selon des règles d'autant plus efficaces qu'elles étaient discrètes.

En ce début de soirée, dans le bar du Château, pendant que l'île d'Orléans, à l'est, se parait des ors du couchant, Surprenant avait évoqué les difficultés de loger une famille à Montréal. Son oncle avait simplement dit, en le fixant dans les yeux : « C'est un problème qui se réglera de lui-même. » Le cœur serré, Surprenant avait compris que l'oncle Roger, une dernière fois, remplissait son rôle de passeur.

Il pénétra dans la maison silencieuse. Geneviève, William et Olivier dormaient à l'étage. À son poste, couché dans son lit entre le divan et le foyer, Chat, le matou jaune rapporté des Îles-de-la-Madeleine, le salua de son célèbre miaulement. Surprenant s'approcha du Steinway, la vieille et magique bête noire qui semblait abriter, dans le salon rafraîchi par Geneviève, l'âme du disparu. Il s'assit au clavier et égrena un accord mineur. Au cimetière d'Iberville, en août, autour de la fosse où les Surprenant avaient déposé, tour à tour, de la terre sur le cercueil de chêne, son oncle Marcel, maladroitement endimanché, s'était approché de lui, l'œil humide.

— Maintenant, je suis le dernier.

Il disait vrai. Jos, Maurice, Roger étaient partis. Des quatre frères Surprenant, il ne restait que lui, le vieux Hibou de la rivière à Barbotte.

— Jusqu'à preuve du contraire, avait dit Surprenant.

L'oncle Marcel l'avait regardé d'étrange façon. Plus de trente ans après sa disparition, Maurice, le père de Surprenant, aurait été aperçu en Californie. Était-ce bien lui ? Si oui, était-il toujours vivant ? Personne ne le savait. Personne, non plus, n'avait semblé surpris que Roger Surprenant ait légué sa maison de l'avenue de l'Épée à son neveu André, éparpillant le reste de ses avoirs entre sa secrétaire et sa parenté.

3

LE FRONT INTÉRIEUR

À 6 h 20, par une aube chafouine qui n'annonçait rien de bon, Surprenant était de retour dans la ruelle de la Petite-Italie. Mary-Ann Sasseville buvait un café, seule dans l'unité de commandement.

— Sébastien est en dedans ? demanda Surprenant.

— Il vient de partir. Mélanie a des contractions.

Surprenant fit « Oh ! », sans rien ajouter. Le ton de Sasseville, froid, contrôlé, ne masquait pas son désarroi : à trente-huit ans, elle n'arrivait pas à enfanter. Après avoir épuisé toutes les ressources de procréation assistée, elle et son mari, un Anglo de Pointe-Claire, entamaient des procédures d'adoption.

— Les techniciens ont presque terminé, reprit-elle. On a ça.

D'un bac d'échantillons, elle tira un sachet de plastique contenant une balle.

— On dirait du 22, estima Surprenant. Où l'avez-vous trouvée ?

— Dans un cadre de fenêtre. À part de ça, Rossi, de l'antigang, est venu faire son tour.

— Qu'est-ce qu'il a dit ?

— Rien, comme d'habitude. Il s'est contenté de fouiner en faisant semblant de tout savoir.

— Je vais jeter un coup d'œil.

Il sortit, passa sous le ruban qui délimitait le périmètre et se dirigea vers les techniciens. Ils étaient trois, deux jeunes gars aux cheveux ramassés dans des filets et une nouvelle venue, débarquée depuis son départ pour Versailles.

— Comment ça se passe ? demanda Surprenant.

La femme, une belle brune dans la trentaine, posa sur lui un regard à la fois las et curieux.

— Sans vouloir vous offenser, vous êtes… ?

— André Surprenant, crimes majeurs.

— Ana Tavares. Spécialiste en poussières, résidus, traces et petites affaires.

— Les… petites affaires parlent-elles ?

— L'auto ne nous apprend pas grand-chose. Par contre…

— Vous avez trouvé une balle.

Elle le guida vers la silhouette dessinée de la victime, près de la PT Cruiser.

— Ici.

Elle lui montra une indentation dans l'asphalte encore humide.

— Et logiquement…

La technicienne marcha jusqu'au mur arrière du restaurant, à gauche de la porte, et lui désigna un trou dans le cadre d'une fenêtre.

— L'autre balle doit être dans le thorax du gars, dit Surprenant. Pourtant, celle-là a traversé deux fois la boîte crânienne.

— Je ne suis pas experte en balistique, mais, d'après la position du corps et les sites d'entrée et de sortie, la balle qui a traversé le cerveau a été tirée à bout portant quand le gars était déjà à terre.

— Pour ensuite ricocher sur l'asphalte et finir dans le cadre de fenêtre quinze pieds plus loin. Le tueur voulait être sûr de son coup.

— Ce n'est pas fini. Je viens de trouver quelque chose.

Ana Tavares le mena jusqu'à la porte arrière du restaurant, où elle lui pointa des couvre-chaussures et des gants.

Il sourit.

— Nos protocoles vous amusent ? demanda-t-elle. D'où arrivez-vous déjà ?

— Je croyais que vous ne me connaissiez pas.

— Un gars de votre âge qui passe de la SQ au SPVM, ça fait jaser, forcément.

Sans relever l'allusion à son âge, Surprenant garnit ses quatre extrémités des accessoires idoines.

— C'est ici, indiqua la technicienne en le guidant vers un réduit de quatre ou cinq mètres carrés qui faisait office de bureau.

— Le coffre-fort, on est au courant. Il contenait à peine huit cents dollars.

— Nous, on ne se contente pas de jeter un œil.

Elle entrouvrit la porte d'un coffre-fort encastré dans un mur. L'argent avait été ensaché depuis longtemps. Demeurait une ouverture d'acier carrée, nue, dont la surface inférieure accusait, sous l'éclairage de la lampe de la technicienne, de discrètes stries rectilignes. La femme passa délicatement son index droit le long de l'ouverture, puis le montra à Surprenant : son gant portait une fine poudre blanche.

— De la coke ?

Elle lécha son index.

— Au goût, c'est positif. Les analyses le prouveront. Les employés ont dû vider le coffre en vitesse quand ils ont vu qu'on avait tiré sur leur patron.

— En fait d'employés, il n'y avait qu'un vieux serveur.

— Entre se taire et mourir, le choix est facile, même à son âge.

— De la drogue dans un restaurant... À mon avis, ce n'est pas dans les habitudes de la Famille.

— Justement. Brancato avait peut-être un *sideline.*

Surprenant ne dit rien, captivé par le visage de son interlocutrice. Le charme de cette femme ne tenait pas tant à ses traits – ces grands yeux bruns, expressifs, ces sourcils arqués, fournis, de part et d'autre d'un nez un peu fort – qu'à sa vivacité et son intelligence. Mais l'intelligence et le charme n'allaient-ils pas toujours de pair ?

— Vous avez raconté ça à mon… collègue de l'antigang ?

— Je ne l'ai pas vu.

Nouveau flottement.

— Vous me faites signe si quelque chose attire votre attention ?

— Si ça peut faire avancer l'enquête, pourquoi pas ?

Il tendit sa main droite, à la fois pour prendre congé et pour sceller ce pacte qui débordait quelque peu des usages du service. Elle sourit : ils étaient tous les deux gantés.

— Je crains que nous ne puissions nous toucher, sergent.

— Évidemment. À propos, votre français est excellent.

Les sourcils d'Ana Tavares se soulevèrent, ses yeux s'agrandirent encore, exprimant, indubitablement, la déception. Surprenant retraita vers l'unité de commandement, ses souliers toujours garnis de chaussettes bleues, en pensant qu'il ne connaissait plus Montréal.

Se méfiant des ralentissements sur la Métropolitaine et sur la 25, il inséra la Z3 dans le flot des autos qui descendaient Christophe-Colomb vers le centre-ville avant d'emprunter Rosemont en direction est. La présence de cocaïne dans le coffre-fort de Luca Brancato ouvrait certaines perspectives, mais n'avait rien d'étonnant. La drogue était la vache à lait du crime organisé. Elle générait de gros profits. Sa clientèle était captive. Elle permettait à certains joueurs, proxénètes, prostituées, hommes de main, de tolérer l'intolérable. Enfin, c'était un bien mobile, transportable, concentré dans des comprimés, des poudres qui valaient presque leur pesant d'or. Surprenant regarda le paysage familier du boulevard Rosemont, petits commerces, triplex de brique brune tendant vers les arbres dénudés leurs balcons et leurs escaliers tournants. Alcool, drogues illicites, anxiolytiques, antidépresseurs, antipsychotiques, psychostimulants, opioïdes... Dans ce quartier de classe moyenne, combien de gens fonctionnaient sans béquilles ? Les médicaments d'ordonnance étaient souvent utiles. Une partie de ces drogues « légales » gagnait néanmoins le marché noir, où elles étaient avalées, sniffées, injectées des façons les plus ahurissantes. Certains jours, Surprenant, aux prises avec les ramifications tentaculaires de la dépendance, avait l'impression de lutter contre un phénomène aussi inexorable que le réchauffement climatique.

Il retrouva Brazeau à sa table rituelle du Tim Hortons, près du comptoir central, où il pouvait aisément mettre la main sur un *Journal de Montréal* libéré par un client.

— 350, dit Surprenant en prenant place en face de son coéquipier.

— 350 quoi ?

— Ton *latte* et ton crème Boston. 350 calories. Minimum.

— Écœure pas le peuple, je déjeune.

Surprenant, levant les mains, proclama la fin de l'escarmouche.

— Ton bout de branche, reprit Brazeau. *Amelanchier canadensis.*

— Un amélanchier ? Me semble que ça ne pousse pas dans une ruelle de la Petite-Italie.

— Je dirais que ça pousse partout où un gars se donne la peine d'en planter. Paraît que ça donne de bonnes confitures. Moi, ça me fait penser au livre qu'on s'est tapé à l'école. Tu sais, le docteur qui a servi de médiateur avec le FLQ ?

— Jacques Ferron.

Surprenant n'avait que de vagues souvenirs du roman, lu au collège alors qu'il était intoxiqué par l'inaccessible Ginette Daneau. Changeant de sujet, il mit Brazeau au courant de sa dernière visite au Stromboli.

— Ça règle le cas, conclut son coéquipier en s'essuyant la lippe. Un Italien avec de la coke dans son coffre-fort ? C'est sûr que l'antigang ou les stups vont ramasser ça.

— La coke, on est les seuls à savoir.

— Commence pas à garder des renseignements pour toi. Aux crimes majeurs, les boomerangs reviennent plus vite que les ascenseurs.

— Tu es un poète.

— Si tu es gentil, à Noël, je te chanterai *Nessun dorma.*

Peut-être pour justifier l'ampleur de son coffre, LP Brazeau collectionnait les enregistrements de Pavarotti, qu'il idolâtrait à l'égal de René Lévesque ou de Mario Lemieux. Leur lieutenant, Stéphane Guité, ne se gênait pas pour l'appeler, avec le mélange d'affection et de dérision qui était sa marque de commerce, *Luciano Brazzo*, en insistant sur le double z.

— « Que personne ne dorme »… Je serai ravi de t'entendre, mais pourquoi à Noël ?

— C'est un classique du party de bureau. Quand je chante *Nessun dorma*, tout le monde va se coucher.

— On y va ? C'est pas le temps d'arriver en retard.

— OK.

— Louis-Philippe ?

L'usage de ce que Brazeau, contaminé par ses ados, appelait son *full prénom*, annonçait une demande spéciale.

— Oui ?

— On ne parle pas de la coke ?

Brazeau soupira.

— D'accord.

Traversant le mail qui s'éveillait, ils arrivèrent bientôt aux crimes majeurs, où Lorraine, la secrétaire personnelle de Guité, préparait la réunion du matin. La salle de conférence était un espace rectangulaire dont les murs, d'un beige vaporeux, étaient ornés de vieilles photographies de la ville. Au centre, deux tables de laminé sombre, côte à côte, permettaient d'asseoir une douzaine de personnes. Au bout de la pièce, trois fenêtres fournissaient une échappée sur la tour arrière et les bâtiments de l'hôpital Louis-H. Lafontaine, familièrement appelé *Louis-H.*

Hudon et Rossi, de l'antigang, étaient déjà sur place, à gauche de Lorraine qui picossait sur son portable. Signes de tête, salutations, Surprenant et Brazeau s'installèrent en face de leurs collègues. Charles Hudon, à peine quarante ans, tonsure, lunettes à la Woody, était une étoile montante du service. Issu des crimes économiques, il était particulièrement versé dans les entourloupes organisationnelles des gangs. Jean Rossi, un petit homme sec aux cheveux blancs ondulés, était un vétéran de l'escouade. Immigrant de deuxième génération, il parlait la langue de ses ancêtres, y compris les dialectes, et possédait une connaissance encyclopédique des réseaux mafieux.

— Messieurs !

Stéphane Guité, le patron des escouades spécialisées, avait quelques années de moins que Surprenant. De taille moyenne, légèrement enveloppé, il se démarquait surtout par ses yeux, deux hublots noisette, oblongs et veloutés, et par une moustache clairsemée qu'il lissait machinalement de ses doigts fins. Sa rapide ascension au sein du SPVM était d'autant plus remarquable que sa personnalité était tissée de paradoxes. Natif de Sainte-Thérèse-de-Gaspé, il était anglophile. Il avait un esprit souple, inventif, mais défendait des opinions conservatrices. Féru de technologie, il aimait se fier à son intuition. D'autre part, qu'il ait épousé la fille d'un ex-ministre de la Justice n'avait peut-être pas nui à son avancement. Son anglophilie, contractée, semblait-il, lors d'un stage de formation à Scotland Yard, se manifestait sur divers plans. Il affectionnait le tweed et les chandails à col roulé, faisait de la voile, enrobait ses propos d'une ironie subliminale et pratiquait une politesse vieillotte, ouvrant les réunions de ce « Messieurs ! » qui évoquait le *war room* de Churchill, nom que portait d'ailleurs son setter.

— Qu'avons-nous ce matin ? Luca Brancato, refroidi et mutilé à cinquante-six ans *in Little Italy*. J'imagine que Jean en sait un peu sur son compte, mais nous commencerons par vous, Surprenant.

Peu rassuré par l'invitation, Surprenant entreprit son exposé. Vendredi 31 octobre, 0 h 18, Vinny Palizzolo, serveur au Stromboli, fait un appel au 911. Son patron a été abattu alors qu'il gagnait sa voiture, dans la ruelle située à l'arrière. Brancato a reçu deux balles, l'une au thorax, l'autre à la tête. La main droite a été tranchée au-dessus du poignet.

— Tranchée ? s'étonna Hudon. Avec quoi ?

— Je penserais à une hache. Ou une petite scie électrique, mais ça se transporte moins bien. L'autopsie nous aidera peut-être.

— Aucun témoin ? demanda Rossi.

— Jusqu'ici, on n'a personne.

Hudon, dubitatif, dodelina du chef. Surprenant poursuivit. Une balle de petit calibre, celle qui avait traversé le cerveau, avait été récupérée. Le portefeuille de la victime contenait trois cent vingt dollars, le coffre-fort, environ huit cents, ce qui, d'après le serveur, représentait les recettes liquides de la soirée. À première vue, Brancato n'avait pas été volé. Pas de traces de lutte, pas de douilles, pas de signes d'effraction. Le tireur avait pu s'enfuir à pied ou en automobile. Selon le serveur, Brancato était un restaurateur sans histoire. Le dossier judiciaire était vierge, sauf pour deux excès de vitesse. Aucune entrée à son nom dans la base de données. Les délais n'avaient pas permis de fouiller davantage.

Silence.

— Tu es là, *Brazzo* ? s'enquit Guité.

— Positif. Rien à ajouter, sauf que c'est un Italien.

— Nous nous en doutions. Jean ?

D'un air presque ennuyé, Rossi se leva et alla éteindre le plafonnier.

— Nous avons peu de choses sur Brancato, mais sa femme est la cousine de Vito Scifo. *Prima cugina*, ou cousine germaine, comme on dit ici.

Rossi alluma le rétroprojecteur. Sur une photographie agrandie plusieurs fois, Surprenant reconnut le visage du propriétaire du Stromboli.

— Son père, Alfonso Brancato, est né à Cattolica Eraclea, comme les Scifo, et a immigré au Canada en 1951.

Zoom out. Brancato, tout de noir vêtu, guide une femme obèse sur le parvis de l'église de la Madonna della Difesa.

— Août 2005, aux funérailles de Salvatore Giuliano.

— Pepperoni Giuliano ! claironna Brazeau.

L'histoire avait frappé l'imagination du public. *Capo* en disgrâce des Scifo, Giuliano avait été abattu d'une balle dans la tête alors qu'il faisait cuire des poivrons dans sa cour. La rumeur voulait que sa femme l'ait découvert la face collée sur le gril. Chose certaine, le cercueil était demeuré fermé.

— Je te conseille de ne pas lâcher ce genre de blague devant un Sicilien, avertit froidement Rossi. Revoici Brancato, cette fois entrant au Consenza en 2003.

— C'est un restaurant ? demanda Surprenant.

Hudon le gratifia d'un regard condescendant.

— C'est un *front*. Un petit café où on ne sert à peu près rien, mais où on discute de tout. Maintenant, ça s'appelle l'Associazione Cattolica Eraclea.

— La Cosa Nostra n'est jamais loin des associations d'immigrants, expliqua Rossi. C'est historique.

— Nous savons tout ça, intervint Guité d'un ton agacé. Donc, Brancato est allé aux funérailles de Pepperoni ?

— Nous connaissons le Stromboli, reprit un Rossi imperturbable. C'est une pizzeria de quartier. Les gens de Scifo n'y mettent pas les pieds. D'une certaine façon, c'est intrigant, à cause des liens de parenté.

— Brancato s'est pourtant fait descendre, même couper une main, insista Guité.

Rossi et Hudon échangèrent un regard.

— Nous n'avons rien de précis sur lui, dit Hudon. Mais...

— On coupe la main d'un traître ou d'un voleur, compléta Rossi. À mon avis, ça pourrait être en lien avec les Scifo.

— « Ça pourrait », cita Surprenant d'un ton qui se voulait neutre. C'est une impression ou vous vous appuyez sur quelque chose de précis ?

Le vouvoiement de Surprenant était aussi respectueux que perfide. S'adressait-il à Hudon et Rossi ou encore laissait-il entendre que Rossi, qui allait prendre sa retraite dans deux mois, avait perdu la main ? Debout, le vétéran fit peser sur la recrue un regard de plomb.

— Les précisions vont venir en temps et lieu, Surprenant. Ce que je dis, c'est que Luca Brancato est le cousin par alliance de Vito Scifo. Juste ça, ça justifie que l'affaire soit confiée à l'antigang.

— Quoi ? protesta Surprenant.

— Messieurs…

Guité, de sa voix posée, savait imposer le respect.

— Nous nous entendons sur le fait que rien, à part des liens de parenté, ne relie *jusqu'ici* ce restaurateur au crime organisé. L'enquête restera donc aux crimes majeurs.

La réunion se termina dans un épais malaise.

4
UN COURRIEL DE LAUREEN

— Qu'est-ce que tu en penses ? demanda Surprenant à Brazeau tandis qu'ils regagnaient leurs bureaux.

— Qu'on va avoir des ennuis. On aurait dû parler de la coke dans le coffre-fort.

— Le rapport officiel des techniciens n'est pas sorti.

— Tu peux essayer de jouer là-dessus, mais surveille Hudon. Il nous a de travers.

— Je dirais plutôt que c'est Rossi qui tire la couverte de son bord.

— Je ne sais pas ce qui se passe avec Jean. Depuis le début de l'été, il n'a pas l'air dans son assiette. Peut-être qu'il n'est pas chaud à l'idée de se retrouver seul à la maison. Par ailleurs, je répète : méfie-toi de Hudon.

Surprenant, songeur, s'interrogeait toujours sur l'attitude de Rossi. À son arrivée au SPVM, le vétéran avait été le seul collègue qui lui ait manifesté quelque chaleur. Il l'avait invité à s'asseoir à son bureau, s'était informé de son parcours, de sa famille. Surprenant avait dû se retenir pour ne pas mentionner que ses enfants étaient, par leur mère, à demi italiens. Aujourd'hui, il s'en félicitait. Il devait apprendre plus tard, entre les branches, que l'épouse de Rossi, cette belle femme qui rayonnait entre ses trois enfants sur une photo vieillotte bien en vue sur son bureau, était décédée d'un cancer en 2002.

Interjections, conversations téléphoniques, ronronnement des ordinateurs, hoquets des imprimantes, autour d'eux, la salle des enquêteurs des crimes majeurs bourdonnait d'activité. Surprenant s'affala dans son fauteuil, regrettant une trentième fois de ne pas disposer d'un espace où il puisse s'allonger et réfléchir en paix.

— Tu veux te charger des comptes et des téléphones ?

— Pendant que tu feras quoi ? demanda Brazeau.

— La veuve.

— Vingt piastres qu'elle te dira que son Luca était un brave homme. D'accord pour les comptes.

Brazeau disparut derrière son panneau. À bien y penser, ce n'était pas un mauvais partenaire. Sa corpulence et sa paresse, se nourrissant l'une de l'autre, le portaient vers les tâches cléricales, épluchage de relevés, rédaction de rapports, exploration des archives, pendant que Surprenant, en proie à la bougeotte, sillonnait la ville.

Surprenant entra son mot de passe et parcourut la page d'accueil du service. Signalements, conseils de sécurité pour l'Halloween, promotion des agents de proximité, rien ne le concernait. Sa boîte de messagerie était vide. Il dénicha l'adresse courriel d'Ana Tavares et tapa : *Merci pour les infos de ce matin. Pouvez-vous m'envoyer votre rapport complet dès qu'il sera disponible ? Je vous souhaite une agréable Halloween.*

La dernière phrase, qui sortait de leur cadre professionnel, lui causait un certain malaise. Qu'espérait-il ? Qu'Ana Tavares lui confie qu'elle projetait de faire la tournée de son quartier avec son petit dernier déguisé en Darth Vader ? Ou encore qu'elle l'invite à un bal costumé dans un *after-hour* du Mile-End ?

Envoyer.

Entre collègues, un certain degré de familiarité, voire de tension sexuelle, n'était pas contre-productif. Tout était dans la manière et dans l'élasticité de la conscience. Il consulta sa messagerie personnelle sur son téléphone portable. Entre un courriel de Geneviève et une estimation du menuisier pour la rénovation du sous-sol, un nom, L. Sorensen, stimula ses surrénales.

L'an dernier, tu m'as demandé de te contacter si j'apprenais quelque chose au sujet de ton père. Après toutes ces années, je croyais que c'était inutile. J'ai pourtant conservé ta carte parce que ta démarche avait quelque chose de touchant. Les bars sont remplis d'hommes qui cherchent une femme, une mère, un ami, un père, mais peu d'entre eux traversent des continents pour les retrouver.

Hier, un bassiste nommé Billy Sousa est venu au bar. « Maurice Surprenant » a conduit le camion de son band *dans les années 80. Billy l'a croisé à Puerto Vallarta l'an dernier. Maurice vivait là depuis quelques années, de petits travaux reliés au tourisme et à la musique. Mardi, Sousa a appris que Maurice était revenu à L.A. parce qu'il était malade.*

Je n'en sais pas plus. J'ai pensé que je devais t'en parler.

Laureen

Écrit dans un excellent anglais, le message le sonna comme un coup de poing. Il avait rencontré Laureen Sorensen une première fois en 2003, quand il s'était rendu à Los Angeles sur la trace de son père[1]. Au bout de quelques jours de recherche, une voisine de Breeze Crescent, à Venice, l'avait orienté vers un bar du boulevard Abbot Kinney. Laureen Sorensen, la patronne, une ancienne belle au visage raviné par le soleil, avait effectivement connu un Maurice Surprenant, au début des années 80. « *He was in the music business.* » « *That Maurice* » avait disparu de la scène aussi mystérieusement qu'il y était entré. Laureen Sorensen ne pouvait rien lui révéler de plus.

Malgré le « *This is old stuff, son* » avec lequel elle avait clos l'entretien, Surprenant avait gardé l'impression qu'elle ne lui avait pas tout dit au sujet de son père. Aussi avait-il sollicité et obtenu de la SQ, en septembre 2007, un stage de perfectionnement de deux semaines à

1. Cf. *L'Homme du jeudi.*

Los Angeles. Son mentor était le sergent Clifford Biggs, qui travaillait aux homicides dans le South Side. Le soir, après son travail, Surprenant arpentait Venice Beach, où un Maurice Surprenant avait habité de 1980 à 1983. La piste du livreur de O'Keefe, s'il s'agissait bien de lui, était encore plus froide qu'en 2003. Errant dans la capitale du rêve, au pied des lettres HOLLYWOOD, Surprenant éprouvait le sentiment d'évoluer dans un film dont il aurait été le scénariste. Il se cramponnait à des impressions, à des souvenirs, à des ouï-dire. Il nageait en pleine fiction au lieu d'affronter la vie, comme d'habitude.

Il était tout de même retourné au Turnstile, sur Abbot Kinney. « *Here you are again* », lui avait dit Laureen Sorensen en l'apercevant au bar. Dans la pénombre, sous les reflets multicolores des téléviseurs, son visage, maintenant encadré par des cheveux gris, courts, qui la transformaient en une sorte de Judy Dench psychédélique, paraissait plus jeune que quatre ans auparavant.

— Tu veux vraiment retrouver ce petit voyou ?

— Vraiment, avait affirmé Surprenant en s'interrogeant sur le sens de ce « voyou ».

Cette fois, émue par sa persévérance, Laureen avait extrait quelques souvenirs de son cerveau. « Un petit homme… observateur… ironique… un discret accent français… » De ces éclats du passé, Surprenant avait surtout été frappé par le « petit ». Dans sa tête, son père avait toujours été grand. Il retourna à ses onze photographies. Maurice Surprenant, quand on l'apercevait de pied en cap, faisait effectivement entre un mètre soixante-cinq et soixante-dix. Combien d'autres souvenirs avait-il transformés ?

Mardi… Ce Billy Sousa avait appris que *that Maurice* était peut-être retourné à Los Angeles trois jours plus tôt. Surprenant consulta sa montre. Il était 5 h 40 en Californie. Pas question d'appeler Laureen Sorensen. Il lui envoya un bref courriel la remerciant et lui demandant, une fois de plus, de demeurer aux aguets si elle devait croiser une autre connaissance du mystérieux Maurice. Restait la carte Biggs, dont il avait conservé les coordonnées.

En attendant, il avait un mort sur les bras. Il contacta le laboratoire de médecine légale de la rue Parthenais. Si rien ne faisait dérailler son horaire, le docteur Prucha devait procéder à l'autopsie de Brancato à 11 h 30.

Il ouvrit le moteur de recherche, inséra « cocaïne », « Brancato », « Scifo » et explora les résultats. Ceux-ci, arrestations pour trafic, extorsions, suicides, règlements de comptes, blanchiment d'argent, ne concordaient que par l'absence de toute référence au nom de Brancato. Par contre, il y était aussi évident que les têtes dirigeantes de la mafia, et notamment le mythique Vito Scifo, n'étaient jamais évoquées que par de vagues associations. L'essentiel du trafic était aux mains des lieutenants, les *capi*, qui régissaient leurs territoires comme autant de barons et ne craignaient pas de s'associer localement à d'autres acteurs, motards ou gangs de rue. Si Brancato trafiquait, agissait-il seul ou était-il associé à un groupe ? Surprenant décida de procéder selon des critères géographiques. Il nota les numéros d'affaires récentes survenues dans Rosemont-Petite-Patrie, Parc-Extension, Villeray, et descendit aux archives.

Le cerbère d'office était le gros Lavallée. Un genou éclaté à la suite d'une fusillade, la panse redondante, l'ancien patrouilleur écoutait, comme toujours, CKAC. Il interrogea son écran. Sa face massive se fendit d'un sourire matois.

— Tu travailles sur le gars qui s'est fait passer près de Beaubien ?

— Possible.

Au bout d'un moment, Lavallée revint avec un charriot supportant six épais dossiers et observa, sur un ton neutre :

— Tu n'es pas mal parti. Jette un œil du côté des Rouges. Ils sont emmêlés avec les Italiens, c'est sûr.

Surprenant observa un silence prudent. Si les Rouges, un regroupement de gangs de rue qui sévissaient principalement dans le nord de l'île, s'alliaient parfois aux Siciliens dans des entreprises sectorielles, leurs conflits territoriaux avaient enrichi plusieurs thanatologues. Par ailleurs, il ne connaissait pas assez Lavallée pour lui faire confiance. Confiné derrière son comptoir à écouter les envolées de Ron Fournier, l'homme, jamais à court de potins ou de conclusions à l'emporte-pièce, était certainement un bavard, possiblement un mythomane.

— Merci du tuyau, lâcha-t-il en poussant le charriot vers l'ascenseur.

De retour à son bureau, il se fit un double espresso avec la machine qu'il s'était procuré, à son arrivée au SPVM, dans le but de remplacer l'engin de son collègue Santerre, à Lac-Beauport. Il ouvrit le premier dossier. L'heure qui suivit ne lui apprit rien au sujet de Luca Brancato, mais il put identifier certains acteurs de la pègre locale. Deux noms surgissaient avec régularité : Salvatore « Sonny » Leggio, trente-sept ans, et Mike Greco, trente ans, qui gravitaient autour du Café Stella, rue Jean-Talon. Leggio avait été condamné pour port d'armes illégal. Greco possédait un dossier vierge.

Surprenant retourna au guichet de Lavallée.

— Trouvé ce que tu cherchais ? demanda celui-ci, sur un ton faussement distrait.

— Y a des noms qui ressortent : Leggio… Greco…

— Les deux sont brûlés… Leurs noms circulent dans les journaux. Laisse ça à Hudon.

— Tu as l'air bien informé.

— J'ai encore des contacts. Je peux te dire une chose : les Italiens ne s'attendaient pas du tout à ce que Brancato se fasse passer.

— Ça ne m'avance pas beaucoup.

Lavallée jaugea Surprenant de ses yeux porcins.

— Je te l'ai dit tantôt : les Rouges et les Italiens. C'est un classique !

5
UNE MAIN, DEUX BALLES, TROIS TROUS

Eva Brancato, née Donato, reçut Surprenant dans le salon d'un petit cottage de l'avenue D'Auteuil, dans Ahuntsic. Vêtue de noir, son mascara à peine étalé autour de fort beaux yeux verts, la dame avait dû être séduisante avant d'être affligée d'un embonpoint si considérable que Surprenant, au souvenir du cadavre de son mari, se demanda s'ils s'étaient accouplés dans les dix dernières années.

Le policier se butait de nouveau au silence, qui prenait en l'occurrence une couleur conjugale. Luca Brancato était, semblait-il, un mari modèle, un père aimant, un homme qui vivait pour sa famille et son travail. « Nous sommes des enfants d'immigrants. Nous avons appris très jeunes que, si nous voulions avoir quelque chose, il fallait travailler. »

Ce qui n'avait pas empêché Eva Brancato de rester à la maison, en partie pour s'occuper de la vieille Malvina, sa belle-mère, « qui va mourir de chagrin maintenant ».

Surprenant rangea son carnet et se leva pour changer la dynamique de l'entrevue. Meublé de divans damassés, d'une lourde crédence en noyer, de miroirs ornés, le salon témoignait d'une aisance à la fois ostentatoire et bon marché. À côté d'un vase de verre soufflé dans lequel s'empoussiéraient quelques fleurs artificielles, quelques photos de famille formaient une mosaïque.

— Vos enfants ?

— Nos deux filles, Sabrina, avec le bébé, et Sophia, qui est à l'université.

Sophia, une jeune femme qui avait malheureusement hérité des hanches de sa mère, posait devant le mémorial Strawberry Fields, dans Central Park.

— Elle vit à New York ?

— Elle étudie à Columbia University.

— Saviez-vous que votre mari cachait de la cocaïne dans son coffre-fort, madame Brancato ?

— Luca ? Impossible ! C'était contre ses principes. Fouillez du côté des employés.

— Vinny Palizzolo est un ami de la famille, si j'ai bien compris ?

La réponse tarda. Surprenant perçut quelques hoquets. Il se retourna : Eva Brancato, le visage dans les mains, pleurait.

Il retourna à son fauteuil et attendit. Les sanglots redoublèrent. Il ne put s'empêcher de songer que le chagrin de la veuve était aussi ostentatoire que son salon. Il nota aussi que l'éclat survenait au moment où il entrait dans le vif du sujet.

— Vous ne comprenez donc pas ? hoqueta la femme. La main coupée, c'est le déshonneur ! Pour toute la famille !

Eva Brancato, le visage cette fois maculé de rimmel, cessa de pleurer, d'un coup, comme pour appuyer son affirmation.

— J'y arrivais, justement.

— En plus, vous débarquez ici et vous insinuez que mon Luca vendait de la drogue !

— Pourquoi a-t-on coupé la main de votre mari ?

— On coupe la main d'un voleur, monsieur ! On coupe la main d'un homme qui a trahi et qui a perdu son honneur !

— Votre mari a-t-il trahi ?

— Impossible ! Mon mari n'avait personne à trahir, sauf moi.

Surprenant considéra Eva Brancato : elle soulevait une hypothèse intéressante.

— Votre mari avait-il des concurrents commerciaux ?

— Qui n'en a pas ? demanda-t-elle en levant les yeux au ciel. La pizzeria marchait bien, mais ne nuisait à personne.

— Des problèmes de jeu ?

— Non.

— Pardonnez ma question : votre mari fréquentait-il d'autres femmes ?

Le double menton de la veuve trembla, ses yeux tirèrent vers le violet.

— Luca ne fréquentait que moi, monsieur ! Et s'il m'avait trompée, je ne vous le dirais pas !

Surprenant prit congé, emportant avec lui, sans qu'il sache pourquoi, le souvenir de Sophia qui souriait dans Central Park.

10 h 40. Surprenant s'assit dans l'Interceptor de fonction, portière ouverte pour goûter l'odeur des feuilles mortes, consulta son répertoire de contacts et composa dix chiffres sur son téléphone.

— Biggs, répondit une basse profonde.

— Surprenant, *from Montreal.*

— *Annedré ! Kaman vati manami ?*

Le sergent Clifford Biggs, un grand Métis bâti comme un seconde de ligne, était né à La Nouvelle-Orléans quarante-cinq ans plus tôt. Son arbre généalogique, passablement bouturé, comprenait une grand-mère cajun qui lui avait transmis quelques notions de français.

— C'est au sujet de mon père.

— L.A. est comme ce film, manami, tu sais, celui avec l'acteur espagnol ? *It's no country for an old man.*

Biggs avait gardé de son enfance louisianaise un *southern drawl* aussi épais qu'une chaudrée de gombo.

— Peux-tu me rendre un service ?

— C'est plutôt occupé, ici… Qu'est-ce que c'est ?

Surprenant entendit en bruit de fond le grondement caractéristique d'une moto et un coup de klaxon, suivi d'un *Fucking bonehead !*

— Où es-tu ? demanda Surprenant.

— Qu'est-ce que tu crois, Annedré ? Il est huit heures moins vingt du matin, je suis sur la *fucking highway 405* et j'essaie de me rendre au travail !

Surprenant lui fit part du courriel de Laureen Sorensen.

— Comme ça, ton salaud de père pourrait être à L.A. ?

— Peux-tu vérifier les hôpitaux, les vols en provenance de Vallarta ?

— Je me demande ce que vous faites au Canada, je veux dire, c'est l'Halloween à Hollywood, *man*. Achète-moi une caisse de scotch. Je vais voir ce que je peux faire.

Surprenant descendit Saint-Denis vers le centre-ville. Le tableau de bord de la Ford indiquait quatorze degrés. Allait-on avoir un été des Indiens ? supputait le commentateur de Radio-Canada. En ce vendredi matin, Montréal vibrait à l'approche d'une fin de semaine qui allait s'ouvrir par cette Halloween qui s'étalait en grosses lettres orange sur les vitrines des commerces du Plateau. Profitant d'une trêve dans la circulation, Surprenant traversa la ville en moins de vingt minutes, ce qui lui laissa le temps de garer son véhicule dans un espace interdit sur Saint-Denis et de déguster un cappuccino sous les radiateurs de la terrasse du Café Cherrier.

Son téléphone sonna. C'était Brazeau.

— Et puis, la veuve ?

— Rien de très excitant. J'ai quand même noté qu'elle ne travaille pas et qu'une de leurs filles étudie à New York.

— Je ne sais pas avec quoi notre ami Brancato payait ça. Il n'a à peu près rien dans ses comptes, une couple de mille par ci, par là. Trente mille de REER, la maison au nom de sa femme, il aurait pu vendre des gigueux en bois sur Sainte-Catherine, le gars est nu comme une fesse.

Surprenant se pointa à l'édifice Wilfrid-Derome, rue Parthenais, à midi moins vingt-cinq. Le temps de passer les contrôles, de déposer ses effets au vestiaire, il entra dans la salle d'autopsie au moment où Elena Prucha, la description du cadavre terminée, incisait l'abdomen. L'assistant, un longiligne barbu aux paupières perpétuellement enflammées, était à ses côtés.

Surprenant était maintenant habitué au lieu, cet espace lumineux, vaste, nickelé, imprégné d'une odeur de déjections, de mort et de formol. Sur les comptoirs s'alignaient les instruments, balances, pinces, ordinateurs, scies, microscopes. Ce qui le frappait chaque fois, c'était l'infinie solitude du cadavre, ce vaisseau de chair blanc, froid, déshabité. Bien qu'elles lui occasionnent un frisson désagréable – après tout, il allait finir, lui aussi, sur une table d'acier –, les autopsies avaient chez lui un effet à la fois tonique et apaisant. Les morts l'emplissaient de respect pour la vie, cette veilleuse dans une cathédrale, et le rassuraient quant à l'utilité de son travail.

— Sergent Surprenant ! Quatre fois déjà ! Vous tenez le coup, contrairement à certains de vos collègues.

La pathologiste, la soixantaine bien entamée, avait fui Prague à la suite de l'invasion russe de 1968. Elle était remarquable par sa coiffure, un toupet encadré de deux rideaux de cheveux gris-blond, repliés en accroche-cœur, qui évoquaient les mamans des séries américaines des années 70.

— J'aime bien savoir à qui j'ai affaire.

— Vous voulez les connaître intimement, si je comprends bien.

Enfoui sous quarante ans d'exil, l'accent slave était à peine perceptible. D'après ce que Surprenant avait pu glaner auprès de ses confrères, Elena Prucha assumait stoïquement un double chagrin : son mari était décédé au milieu de la quarantaine et un de ses fils portait les séquelles d'une méningite. Clouée à Montréal, loin de son pays libéré du communisme, elle s'accrochait à son travail de légiste.

— Intimement, c'est un grand mot, précisa Surprenant pendant que le docteur Prucha écartait les berges de l'incision en Y inversé qui courait de la partie inférieure du sternum aux aines.

— Nous avons affaire ici à un cas intéressant: une main, deux balles, trois trous. Commençons par la main. Approchez, monsieur Brancato Luca ne vous mordra pas.

Dépouillé de ses vêtements, de son collier en or, de son alliance, et les viscères à l'air, le propriétaire du Stromboli offrait un contraste saisissant entre les deux étages de sa personne. Les jambes, maigres et affligées de varices, ne semblaient pas en mesure de porter le torse, pléthorique, poilu, adipeux, sur lequel la tête, figée dans une expression renfrognée, semblait avoir été enfoncée à coups de masse.

Près de douze heures après la mort, le moignon avait pris une teinte grisâtre.

— Ce qui est intéressant, commença la pathologiste, ce sont les zones de peau à la limite de l'amputation. Ici, sur la face palmaire de l'avant-bras, la peau est enfoncée vers l'intérieur, comme si elle avait été brutalement soumise à un tranchant quelconque. Cet enfoncement n'est pas présent sur la face dorsale. Pas de cisaillement ou de déchiquetage.

— Une hache?

— Ou une machette très aiguisée. Certainement quelque chose de lourd et de tranchant. Il est possible que le meurtrier ait utilisé une surface plane pour faciliter son travail. Je me demande même s'il n'y a pas ici de petits éclats de bois.

— Une planche de cuisine?

— Votre tueur est un animal particulier, sergent.

De son scalpel, Elena Prucha désigna le thorax, où un trou de moins d'un centimètre de diamètre, un peu à gauche de la ligne médiane, était obturé par une croûte.

— Premier trou dans le corps du sternum. La peau est intacte, les bords sont bien délimités. Projectile de petit calibre, tiré d'une certaine distance.

Elle saisit un stylet et l'enfonça délicatement dans la cavité.

— À cet endroit, l'os a environ un centimètre et demi d'épaisseur. La balle semble être entrée de façon perpendiculaire. L'homme a probablement reçu cette balle alors qu'il était debout.

— Cette blessure était-elle mortelle ?

— Nous verrons lors de l'ouverture du thorax. À mon avis, le cœur et les gros vaisseaux ont dû être endommagés. Pas de point de sortie. D'après la radiographie que vous voyez là-bas, on devrait retrouver la balle près de la cinquième côte gauche. Chose certaine, il ne s'agit pas d'un suicide !

Elle se déplaça vers la tête.

— Le deuxième point d'entrée, en temporal gauche, est différent. Les bords de l'orifice sont enfoncées. L'analyse de ces résidus, ici, dans les cheveux, devrait révéler la présence de poudre. À première vue, cette balle a été tirée de plus près, probablement moins d'un mètre. Le point de sortie - notez les éclats d'os et le diamètre élargi - est situé en pariétal droit, plus haut que le point d'entrée. La balle a traversé le crâne de gauche à droite et de bas en haut.

— Cette balle a ensuite ricoché sur l'asphalte pour finir dans le mur arrière de la maison.

Les dix minutes suivantes furent consacrées à l'exploration de la cavité abdominale, sans particularité sinon la présence de ce que Elena Prucha appela un « foie précirrhotique ». L'assistant ouvrit le thorax avec une scie circulaire. Des écarteurs électriques permirent, avec un sinistre craquement - « Arthrose costo-vertébrale », expliqua la pathologiste - l'accès au cœur et aux poumons. Au bout d'une quinzaine de minutes de fouille, pendant lesquelles l'assistant récupéra les organes pour les peser, Elena Prucha exhuma de la membrane nacrée qui tapissait les côtes une masse noirâtre, oblongue, dont la tête était un peu aplatie.

— Voilà. Calibre 22, à première vue. La balle a perforé le sternum, le péricarde, a traversé le ventricule droit avant de finir sa course contre la sixième côte.

— Vous envoyez cela en balistique aujourd'hui ?

— Évidemment. Mais nous sommes vendredi. Vous n'obtiendrez rien avant trois jours.

— J'ai tout ce qu'il me faut. Je vous remercie.

— Vous ne voulez pas voir le cerveau ?

— Vous m'excuserez. J'ai plusieurs chaudrons sur le feu. En plus, je meurs de faim.

— Bonne journée alors, dit Elena Prucha en souriant tristement.

Surprenant quitta la salle en songeant qu'il avait l'âge de son mari quand il était décédé.

6
LA PIERRE CHANCEUSE

Surprenant décida d'aller manger au restaurant Chez Aldo, rue Jean-Talon. S'il n'y trouvait pas d'inspiration quant à la poursuite de son enquête, au moins, il y mangerait un excellent *saltimbocca*.

Chemin faisant, il appela son ex-beau-père.

— André ! s'exclama Guiseppe Chiodini, un peu fort car il commençait à être dur de la feuille. J'ai su que tu étais chargé de l'affaire. Alors, ce matin, j'ai dit à Giannina : « Giannina, dix dollars qu'André nous appelle avant les douze coups de midi. »

— Vous avez perdu. Il est midi et quart.

— *Allora*, comment se présente la situation ?

— C'est à vous que je devrais poser la question.

Au bout de trois secondes :

— Hé, tu sais bien que je ne sais rien à propos de Luca Brancato. Je ne savais rien quand tu étais mon gendre, ça ne s'est pas amélioré depuis que tu es sorti de la famille.

— Je comprends.

— Mais tu sais qu'on t'aime bien ! Maria a beau être notre fille, on sait qu'elle peut avoir la tête aussi dure qu'un cochon de fasciste.

— Giannina va bien ?

— Elle a un peu de diabète, mélangé avec du bingo. Mais notre Felixino, il fait son chemin, tu ne trouves pas ?

— Un peu trop bien, oui.

— Arrête de t'inquiéter ! Être flic, c'est mauvais pour la santé. Tu vois le mal partout. Luca Brancato, c'était un Sicilien. Il faut essayer de les comprendre, ces gens. Nous, on ne s'en mêle pas.

En ce vendredi midi, Chez Aldo était bondé. Surprenant mangea son *saltimbocca* au comptoir, arrosé d'un verre d'un soave un peu court, mais agréable. Mis à part un entrefilet dans *Le Journal de Montréal*, inséré avant la tombée, l'exit de Brancato ne faisait les frais que des médias électroniques. Pendant une heure, Surprenant prêta l'oreille aux conversations des clients. Aucune allusion au meurtre ne lui parvint. Fait peut-être plus révélateur, la mort du restaurateur – un concurrent dont le commerce était situé deux rues plus loin – ne semblait ni surprendre ni indigner le personnel, dont une bonne proportion était d'origine italienne.

Surprenant dégusta son macchiato en se demandant s'il devait jouer franc jeu avec Charles Hudon, son vis-à-vis de l'antigang. Après mûre réflexion, il le joignit sur son cellulaire.

— Hudon.

— Surprenant. Je sors de l'autopsie de Brancato. Une balle de 22.

— Je suis au courant. J'ai obtenu le rapport préliminaire de l'équipe technique.

— Ce n'est quand même pas l'outil idéal pour un règlement de comptes. Pour la main, le tueur semble s'être servi d'une hache. Avec peut-être, tiens-toi bien, une planchette de bois en dessous.

— Un gars méthodique. Autre chose ?

— Je garde le contact.

— C'est apprécié.

Le ton était froid, mais poli. Surprenant raccrocha avec le sentiment d'avoir fait preuve, pour une fois, de collaboration. Il aimait sa vie à Montréal et ne tenait pas à antagoniser ses collègues ou ses patrons, du moins pas avant d'avoir assis sa réputation et compris les règles des jeux de pouvoir au SPVM.

De son téléphone, il visita sa messagerie. Entre un pourriel ENLARGE YOUR PENIS et une invitation à souper de sa fille Maude pour le dimanche, il trouva ce mot d'Ana Tavares: *Bonjour sergent Surprenant. Voici le rapport. L'antigang s'y intéresse aussi. Je vous signale que nous avons dû restreindre, question de budget, le champ d'investigation à quinze mètres. Cela comprend le point d'observation sous la remise que vous avez signalé à mes collègues. Nous avons évidemment recueilli plein de trucs, notamment des mégots qui m'ont paru assez frais pour l'ADN. Bonne Halloween à vous aussi. Je me prépare mentalement à faire la tournée des voisins avec mon Alexis. Ana Tavares*

L'évocation de cet Alexis, suffisamment jeune pour requérir la surveillance de sa maman lors de sa récolte de bonbons, constituait une ouverture, si mince soit-elle, vers la sphère personnelle. Surprenant, perdu dans ses pensées, fit non de la tête, ce qui intrigua la secrétaire menue qui se permettait un tiramisu à une table près de la fenêtre. Déjà qu'il se promenait en Z3, il n'allait pas se couvrir de ridicule et s'engager dans des complications sans fin en se liant avec une collègue de travail, soit-elle dotée d'yeux de braise.

Il paya et retourna rue Saint-Laurent. Même s'il était habillé en civil, pantalon de coton noir, chemise bleue, gabardine passe-partout, les passants l'observaient du coin de l'œil. Son arme était dissimulée sous son aisselle. À quoi voyait-on qu'il était flic? Le Stromboli était fermé. Aucune fleur, aucun mot de condoléances ne venait soutenir la famille Brancato. Il explora de nouveau la ruelle, toujours coupée en deux par le périmètre de sécurité, de même que tout le quadrilatère, méthodiquement, cour par cour, en consultant des photos sur son téléphone. La conclusion s'imposait: aucun amélanchier ne poussait dans les environs.

« Enregistrer branche », nota-t-il dans son carnet.

Il se pointa au poste de commandement.

— Qu'est-ce que tu cherches dans la ruelle? demanda Sasseville.

— Un amélanchier. Tu as interrogé les voisins?

— Les gens ont peur: ils ne veulent pas parler.

— À part ça ?

— Le col de Mélanie est dilaté, mais le bébé ne descend pas. Sébastien est pas mal stressé.

Surprenant posa sa main sur son épaule.

— Ça va aller.

Il sortit, observa de nouveau la ruelle, déserte en ce début d'après-midi, et murmura : « Vinny Palizzolo ».

Le serveur, joint au téléphone, lui donna rendez-vous au parc de la Petite-Italie, au coin de Clark et de Saint-Zotique. Surprenant l'y trouva, vêtu de noir, tenant par la main une fillette de quatre ou cinq ans, abondamment bouclée et équipée d'une trottinette.

— Giulia, ma petite-fille. Je la garde tous les vendredis après-midi.

Ils s'installèrent de part et d'autre d'une table à pique-nique, pendant que Giulia sillonnait les allées sous l'œil aigu de son *nonno*.

— Qu'est-ce que tu veux ? Je t'ai déjà tout dit cette nuit.

— L'équipe technique a examiné le coffre-fort.

— Normal, dit Palizzolo en allumant une cigarette.

— Le coffre a contenu autre chose que de l'argent.

— Le *safe*, ça appartenait à Luca. Je n'avais pas la combinaison, je n'y touchais pas.

— Votre patron vendait-il autre chose que de la pizza ?

— Nous servons aussi des pâtes.

— Je parle de drogue, de coke pour être plus précis.

— De la coke ? Ça m'étonnerait beaucoup.

Surprenant, à un mètre de distance, observait le visage du serveur. L'étonnement ou la peur étaient, chez Vincente Palizzolo, des émotions souterraines.

— Avez-vous ouvert le coffre après avoir découvert le corps ?

— Je viens de te dire que je ne connaissais pas la combinaison.

Surprenant laissa passer quelques secondes.

— Votre patron avait de grosses responsabilités : une maison, un commerce, une femme et une mère à la maison, une fille qui étudie à New York. Son compte en banque est assez mince.

— Luca ne faisait pas confiance aux banques. Les Brancato sont comme ça, c'est de famille.

— Parlant de famille, sa veuve est parente avec les Scifo.

— Elle les déteste. Ils ne se parlent pas.

— Ils ont pourtant assisté à l'enterrement de Giuliano, il y a trois ans.

— Détester quelqu'un, c'est une chose. Ne pas assister à un enterrement, c'en est une autre.

— Si votre patron était en froid avec les Scifo, peut-être s'entendait-il mieux avec les Rouges ?

Palizzolo tira sur sa cigarette.

— On n'est pas des bandits, monsieur. Et si on l'était, on ne ferait pas des affaires avec ces gens-là.

— Je comprends votre… position. Ceci dit, si vous avez quelque chose à me communiquer, c'est le moment.

Vinny Palizzolo le considéra avec plus d'attention. Ce policier, bien que nouveau dans le paysage, faisait preuve de sens pratique. Après avoir vérifié une autre fois que sa petite-fille ne s'aventurait pas sur le trottoir :

— Écoute-moi bien, Surprenant. À ma connaissance, Luca ne vendait pas de drogue. Il n'avait aucune raison de se faire descendre, encore moins de se faire couper une main. Le gars qui a fait ça, c'est un fou. Et ce fou, à mon avis, il n'en a pas pour longtemps.

Avant de partir, Surprenant lui laissa sa carte. Palizzolo la garda dans sa main pendant quelques instants, s'approcha d'une poubelle puis la glissa dans sa poche.

Surprenant montait Saint-Laurent en direction de l'autoroute Métropolitaine quand il reçut l'appel de Biggs.

— Aucun Maurice Surprenant à L.A., Annedré.

— Tu es certain ?

— Pas mal certain, manami, mais…

— Arrête de niaiser, Clifford.

— Un type nommé Lionel Supernant est hospitalisé dans la chambre 6128 du Cedars-Sinai, sur San Vicente Boulevard.

— Supernant ?

— Lionel Supernant. Et le type a atterri à LAX lundi à bord d'un vol Tropicana en provenance de Vallarta.

— Il est traité pour quoi ?

— Son médecin est le docteur Richard Krautz. J'ai fouillé sur Internet, c'est un chirurgien spécialiste du cancer des intestins.

— Merci, Clifford.

— Ce n'est rien. Désolé pour ton père. Le Cedars-Sinai ! J'espère qu'il a de bonnes assurances…

— Je t'appellerai quand je serai à L.A.

— Souviens-toi. Une caisse de scotch.

Troublé, Surprenant rangea son véhicule au nord de Jarry. Lionel était le prénom d'un grand-oncle, marchand général à Sabrevois. Supernant était une variante française de son nom de famille. Cet homme hospitalisé à Los Angeles était-il *that Maurice* dont lui avait parlé Laureen Sorensen ? *That Lionel* était-il son père disparu en 1970 ? Pourquoi aurait-il changé de nom ?

Il n'y avait qu'un moyen de le savoir.

« Appelle-moi », texta-t-il à Geneviève avant de rebrousser chemin vers Outremont.

Elle le joignit alors qu'il descendait du Parc.

— Je pars pour Los Angeles, annonça-t-il de but en blanc.

— Quoi ? Encore le Fantôme ?

Femme pragmatique, Geneviève Savoie possédait le sens de la formule. La Z3 était le Fantasme. Le père de Surprenant, cette ombre qui pesait sur leur union, était le Fantôme.

— Lui-même. Il est hospitalisé, possiblement pour un cancer.

— Oh!... C'est bête à dire, mais c'est peut-être ta chance de le rencontrer. Tu pars quand?

— Ce soir si possible.

— Je vais essayer de finir tôt. Je pourrais te déposer à l'aéroport.

Chez lui, il dénicha un billet par une agence en ligne, départ à 17 h 08, et réserva une chambre au Shangri-La, sur l'avenue Ocean. Ensuite, il communiqua avec Guité à Versailles.

— Urgence familiale. Je dois quitter le service dès maintenant.

— Rien de grave?

— Non, mais je dois faire un saut en Californie.

— On a vu pire. Tu reviens quand?

— Je serai au travail lundi. Autre chose: nous avons les deux balles.

— Bravo! Hudon vient justement de demander une expertise balistique.

— Je croyais que les crimes majeurs demeuraient responsables de l'affaire?

— L'antigang a peut-être appris quelque chose de nouveau. On saura ça demain. Bon voyage!

Surprenant raccrocha, contrarié à l'idée de quitter Montréal moins de vingt-quatre heures après l'assassinat de Brancato. Il fit sa valise en vitesse, rangea son arme de service dans le petit coffre-fort du bureau, puis monta au grenier par l'escalier qui s'ouvrait dans la garde-robe de la chambre d'Olivier. Quand il avait quitté la maison pour vivre avec Maria, il y avait laissé, dans un geste prémonitoire, ses souvenirs de jeunesse. Dans un bahut délabré que Geneviève voulait retaper, deux cartons, leurs rabats à demi déchirés, contenaient ses travaux et ses livres de collège, son unique trophée de hockey, quelques lettres, des photographies rescapées de l'album familial, dont une photo couleur de sa mère, prise dans un photomaton.

À dix-huit ans, Nicole Goyette y apparaissait sous les traits d'une petite blonde aux yeux bleus, le nez mutin et l'allure impertinente. Le cou était gracieux, la robe, quelconque. Ce visage ouvert, avide, exprimait le goût du bonheur et l'ambition. Cette ambition allait être déçue. À trente-cinq ans, Nicole Goyette allait voir son mari, son *beau Maurice*, disparaître par une soirée d'automne. Elle élèverait seule ses deux fils et aurait trois autres conjoints. Le dernier, ce Roméo dont elle avait été la tardive Juliette, était mort d'un infarctus en Floride l'année précédente, la laissant démunie face à l'âge et la maladie. À soixante-treize ans, sujette à des accidents cérébraux, elle habitait toujours son logement de la rue Riendeau. Sur le conseil de son médecin, qui tenait à ce qu'elle marche tous les jours, elle avait adopté un vieux bâtard, mélange de golden et de labrador, qui l'accompagnait chaque jour au cimetière, au bout de la 9e Avenue, où reposaient ses trois derniers compagnons.

Surprenant inséra la photographie dans son portefeuille et s'intéressa au deuxième carton, marqué « Del Monte ». Il en sortit un exemplaire écorné de *L'Amélanchier*. Paru aux défuntes Éditions du Jour, le roman contenait, pliée en son centre, l'unique lettre qu'il avait reçue de l'inaccessible Ginette Daneau. « Je ne veux pas sortir avec toi parce que tu es un ami. » La phrase l'avait toujours intrigué. Certains considéraient que l'amour et l'amitié étaient deux sentiments distincts. D'autres, dont lui, pensaient qu'ils formaient une sorte de continuum. Par ailleurs, il l'avait échappé belle. Ginette Daneau était morte lors d'un accident de scooter, à vingt-deux ans, sur Côte-Sainte-Catherine.

En rangeant la lettre, sa main rencontra un objet familier, presque oublié : sa pierre chanceuse. Il se remémora la scène. Sur une petite grève au bout de la 4e Avenue, alors qu'il avait dix ou onze ans, il faisait ricocher des pierres sur la surface grise de la rivière avec son ami Bernard Deslauriers. À quelques pouces de profondeur, il avait trouvé cette petite pierre noire, striée de brun, parfaite, ovale, plate, douce au toucher. Elle était trop légère pour lui permettre de menacer le record de onze rebonds de son ami. Il l'avait glissée dans la poche de sa veste, en se disant qu'elle lui porterait chance pour le reste de la soirée. Elle y était restée pendant des mois, des années. La toucher lui rappelait la rivière, l'époque où le livreur de bière était là. Le soir où son oncle Roger était venu le chercher à Iberville, il avait sorti le talisman du tiroir de sa commode et l'avait emporté à Montréal. Huit ans plus tard, au moment de quitter la maison pour emménager avec Maria, jugeant peut-être qu'il avait dépassé l'âge des superstitions, il avait laissé la pierre au milieu de ses souvenirs de jeunesse.

Il la glissa dans sa poche, appela Brazeau et lui annonça son départ.

— Qu'est-ce que tu vas faire en Californie en novembre ?

— Piquer une jasette avec mon père.

— Il ne reste pas à la porte.

Sur son élan, Surprenant lui raconta tout, la disparition en 1970, le silence complet, puis, en 2003, cette piste aussi vague qu'inespérée, transmise par son oncle Marcel : son père, aperçu par une connaissance, à Los Angeles, et enfin, le courriel de Laureen Sorensen reçu le matin même.

— Et il serait dans cet hôpital ? s'étonna Brazeau.

— C'est ce que je vais savoir.

Surprenant continua à parler, confiant à son coéquipier son enfance troublée à Iberville, son déménagement chez son oncle Roger à Montréal, ses deux séjours de recherche dans la cité des anges.

— Gros voyage ! avait pudiquement commenté Brazeau.

En route vers Dorval, Surprenant songea que cette conversation avec LP était une sorte de répétition générale.

7
LE POINT D'ORIGINE

Son ordinateur portable à ses pieds, il buvait une pinte de rousse dans un bar de l'aire des départs quand il aperçut Geneviève, en uniforme de la SQ, qui slalomait, sourcils froncés, entre les valises à roulettes. Son visage s'éclaira lorsqu'elle le vit.

— Je croyais que je n'arriverais jamais, dit-elle en l'embrassant.

— L'habituel bouchon sur Côte-de-Liesse ? Tu es gentille d'être venue.

Dans ce terminal où se croisaient les destins, Surprenant se félicita, une nouvelle fois, d'avoir lié le sien à celui de sa coéquipière des Îles-de-la-Madeleine. L'agente Geneviève Savoie, toujours fidèle à ses quatre séances hebdomadaires d'entraînement, portait bien ses trente-sept ans. Celle qu'il avait d'abord surnommée « l'amazone », en raison de son passé de judoka, puis « le saint-bernard », à la suite de son spectaculaire sauvetage au bas d'une falaise des Îles en 2002[2], s'était muée au fil des ans en une complice indispensable. Il pouvait fantasmer à l'occasion à propos des Ana Tavares de ce monde, il rentrait chaque soir, sagement, à Port-Geneviève.

---

2. Cf. *Le Mort du chemin des Arsène.*

— Tu dois être excité ?

Tout en scrutant le visage qu'il connaissait par cœur mais qu'il avait néanmoins l'impression de redécouvrir en ce jour mémorable, il dut reconnaître que la perspective de retrouver son père l'angoissait plus qu'elle ne l'excitait.

— Je ne sais pas. Ce n'est peut-être pas lui.

— J'aimerais bien que ce soit lui. Attends…

De son sac, elle sortit la caméra numérique dont elle se servait pour commémorer ses visites dans les écoles des Basses-Laurentides.

— Ce sera mieux que ton téléphone.

— J'ai peur d'être déçu. Ce ne sera pas lui ou il aura quitté l'hôpital ou il sera mort ou encore je vais tomber sur un minable.

— Tu n'as pas besoin de trouver un héros, juste un homme ordinaire qui répondra à tes questions. Par curiosité, tu reviens quand ?

— Dimanche soir, si tout va bien.

Cinq minutes plus tard, dans la file des voyageurs qui se pressaient vers les contrôles de sécurité, il la regarda s'éloigner vers les escaliers roulants, sa tresse en évidence sur le dos de sa veste. Elle s'était rendue à sa demande et avait abandonné sa coupe au carré, qu'il associait ironiquement à leur « période Beauport ». La natte était un peu moins épaisse qu'au temps de leurs premières amours. Il s'y glissait des cheveux gris. « Je finirai blanche, comme ma mère », disait Geneviève en brossant ses cheveux devant son miroir. Il aimait toujours les dénouer, y plonger ses mains comme en une eau vive.

Dans la zone d'embarquement, il rappela Brazeau.

— Ici Houston, répondit LP.

— Rien de nouveau ?

— 16 h 55, je m'enligne vers un gin-tonic. Double. En passant, la blonde de Guzman a accouché : un gros garçon.

— Ne te gêne pas pour m'appeler, mon cell sera toujours ouvert.

— Ça va te coûter un bras. Au cas où ça t'intéresserait, notre ami Brancato est toujours *clean.*

— Le gros Lavallée m'a conseillé de fouiller du côté des Rouges.

— Il parle à travers son chapeau, comme d'habitude.

— On n'a rien d'autre.

— D'accord. Ça va occuper mon samedi.

Ses longues jambes recroquevillées sous la tablette de plastique gris, Surprenant demanda deux scotchs qu'il liquida avant que le Boeing atteigne le lac Ontario.

« … dans la vie comme dans le monde, on ne dispose que d'une étoile fixe, c'est le point d'origine, seul repère du voyageur. »

Il lut quelques pages de Ferron, qui le replongèrent dans le magma de ses souvenirs d'Iberville. Les premières années – celles où son père était toujours là – étaient les plus floues. Sa petite enfance était une eau noire dans laquelle surnageaient quelques images éparses. Il s'endormit, vaincu par sa courte nuit, avant d'être éveillé par la voix du pilote annonçant la descente vers Chicago. Alors qu'il se dirigeait vers la zone de transfert, il reçut un texto de Brazeau. *Ton père devait avoir de bonnes raisons. Bonne chance.*

Quatre heures plus tard, Los Angeles s'offrit à ses yeux, carte mère scintillant entre océan et montagnes. Il loua une voiture et s'enregistra au Shangri-La peu avant minuit. L'hôtel, d'un art déco clinquant, était situé à moins de cent mètres du Pacifique. Les formalités expédiées, Surprenant tira une bière du minibar et sortit. Une passerelle de béton, enjambant le Pacific Coast Highway, donnait accès à la plage. La nuit était fraîche, venteuse. « *No Trespassing After Sunset* », annonçait une pancarte vandalisée. Il enjamba la chaîne et abandonna ses souliers au pied d'un mur d'escalade.

La plage était déserte, le sable, froid. Il s'assit face aux rouleaux, but sa bière en écoutant le vieux Marley qui s'échappait d'un comptoir de tacos. Il n'avait pas téléphoné au Cedars-Sinai pour savoir si

Lionel Supernant était toujours à la chambre 6128. Il se leva, roula le bas de son pantalon et se prêta à son rituel : il entra dans l'eau jusqu'au-dessus des chevilles et laissa ses pieds s'enfoncer dans le sable. Il avait préféré, un dernier soir peut-être, demeurer dans l'incertitude.

Le Cedars-Sinai Medical Center était un complexe gris, moderne, abondamment fenestré, dans Beverly Hills, en haut du boulevard Santa Monica. Surprenant s'y présenta en se demandant, une troisième fois, comment son père, qui tout récemment effectuait des petits travaux à Puerto Vallarta, pouvait payer les soins de ce centre fréquenté par les stars de Hollywood.

Les visites étant interdites avant 10 heures, il dut produire son insigne et signer un registre pour amadouer le gardien de sécurité. Caméras de surveillance, cartes magnétiques, signalisation électronique, le Cedars-Sinai baignait dans une ambiance de paranoïa high-tech qui contrastait avec la jovialité du personnel.

Au sixième étage, il causa une petite commotion au poste de l'unité de traitement du cancer colorectal.

— Vous dites que vous êtes son fils ? s'étonna une matrone noire qui répondait, d'après son badge, au nom de Debbie Little. Monsieur Supernant nous a dit qu'il n'avait pas de famille.

— Je suis venu de Montréal pour le voir.

— Il est encore faible.

— Ma visite lui fera peut-être du bien.

Elle accepta de le guider vers un corridor au bout duquel un salon vitré, orienté vers l'est, laissait entrer une lumière aveuglante.

— Madame Little, pouvez-vous me dire quelque chose à propos de son état de santé ?

— Non, monsieur. Pour cela, vous devrez parler au docteur Krautz.

Elle s'immobilisa devant la chambre 6128 et, pointant sur lui un index long comme un canon de 38 :

— Quinze minutes.

Surprenant inspira profondément et cogna deux fois sur la porte entrouverte.

— *Come in !* fit une voix rauque.

Il entra. Assis dans un fauteuil de cuir vert, un homme aux longs cheveux poivre et sel était absorbé par la lecture de *Rolling Stone*. Surprenant s'immobilisa au pied du lit. L'homme, qui portait des lunettes de lecture ovales, retenues par une lanière de cuir, leva les yeux vers lui.

— Salut, dit Surprenant.

Lionel Supernant, bouche agrandie par la surprise, laissa tomber sa revue sur ses genoux.

C'est lui, pensa Surprenant en reconnaissant, vieillis, les traits de son père sur les photographies. Il demeurait debout, la gorge serrée.

— Bonté divine ! dit l'homme dans un français rouillé.

— C'est moi.

— Ça t'a pris du temps !

Il lança le *Rolling Stone* sur le lit et se leva.

— Approche ! Je suis encore connecté.

Sortant d'une robe de chambre de soie élimée, sur laquelle tourbillonnaient des dragons dorés, un tuyau de plastique le reliait à un sac rempli d'un liquide rougeâtre.

Surprenant fit quelques pas vers son père, les yeux fixés sur ce visage à la fois inconnu et familier. La voix, les sourcils, le nez lui disaient quelque chose. Les yeux, très bleus, ne coïncidaient avec aucun de ses souvenirs. Par ailleurs, Lionel Supernant, pâle, maigre, ridé, avait les traits d'un homme qui se remettait d'une grave maladie.

— Oui, ça m'a pris du temps, articula Surprenant, comme pour s'excuser.

Son père lui tendit une main osseuse puis, le saisissant par le cou, l'attira maladroitement vers lui.

— Ce n'est pas grave ! Je croyais que je ne te reverrais jamais !

Après une perceptible hésitation, Surprenant se pencha et reçut l'accolade de ce petit homme frémissant, qui ne devait pas peser plus de soixante kilos.

— Baptême de *Holy Christ* ! Mon p'tit gars à L.A. !

Le père relâcha son étreinte au bout de quelques secondes. Surprenant était la proie de sentiments contradictoires. D'un côté, il était heureux d'être accueilli de façon si chaleureuse. De l'autre, la tardive manifestation d'affection de ce moribond à l'égard du « p'tit gars » qu'il avait abandonné trente-huit ans plus tôt ressuscitait une angoisse et une colère qu'il croyait éteintes.

— Oui, ton p'tit gars à L.A., dit-il en reculant d'un pas. Je peux m'asseoir deux minutes ?

— *Sure!* On a pas mal de choses à se dire.

Surprenant alla chercher une chaise près d'un lavabo et l'approcha du pied du lit. Son père avait repris position dans son fauteuil. Il s'essuya les yeux avec sa manche de robe de chambre.

— Tu m'excuseras. C'est beaucoup d'émotion, dans mon... état.

— On pourrait commencer par parler de ça. Qu'est-ce que vous avez ?

— Tu n'as pas fait trois mille milles pour me vouvoyer. Après trente ans d'anglais, je ne sais plus trop quoi faire avec les « vous ». Dis-moi « tu », c'est plus simple.

Un coup à la porte. Debbie Little apparut, le regard suspicieux.

— Monsieur Supernant, vous avez un autre visiteur.

— Ça ne peut pas attendre ?

— *It's me, Maurice!* fit une voix enjouée derrière la porte.

Un homme aux cheveux gris lissés vers l'arrière, les yeux cachés derrière des lunettes de soleil, entra, un étui de guitare à la main.

8
LE CHAUFFEUR DE FRANK DASTI

— *Hi, Don!* lança le malade.

— Maurice ? s'étonna l'infirmière.

— C'est son deuxième nom, expliqua Surprenant.

L'homme souleva l'étui, comme un trophée.

— Je l'ai !

Puis, remarquant la présence de Surprenant :

— Est-ce que je dérange ?

— Pas du tout ! dit Lionel-Maurice. Je te présente André, mon fils.

— *Hi*, André.

Était-il au courant du passé de son père ? Le visiteur, souriant, serra la main de Surprenant avec une aisance qui témoignait d'une longue habitude du public ou d'une totale indifférence.

— Vous êtes Don Henley, n'est-ce pas ? intervint Debbie Little.

En guise d'acquiescement, le visiteur souleva ses lunettes, révélant un visage d'adolescent vieilli.

— Je suis venu voir mon vieil ami Maurice, ajouta-t-il.

— Lionel, corrigea Surprenant.

— J'ai toujours adoré Eagles, reprit Debbie. OK, je vous laisse, les gars.

L'infirmière sortit, non sans avoir laissé poindre sa perplexité quant à l'identité de son patient. Henley déposa l'étui sur le lit.

— Glen a été très chic. La guitare était chez lui depuis dix ans, mais il a consenti à te la redonner.

— C'est bien la vraie ?

— Martin D-28 1969, confirma Henley en vérifiant à l'intérieur de l'instrument. Utilisée par Glen et par un peu tout le monde pendant l'enregistrement du premier album. Si tu veux la vendre ou la mettre au clou, c'est en béton.

— Passe-la-moi.

Maurice Surprenant saisit la guitare avec précaution, s'avança un peu sur son fauteuil et fit sonner un accord.

— Ça lui ressemble, dit-il en révélant une dentition qui nécessitait quelques réparations. Tu as un *pick* ?

Henley fouilla dans sa poche et lui tendit un *pick* de plastique. Avec un plaisir évident, Maurice joua, presque sans faute, une suite de notes descendantes, dans laquelle Surprenant reconnut l'intro de *Take it easy*.

— Bravo ! fit Henley.

— Tu as apporté aussi l'autre chose ? demanda Maurice en déposant la guitare sur le lit.

— Voilà, dit Henley en sortant de l'étui une petite pince.

— C'est pour couper le bout des cordes quand on les change, expliqua Maurice à son fils.

Henley se tourna vers Surprenant.

— Ton père était le meilleur *roadie* de L.A. Il changeait une corde cassée en quarante secondes. Il reculait un camion-remorque comme s'il avait fait ça toute sa vie.

— Mais j'ai fait ça toute ma vie ! blagua Maurice avant d'être secoué par une quinte de toux.

Pendant une dizaine de minutes, l'ex-batteur de Eagles échangea des souvenirs avec le malade avant de rechausser ses lunettes noires et de s'éclipser, poliment, ayant compris qu'il avait interrompu un entretien important.

La porte se referma derrière lui, laissant le père et le fils l'un en face de l'autre. Après quelques secondes, Maurice Surprenant désigna la guitare, toujours sur le lit.

— Ma vie, ç'a été ça, mon gars : la musique.

Surprenant regardait l'instrument. Un souvenir lui revint. C'était un soir de printemps, il avait joué au baseball dans la cour de l'école. Sa mère travaillait jusqu'à 23 heures, comme tous les jeudis. Son père avait apporté à la maison des hot-dogs et des frites de Chez Mickey et un nouveau 33 tours emballé dans un sac « Sam the Record Man ». Sur la pochette noire, cinq ou six musiciens hirsutes, habillés comme des cow-boys, posaient derrière un chien. Il ne comprenait rien aux mots écrits au haut, des noms anglais qu'il n'avait jamais vus, même sur des cartes de hockey. Par contre, il déchiffrait bien les mots « Déjà vu ». Son père, les yeux rouges, sans remarquer que Jacques, au bout de la table, avait renversé la moitié de ses frites sur le prélart, avait posé son nouveau disque sur le *pick-up* du salon et monté le volume. Une guitare sauvage, des voix étranges avaient envahi le logement. *Carry on, love is coming to us all.* Son père écoutait, debout au milieu de la cuisine. André, lui, se demandait ce qui arriverait quand sa mère, à son retour, trouverait les frites sur le plancher, les papiers graisseux sur le comptoir, les bouteilles de bière vides le long du divan du salon, sans compter l'odeur bizarre dans la salle de bain. Il n'était pas retourné jouer au baseball. Il avait rangé la maison pendant que le disque noir jouait sans relâche dans le salon.

— Moi, ma vie, c'est la police. Et le piano.

— Tu as des enfants ?

Surprenant observait le visage de son père. Après son premier mouvement d'affection, Maurice s'était réfugié dans une attitude prudente.

— Laissons mes enfants de côté, si tu veux. Parlons plutôt des deux garçons et de la femme que tu as abandonnés il y a trente-huit ans.

— Tu me prends pour un monstre, c'est ça ?

— J'ai besoin de comprendre.

— Je vais te raconter l'histoire. Après, tu jugeras. As-tu déjà entendu parler du Victoria Sporting Club ? C'était un bar sur le boulevard Taschereau, à Saint-Lambert. Le propriétaire était un nommé Frank Dasti. On jouait à tout là-dedans : roulette, poker, black-jack. J'étais un *gambler*. Ç'a commencé par les courses de chevaux, ensuite ç'a été les cartes. J'ai accumulé des dettes. Les Italiens qui menaient la baraque n'étaient pas précisément des saints. Je devais dans les quatre chiffres, pas loin des cinq. Dans le temps, c'était de l'argent.

— Tu ne t'es quand même pas sauvé parce que tu avais des dettes ?

Maurice posa sur son fils un regard où perçait, sous la fatigue, un certain agacement.

— Le problème, ce n'est pas tant d'avoir une dette que de ne pas pouvoir la rembourser sans se compromettre. De fil en aiguille, les Italiens m'ont proposé des petites jobs.

— Tu es sérieux ? demanda le fils après un silence.

— T'en fais pas, j'ai tué personne. Pas volé non plus. J'ai chauffé. J'ai toujours été un chauffeur. À treize ans, j'empruntais les clefs de la Chevrolet de mon père pour me promener la nuit dans les petites rues d'Iberville. Dès que j'ai pu, j'ai passé mon permis. J'ai conduit des camions, des taxis, des semi-remorques, même des corbillards. Alors, je me suis mis à faire des courses pour Dasti. J'étais canadien-français, pas connu de la police, je livrais de la bière, je vivais à quinze milles des lignes américaines : j'étais commode en Hérode ! En plus, ils me tenaient par les gosses.

— Tu faisais de la livraison ?

— J'allais d'un point à l'autre, souvent la nuit. Je connaissais les petits chemins, les habitudes des gardes-frontières de Noyan et de Rouses Point. Il m'est arrivé de faire passer les lignes à des gars qui s'écrasaient au fond de mon char et qui ne me disaient pas un mot pendant deux heures. Dasti ne m'appelait pas souvent, sept ou huit fois par année. Je disais à Nicole que j'avais un « spécial ». Elle s'apercevait quand même que je revenais avec de l'argent, elle devait penser que j'avais gagné aux courses. Ton premier bicycle, je l'ai acheté avec cet argent-là.

— Tu n'as jamais remboursé les Italiens ?

— Ce n'était pas ça, le problème. J'en savais trop. J'avais beau faire semblant que je ne voyais rien, me fermer la trappe, la situation a changé quand Bourassa a été élu au printemps 1970. Avec l'histoire du FLQ, c'est devenu encore plus chaud.

— Maman a toujours prétendu que tu étais mort à cause de la pègre ou du FLQ.

— Elle n'était pas loin de la vérité. Il s'était passé quelque chose entre Pierre Laporte et Dasti. Les frères Rose, demande-moi pas comment, étaient au courant. Les Italiens sont devenus méfiants. En plus, je connaissais aussi des gens qui étaient proches du FLQ. Tu n'as pas idée du nombre de gars qui disparaissaient dans ce temps-là. Je suis parti avant de me retrouver dans une dalle de béton quelque part.

Surprenant resta de marbre. Si une histoire vous paraît invraisemblable, vous laissez le suspect en porter le poids. Soit il la défend, soit il invente autre chose, s'enferrant dans des complications qui finiront par se retourner contre lui.

Lionel-Maurice, un client aguerri, soutenait calmement son regard.

— Et nous autres ? finit par demander Surprenant. Tu aurais pu t'expliquer, envoyer un mot au bout de quelques mois ?

— On ne peut pas disparaître à moitié. Moi parti, ta mère pouvait toucher mes assurances et refaire sa vie. Ce n'était pas les candidats qui manquaient.

— Tu nous as laissés dans le noir total !

— J'assume mon geste. As-tu fait tout ce chemin pour prouver que j'étais coupable ?

— Non. Mais ton histoire de mafia, honnêtement, elle est dure à avaler.

— Elle est pourtant vraie. Je suis parti pour vous garder en dehors de tout ça.

Debbie Little réapparut, toujours méfiante.

— C'est l'heure de la visite de docteur Krautz. J'ai peur que vous deviez nous laisser, monsieur…

— Surprenant.

— Reviens à deux heures, demanda son père, d'un ton presque soulagé. Crains pas, je ne me serai pas sauvé entre-temps !

Surprenant prit congé, le cœur serré. Malgré cette dernière promesse, il gardait l'impression que cet homme, entrevu pendant moins d'une heure, pouvait l'abandonner une deuxième fois. Dans l'ascenseur, il s'aperçut qu'il ne connaissait rien de sa maladie. Surtout, il ne comprenait pas comment, trente-huit ans après sa fuite, son père l'avait reconnu au premier coup d'œil.

9
LE PASSAGER DU COFFRE ARRIÈRE

— André, je veux que tu saches à quel point je suis heureux de te voir.

Pour ce deuxième entretien, Maurice Surprenant avait voulu se présenter sous son meilleur jour. Il s'était rasé. Son restant de crinière était noué derrière sa nuque, ce qui rendait sa maigreur encore plus spectaculaire. Il avait enfilé une chemise rose à manches courtes, sur laquelle était brodé « Hotel Tropicana », et un pantalon ample, d'allure turque, presque un bas de pyjama, qui lui permettait de dissimuler son sac d'urine sur sa cuisse.

— Je suis content de te voir moi aussi. Pourrais-tu enlever tes verres fumés ?

— D'accord, mais baisse les *blinds*. L'après-midi, le soleil tape à plein ici dedans.

Pendant qu'il descendait les stores, Surprenant observa de nouveau, agrandis dans des conjonctives très pâles, les yeux bleus de son père.

— La première chose qu'il faut que tu saches, c'est que ça ne marchait pas entre ta mère et moi.

— La première chose que je veux savoir, c'est dans quel état tu es.

Maurice tenta de sourire, mais ne parvint qu'à grimacer.

— Il paraît qu'ils ont enlevé tout ce qu'il y avait de mauvais.

— Peux-tu être plus clair ?

Le père souleva sa chemise. Une cicatrice rouge, couturée d'agrafes métalliques, divisait en deux la partie supérieure de son abdomen, rappelant Brancato sur la table d'autopsie.

— Cancer du côlon. Le docteur Krautz dit que j'ai de très bonnes chances.

— Et la sonde ?

— Y a de quoi avec ma prostate. Elle est enflée ou *whatever* !

Il y eut un silence.

— Tu as parlé de maman tantôt.

Maurice tourna sa tête vers la fenêtre. La lumière tamisée le faisait paraître plus jeune.

— On n'est pas ici pour se conter des histoires. Les dettes, la pègre, c'est vrai, mais le fond de l'affaire, c'est que ça n'allait pas entre Nicole et moi. On s'est mariés obligés.

— Je sais. Le 25 juin 1960, et je suis né en janvier suivant.

— On a dit que tu étais prématuré. À sept livres et douze onces, ça passait juste. On s'est mariés en vitesse. C'est parti croche et c'est resté croche. On n'avait pas les mêmes goûts, pas les mêmes valeurs. On s'est connus au temps d'Elvis, je suis parti après la séparation des Beatles. Pendant ces dix années-là, le monde avait changé. Nicole n'évoluait pas. Moi, je n'étais plus capable d'être livreur de bière à Iberville. J'étouffais !

— Parlant de maman, tu ne m'as pas demandé comment elle allait.

Lionel-Maurice se prit la tête entre les mains, comme si quelque condition physique, choc nerveux, effet secondaire de l'anesthésie, pouvait expliquer son indélicatesse.

— Excuse-moi. Je suis tellement content de te voir, j'en perds mes moyens.

— Elle va bien, mentit Surprenant.

— *Good!*

— Tu as un autre fils. Il s'appelle Jacques et il a quarante-cinq ans.

— Ça, je m'en doutais. Qu'est-ce qu'il devient?

— Il prend un coup et il s'occupe de maman. Quand il a son permis de conduire, il est livreur de poulet.

— Si tu es venu ici pour me faire la morale, tu ferais aussi bien de sacrer ton camp!

Surprenant garda son calme. Certains solitaires vieillissaient en conservant leurs capacités d'écoute et d'empathie. Son père ne semblait pas être de ce nombre.

— Continue, s'il te plaît. C'est normal que je sois un peu en colère.

Le père parut soulagé. Levant les yeux vers la fenêtre, il reprit:

— Nicole se couchait tôt. Le soir, je sortais. Il y avait le Sporting Club, à Saint-Lambert, mais aussi d'autres bars, plus proches, à Saint-Jean, le Richelieu, le National. Là, c'était plein de jeunes, même des gars de mon âge, qui faisaient la belle vie. Y avait aussi des orchestres. Du rock, du blues, je descendais même à Montréal pour écouter du jazz au Rainbow. Je ne jouais d'aucun instrument, mais j'étais fasciné par les musiciens. La vraie vie était là, pas dans mon *truck* de la O'Keefe.

Pendant plus d'une heure, Surprenant écouta, entrecoupé de ses questions, le monologue de son père. Le camion de livraison abandonné dans une rue tranquille de Saint-Jean… Le passage aux États-Unis dans le coffre arrière de la Dodge de Cheryl, une chanteuse américaine rencontrée au Sporting Club… Deux ans de vie clandestine à Philadelphie… Une réinsertion en Californie grâce à de faux papiers… Surprenant était en proie à un malaise. Cet homme malade, habillé en bouffon, qui dévidait sans gêne sa vie de barreau de chaise, basculait directement de l'adolescence à la vieillesse. En même temps, le policier renouait avec des sensations oubliées, ce trouble originel qu'il avait refoulé derrière la porte marquée du mot « disparition ».

« C'est parti croche et c'est resté croche. » Il avait toujours senti que quelque chose clochait entre ses parents. Cela flottait dans l'air de la maison, une odeur fine et délétère, malgré leurs quelques moments de tendresse. « On n'avait pas les mêmes goûts, les mêmes valeurs. » Son père disait vrai : Nicole Goyette attendait de son beau Maurice quelque chose qu'il ne pouvait lui donner : l'affection, la sécurité, l'aisance, l'ascension sociale. La méprise était cruelle. Le quatrième et dernier fils d'Armand Surprenant, ouvrier à la Pirelli, et de Thérèse Galipeau, ménagère, était un *tramp*, un tripeux qui, à trente-trois ans, *l'âge du Christ*, avait découvert sa vocation : la route. Il les avait jetés sur l'accotement, comme des mégots ou des bouteilles vides.

— Tu ne dis pas grand-chose, observa Maurice.

— Pourquoi n'as-tu pas simplement quitté maman ? Le divorce, ça existait en 1970. Jacques et moi, on n'aurait pas complètement perdu notre père.

Maurice Surprenant se tut, regarda une nouvelle fois par la fenêtre. Derrière les stores, le soleil poursuivait sa course vers le Pacifique. Il brûlait de dire quelque chose, mais il se contenait.

— Tu pars quand ? demanda-t-il sans regarder son fils.

— Demain, à 14 heures, par Chicago.

— J'ai un service à te demander. Ou plutôt deux. Il y a un sac de linge sale dans l'armoire. Si tu pouvais le faire laver à ton hôtel pour demain, ça ferait mon bonheur.

— OK, dit Surprenant en songeant que le Cedars-Sinai, ce phare technologique, devait être équipé d'une buanderie.

— Ensuite, viens pas me voir ce soir. J'ai besoin de me reposer. Viens demain matin, à 10 heures, à l'heure des visites. Ça me fera plaisir de te voir.

Sac-poubelle à la main, Surprenant traversa le hall d'entrée du Shangri-La. Au regard perplexe de la préposée à l'accueil, une sémillante jeune femme nommée Juanita, il répondit par un « *Hi!* » bon enfant et fonça vers les ascenseurs.

Dans sa chambre, il procéda à l'examen du butin de son paternel, lequel se résumait à peu de choses : trois t-shirts, cinq chemises, trois shorts, deux pantalons, cinq boxers, dans des états divers de propreté et de délabrement. Il fouilla poches et compartiments pour s'assurer qu'il ne s'y trouvait aucune substance susceptible d'attirer sur lui l'attention de la Drug Enforcement Administration. Rassuré, il appela la réception et obtint, moyennant un montant substantiel, que le tout soit lavé pour le lendemain matin.

Il pêcha une bière dans le minibar et la but debout, face à l'océan. Le temps était maussade. Quelques enfants jouaient sur la plage pendant que des planchistes coriaces, silhouettes noires dans leurs combinaisons, chevauchaient la mer d'automne. Chiffonné dans une corbeille, le sac-poubelle lui lançait un message : son père, le lendemain de leurs retrouvailles, l'avait chargé de laver son linge sale. *Take it easy.* Cet homme glissait à la surface des choses, depuis toujours, comme ces surfeurs de fin de semaine. Lui partait le lendemain. Aurait-il le temps de le faire sortir de sa réserve, d'établir un quelconque lien ? Lionel Supernant en valait-il la peine ?

Plutôt que de s'apitoyer sur son sort, il brancha son ordinateur sur le réseau de l'hôtel. Trois messages étaient apparus dans sa boîte, dont le dernier était de Brazeau. *J'ai peut-être quelque chose. Desmond Alcindor, descendu à la 22 le 4 juillet. Appelle-moi.*

LP Brazeau, s'il aimait fouiner sur Internet, préférait la communication directe aux courriels. Surprenant joignit son coéquipier chez lui.

— Tu tombes mal. En plein souper romantique, devant un sauternes et une tarte Tatin.

— Mille pardons. Pas trop de sauternes si tu veux rester romantique.

— *Deux minutes, chérie.* Écoute, la seule chose qui m'a intrigué au sujet des Rouges et des Italiens, c'est ce meurtre. La nuit du 4 juillet, avant que tu débarques de Québec. Desmond Alcindor, trente-sept ans, un petit caïd des Rouges, a reçu cinq balles de 22 dans le buffet alors qu'il rentrait à son condo du boulevard Gouin, à Rivière-des-Prairies. Le seul lien, c'est le calibre.

— Et le *modus operandi.*

— Si tu veux. Je t'en parle pour que tu ne penses pas que je me tourne les pouces pendant que tu cherches ton papa à Hollywood. L'as-tu trouvé ?

— Ça, oui, je l'ai trouvé.

— Et puis ?

— Je te parlerai de ça lundi.

— *Non merci, chérie.* Tu rentres toujours demain soir ?

— Oui. Cet Alcindor, on a des balles ?

— Oui, mais je n'ai pas osé demander une analyse balistique d'urgence. J'oubliais : le rapport préliminaire de toxico est sorti. Brancato avait de la coke dans le sang. Ça explique peut-être les traces dans le coffre.

À défaut d'avoir accès aux bases de données de la SQ, Surprenant passa l'heure suivante à faire des recherches sur Internet. Dans les médias, le meurtre de Desmond Alcindor avait d'emblée été présenté comme un règlement de comptes relié au trafic de stupéfiants. Le trucidé, d'origine haïtienne, était décrit comme un « récidiviste notoire », membre des Rouges depuis l'adolescence. Sur l'unique photographie qui avait circulé, un Noir costaud fixait l'objectif de ses yeux mats. L'affaire avait rapidement disparu de l'actualité, avalée par l'imminence des vacances de la construction et l'avenir du gouvernement minoritaire de Jean Charest. Nulle mention n'était faite de l'arme utilisée ou des circonstances exactes de l'assassinat.

Brazeau avait raison : le seul lien, si minime soit-il, était le calibre utilisé. Surprenant appela Geneviève et lui narra ses deux visites au Cedars-Sinai. En lui parlant, il s'aperçut qu'il dépeignait son père sous un jour favorable, minimisant ses responsabilités et ses travers, comme s'il en avait honte. Le fait n'échappa pas à Geneviève, qui lui demanda à deux reprises si tout se passait bien. Surprenant la rassura, tout en taisant l'épisode du sac-poubelle.

— Maintenant, qu'est-ce qui va arriver ? demanda Geneviève.

— Je ne sais pas.

— Tu me dis qu'il est seul à Los Angeles, qu'il a un cancer. Qui va prendre soin de lui ?

— Il a un réseau, des amis.

— Mais de quoi avez-vous parlé, cet après-midi ?

— Nous avons beaucoup de rattrapage à faire.

Après l'appel, Surprenant gagna la plage et marcha jusqu'à la jetée de Santa Monica. La célèbre structure de bois, surmontée de manèges et de stands de fast-food, s'avançait dans la mer, patrouillée par des escouades d'adolescents excités par l'imminence du samedi soir. Des parents obèses, en shorts et en t-shirts fluo, promenaient leur progéniture. Le soleil déclinait vers l'horizon, la mer se calmait, les planchistes rangeaient leur équipement, Surprenant passa sous la jetée et poussa vers le sud, perdu dans ses pensées. Il avait franchi un point de non-retour. Le Fantôme, cette ombre qui pouvait se parer de tous ses rêves, s'était incarné dans ce petit homme muré dans son égoïsme. La question de Geneviève était pertinente. Qu'allait-il se passer ?

Il composa le numéro de Clifford Biggs et n'obtint pas de réponse. Ses pas le portèrent naturellement vers Venice Beach et Breeze Crescent. Devant cette porte, une vieille dame s'était exclamée, cinq ans plus tôt, « *Hey, I know this guy !* » De là ses visites à Laureen Sorensen, au *Turnstile*, puis sa découverte du hippie échoué au Cedars-Sinai. Il avait voulu ces retrouvailles, il devait en accepter les conséquences. Il marcha jusqu'au bar du boulevard Abbot Kinney. Laureen n'était pas de quart ce soir-là. Il fut déçu. Il aurait aimé parler avec un témoin impartial. Il but deux bières au comptoir, soupa d'un hamburger et rentra à l'hôtel, toujours à pied. Deux messages l'attendaient. Son fils Félix l'invitait à sa pendaison de crémaillère le mercredi suivant. L'autre courriel, de sa fille Maude, était intitulé « Bonne nouvelle ». *Geneviève me dit que tu es à Los Angeles. On oublie le souper demain. C'est un peu étrange de t'annoncer ça comme ça, mais je ne peux pas attendre. Je suis enceinte. Julien et moi, on flotte. C'est la meilleure chose qui pouvait nous arriver.*

Excité par la nouvelle, Surprenant se découvrit, malgré le décalage, incapable de dormir. Il se replongea dans *L'Amélanchier*.

« Je me sentais à la fois honteuse et fière d'être sa fille. Il avait partagé le monde en deux unités franches et distinctes qui figuraient le bon et le mauvais côté des choses. Lui seul avait accès à ce dernier, lui seul ne le craignait pas. »

Son père était donc cet homme qui avait eu accès au mauvais côté des choses. Il s'endormit avec la pensée – ou le souhait – qu'il était malgré tout, à sa façon, un homme bon.

10
SORTIE DE SERVICE

Le lendemain, il cogna à la chambre 6128 à 10 heures tapant, les hardes de son père sous le bras.

— Entrez !

Devant le miroir, Lionel-Maurice, en bedaine, achevait de se raser.

— Tu parles en français, maintenant ?

— Aujourd'hui, c'est un grand jour.

Sans relever l'allusion, Surprenant, gêné à la vue des pectoraux affaissés de son père, alla se camper devant la fenêtre. En ce dimanche matin, les palmiers de L.A. éclataient dans un ciel sans nuage. À sa droite, comme suspendu au-dessus de la ville, un 747 s'apprêtait à atterrir à LAX.

— Pourquoi, un grand jour ?

Sorti de la salle de bain, son père ouvrit le paquet de vêtements et choisit une chemise bleue.

— Comment ça allait déjà, la chanson de… tu sais le chansonnier avec des grandes dents ?

— Ferland.

Tout en se boutonnant, le père se mit à fredonner *Je reviens chez nous.*

— Tu es sérieux ?

— Jamais été aussi sérieux que ça. Assis-toi, au lieu de rester planté comme un épi.

Surprenant s'écrasa dans le fauteuil du visiteur.

— Tu viens de te faire opérer pour un cancer, tu te promènes avec une sonde !

— Pas pour longtemps. J'ai regardé comment ça tenait, cette patente-là. Les pinces, c'était pas pour la guitare.

Le père s'assit face au fils. Malgré sa faiblesse, il semblait serein : il avait pris une décision et allait s'y tenir.

— Tu ne peux pas quitter l'hôpital de même, sur un coup de tête.

— Il FAUT que je quitte l'hôpital de même. Penses-tu que j'ai les moyens de payer ? Don s'est porté garant de moi, mais ça monte chaque jour à coups de dix mille.

— Tu ne veux quand même pas te sauver ?

— Il paraît que j'ai fait ça toute ma vie. Mon billet est acheté. Tu prends bien le vol de 14 h 05 pour Chicago ? Tout ce que je te demande, c'est de m'aider.

Surprenant réfléchit. Son premier réflexe avait été de signaler à son père qu'il lui demandait de cautionner, pire, de faciliter, un geste illégal. Mais son père n'allait tout de même pas braquer une banque ou rançonner un invalide. Le Cedars-Sinai pouvait survivre à la défection d'un vieux *roadie*. Sans compter qu'Eagles, seulement avec les droits de *Hotel California*, avait les moyens de commanditer une ou deux douzaines de baby-boomers.

— Au Québec, tu es mort.

— *God!* J'avais pas pensé à ça !

— Maman va virer sur le top.

— Laisse faire ta mère. Elle en a enterré trois. Elle peut bien endurer qu'il y en ait un qui ressuscite !

— Fais pas de farce avec elle, veux-tu !

— Si c'est de même, prends la guitare et ramène-la à Montréal ! Le reste, je m'en occupe !

— Veux-tu me dire comment ?

— Pis desserre les cordes avant de l'enregistrer à l'aéroport ! Sans ça, le manche va travailler !

Surprenant se leva et marcha jusqu'à la porte pour se calmer. Il était de nouveau en présence de l'homme qui rentrait tard le soir et laissait traîner ses bouteilles de bière, mais il n'avait plus huit ans. La respiration de son père, haletante, emplissait la chambre.

— Comment sais-tu que maman « en a enterré trois » ?

— Fais-tu de l'Alzheimer ? Tu me l'as dit hier.

Son père mentait. Une voix nasillarde, dans l'interphone, demanda *Doctor Murillo*. Pour réfléchir, pour faire baisser la tension, pour faire un Ponce Pilate de lui-même, Surprenant se lava les mains dans la salle de bain.

— C'est quoi, ton plan ? demanda-t-il en retournant dans la chambre.

Sa Malibu de location stationnée sur Alden Drive, Surprenant surveillait l'entrée de service du Cedars-Sinai. À 12 h 10, comme prévu, le patient de la chambre 6128, lunettes fumées, chapeau de toile difforme, profita de l'entrée d'un camion de maraîcher pour se glisser à l'extérieur. Pour tout bagage, il n'avait, sous son bras maigre, qu'un sac de plastique blanc.

Il marcha d'un pas relativement assuré jusqu'à la Chevrolet, leva le pouce droit en signe de victoire et prit place à côté de son fils.

— *LAX Airport, please.*

Le long du trajet, l'évadé ne prononça pas un mot, absorbé par la contemplation du paysage. Hauts palmiers, asphalte luisant au soleil, boutiques bigarrées, stucs et art déco. Il faisait ses adieux à la cité des anges.

Les formalités de départ donnèrent quelques sueurs froides à Surprenant. La sécurité du Cedars-Sinai lui avait paru sérieuse, l'aéroport grouillait de douaniers et de gardes, il lui semblait impossible que la fuite de ce vieillard flageolant, qui relâchait en vitesse la tension sur les cordes de sa guitare, ne fasse pas l'objet d'un signalement. Cela ne s'arrangea pas quand les agrafes de la cicatrice déclenchèrent les détecteurs de métaux. Cinq minutes avant l'embarquement, Surprenant s'éloigna de quelques mètres et se permit enfin d'appeler Geneviève.

— Je reviens avec, annonça-t-il de but en blanc.

— Quoi ?

— Il mange un muffin aux carottes en lisant le *L.A. Times* à la porte d'embarquement C-54 de *LAX Airport*.

Il y eut un silence.

— Tu es content ?

— En tout cas, ça nous donnera le temps de parler.

— Je vais préparer la chambre d'amis.

— Merci, Geneviève.

— C'est super !

Merci, Geneviève, répéta-t-il mentalement en coupant la communication.

Dans la cabine, Maurice Surprenant offrit son siège couloir à une obèse pour s'asseoir à côté de son fils. « *He's my body guard. I have to keep an eye on him.* » Quand l'avion eut pris de l'altitude, il leva un index noueux vers le bouton orné du pictogramme représentant l'hôtesse :

— Je dirais que je suis mûr pour un *drink*.

Ils parlèrent relativement peu pendant le vol jusqu'à Chicago. Surprenant mesurait les implications de la nouvelle situation. À ses côtés, lunettes au bout du nez, son père, ramolli par deux gin-tonics, parcourut le *Los Angeles Times*, grignota des cacahuètes, regarda le début de *A Streetcar Named Desire*, avala la moitié de ses pâtes au poulet et fit quatre voyages au petit coin.

— Ça va ? s'inquiéta Surprenant à la troisième occasion.

— Un peu rosé, mais ça marche.

Curieux de connaître les limites de sa discrétion ou de son insouciance, le policier ne sonda pas son père sur la nature de ses projets. Son sac de plastique logé dans le compartiment au-dessus de sa tête, Lionel Supernant se laissait glisser, comme le planchiste sur sa vague, avec un abandon philosophe. L'âge, peut-être la proximité de la mort, une longue fréquentation du voyage et de la solitude lui procuraient cette liberté.

Entre Chicago et Montréal, Surprenant n'y tint plus.

— Une chambre t'attend chez nous…

Il faillit dire « papa », mais cet homme, à ses côtés, n'était pas son papa. « Maurice » aurait peut-être mieux sonné, mais il n'avait jamais appelé son papa par son prénom. Le seul mot qui allait avec son père était ce « tu », frère du « *you* » américain.

— C'est gentil de ta part, mais je ne veux pas déranger. Tu me feras plaisir en me conduisant à Iberville.

Surprenant ne posa aucune question, comprenant, une fois pour toutes, que son père n'accordait son respect – et peut-être son affection – qu'à ceux qui n'en posaient pas. Dans la nuit, ils survolèrent la bande noire du Saint-Laurent, atterrirent à Dorval. La douanière, une jeune grassette à l'étroit dans son gilet pare-balles, examina le citoyen Supernant avec attention, mais ne put s'opposer à son entrée au Canada, son passeport étant rigoureusement valide. Étui de guitare à la main, le père se dirigeait d'un pas allègre vers la sortie quand le fils le retint par le bras.

— Wô ! Il fait cinq dehors.

— *God!* C'est frette en calvas pour un 2 novembre !

— Cinq Celsius, papa.

Tout en notant que le mot « papa » lui était venu, Surprenant ouvrit sa valise, munit son père d'une veste de laine trop grande pour lui. Dix minutes plus tard, la navette les déposait à quelques mètres de la Z3.

— Tu n'es pas à pied, observa le père en caressant de la main la tôle froide. Tu me laisses conduire ?

— C'est toi qui sais où tu vas…

Avec un plaisir évident, Maurice Surprenant pilota la BMW à travers les bretelles qui menaient à la 20 Est. « Coudonc, on dirait que Montréal commence à ressembler à une ville », déclara-t-il en découvrant les gratte-ciel du centre-ville. Décarie Sud, pont Champlain, autoroute des Cantons-de-l'Est, le vieux chauffeur, roulant tranquillement à 100 à l'heure, retrouvait, transformés, des chemins familiers. À ses côtés, Surprenant était envahi par des souvenirs : ces samedis après-midi où son père l'emmenait *faire sa run*. Pour le livreur de la O'Keefe, c'était une petite journée, presque une balade pour le plaisir, quelques clients à ravitailler avant le samedi soir. Son fils, lui, était ravi par l'aventure. Le camion était énorme. Il devait grimper sur un marchepied qui lui arrivait presque à la taille pour atteindre la poignée qui ouvrait la porte ornée du bouclier rouge et or du chevalier. La cabine sentait l'essence et la nicotine. Son père, son avant-bras musclé vibrant sur le bras de vitesse, avait toujours une cigarette à la bouche, à la main ou sur l'oreille. Parfois, l'enfant avait la permission d'entrer dans les bars, des endroits sombres qui sentaient la bière, le désinfectant et le parfum de femme. Un serveur en chemise blanche lui filait un coke ou un *cream soda*. Son père disparaissait dans un bureau avec le gérant. Avait-il déjà commencé à faire ses « petites jobs » pour Frank Dasti ?

En ce soir du 2 novembre 2008, Maurice Surprenant était ce vieillard malingre mais vif qui engageait la BMW de son fils sur la sortie menant à l'autoroute 35 et à Saint-Jean-sur-Richelieu.

— Ça doit te faire drôle, dit Surprenant.

— Rentrer chez moi, comme ça, après presque quarante ans, ça me fait réaliser une chose : une vie, ça dure pas beaucoup plus qu'une chanson.

— Tu veux répéter un couplet, si je comprends bien.

— Tu te souviens de « *Rosebud* », dans *Citizen Kane* ? C'est une règle, en art : la fin doit ramener le début. Comme ça, tout le monde comprend et se sent intelligent.

Surprenant, intrigué, nota la référence à Orson Welles et l'emploi du mot « art ». Il soupçonna que la vie de son père, depuis 1970, avait été autre chose qu'une suite ininterrompue de fêtes et de tournées.

Silencieux, ils traversèrent Saint-Luc puis abordèrent Saint-Jean par la banlieue nord, dominée par la masse rectangulaire de l'hôpital.

— Ici, c'était des champs, commenta le père.

Ils franchirent le pont Marchand, le « nouveau pont » de son enfance. Le père ralentit et prit la première sortie à droite. Une longue courbe, et ils se retrouvèrent face à la rivière. Le Richelieu, bas derrière un rideau d'arbres à demi déracinés, réfléchissait un quartier de lune. Le père tourna à gauche en direction sud. Dimanche soir, 23 h 45, le chemin des Patriotes, empruntant un tracé datant du Régime français, était presque désert. Ronflante, la BMW s'engouffra sous l'arche que formaient les érables qui bordaient la 1re Rue. Au coin de la 9e Avenue, devant la façade éclairée de l'église où il avait épousé, un samedi de juin 1960, Nicole Goyette, Maurice Surprenant ne tourna pas à gauche en direction de la rue Riendeau, mais poursuivit son chemin, tout droit, pour s'immobiliser, coin 1re Rue et 5e Avenue, au feu de circulation qui marquait la jonction avec le chemin qui menait, par le vieux pont, de Saint-Jean au Vermont.

— Y a plus rien ici ! s'étonna le père. Plus de pharmacie, plus de banque, plus de Chez André, plus de salle de quilles. J'ai l'impression de revenir dans une *ghost town* !

— Il reste Chez Mickey. Les commerces se sont déplacés vers le boulevard d'Iberville.

Le feu vira au vert. Maurice Surprenant continua tout droit, traversa Saint-Noël jusqu'à la rue Bellerive, qui filait, parallèle à la rivière, vers les nouvelles banlieues.

— Tu vas chez Marcel, c'est ça ?

— Je lui ai téléphoné. Il m'attend.

— Il n'était pas surpris, te voir apparaître comme ça après trente-huit ans ?

— Tu connais ton oncle : il n'y a pas grand-chose qui le surprend.

Une question taraudait Surprenant : depuis quand son oncle Marcel savait-il que son frère Maurice était vivant ? Un gouffre s'ouvrait dans son esprit, dans lequel tourbillonnaient des éclats du passé, des allusions, des regards, des impressions fugaces, tout ce qui avait meublé ses rencontres avec le Hibou de la rivière à Barbotte depuis la disparition de son père. C'était lui qui lui avait confié, cinq ans plus tôt : « Mon chum Audette jure qu'il a aperçu ton père à Los Angeles. » C'était lui aussi, aux funérailles de son oncle Roger, quelques mois plus tôt, qui l'avait regardé d'étrange façon quand il avait dit « jusqu'à preuve du contraire ».

Marcel *savait*, probablement depuis le jour d'octobre 1970 où Maurice avait abandonné son camion O'Keefe dans une ruelle de Saint-Jean. Les deux frères étaient de connivence. Pourquoi ?

— Fais-toi pas des idées, dit son père qui semblait lire dans ses pensées. J'ai repris contact avec Marcel il y a quelques mois, quand j'ai eu le goût de rentrer au pays.

Surprenant eut envie de crier : « Je ne te crois pas. » Il se tut. Il aurait toujours le temps de tirer cette histoire au clair. Ils arrivèrent bientôt à la rue Kelly. Quand Marcel avait acheté un chalet, au début des années 80, ce n'était encore qu'un chemin de gravier reliant la 133 à la rivière, bordé de boisés inondés chaque printemps.

— Tout a changé, murmura le père. La rue des Chênes ! J'imagine que c'est par là.

La rivière à Barbotte était un gros ruisseau brunâtre qui charriait les fertilisants et les pesticides utilisés sur les terres qui s'étendaient, à perte de vue, jusqu'à Saint-Alexandre. Ils empruntèrent une rue sinueuse, flanquée de bungalows de styles divers. À leur gauche, près de l'embouchure de la rivière, ils trouvèrent le nid du Hibou : un chalet bas, en déclin de bois brun, entouré de conifères. Les phares de la BMW révélèrent, dans un mouvement tournant, des cordes de bois rangées sous un appentis et la Ford Ranger de l'ermite.

Le père éteignit le moteur d'un geste lent, comme à regret.

— Belle machine que tu as là.

L'oncle Marcel apparut sur le perron, sec, voûté par ses trente-cinq ans à la Pirelli. Dans sa robe de chambre, ses rares cheveux auréolés par l'ampoule jaune qui éclairait la galerie, il faisait songer à un boxeur vieillissant saluant ses fans après un combat.

— Voilà Marcel, constata le père.

— J'aimerais bien que vous m'expliquiez, un de ces jours.

— Un moment donné, ça ne sert à rien de remuer les cendres.

Il sortit de l'auto, tira le sac de plastique et l'étui à guitare du coffre et se dirigea d'un pas ferme vers le chalet. Surprenant observa, ému, les retrouvailles entre les deux frères. Une poignée de main... Une courte embrassade... Marcel, plus grand, plus vieux de quelques années, prononça distinctement : « Il est à peu près temps », comme si son frère n'était pas rentré souper ou avait découché. Le patient de la chambre 6128 entra dans le chalet. Avant de l'imiter, Marcel adressa un signe de main à son neveu qui l'observait, toujours assis dans le siège du passager de la BMW.

Quarante minutes plus tard, Surprenant immobilisait son auto sous l'érable argenté qui gardait l'entrée de la maison de l'avenue de l'Épée. Alignés le long du stationnement, trois sacs orange signalaient que Geneviève avait profité de la fin de semaine pour ramasser les feuilles mortes. La citrouille devait avoir pris le chemin du bac à compost. Il entra chez lui, silencieusement, avec l'impression de pénétrer dans une maison qui n'était ni la sienne ni celle de son oncle Roger.

Dans la chambre, Geneviève dormait profondément. Après avoir préparé la chambre d'amis, elle s'était probablement endormie à 22 heures, comme d'habitude, ses huit heures de sommeil demeurant pour elle un droit sacré, inaliénable. Surprenant se brossa les dents, se déshabilla et se coucha à ses côtés. Fait rare, Chat brava l'interdit de Geneviève et, d'un saut héroïque, vint se lover à ses pieds. Fourbu, Surprenant s'endormit presque aussitôt, remettant au lendemain la résolution des questions qui flottaient, comme des débris après un naufrage, à la surface de sa conscience.

Il fut réveillé à 7 h 05 par Geneviève, en uniforme, prête à partir pour le travail.

— Ton père n'est pas là ?

— À Iberville. Je...

— Brazeau, dit-elle en lui tendant son téléphone.

Il se dressa sur un coude et prit l'appareil.

— Es-tu réveillé, là ? demanda son coéquipier.

— Qu'est-ce qu'il y a ?

— La main. On vient de la trouver.

— Où ?

— Clouée sur une porte de la basilique Notre-Dame.

11

RUE SAINT-SULPICE

Il était tombé quelques flocons pendant la nuit. Le temps était froid et venteux. Alors qu'il descendait à toute vitesse vers le centre-ville, sur du Parc, Surprenant obtint quelques détails. La main droite de Luca Brancato n'était pas clouée sur l'entrée principale de la basilique, sur la place d'Armes, mais sur l'une des portes latérales qui donnaient accès au musée, rue Saint-Sulpice.

Quand Surprenant s'y présenta, à 7 h 45, la rue était bloquée par les rubans jaunes de la police. Les techniciens, en combinaisons blanches, étaient déjà au travail. Une toile de plastique orange avait été tendue devant la porte, pour soustraire la main aux caméras des photographes et des cameramen, qui se pressaient à moins de vingt mètres de la scène de crime. Tout ce que Montréal comptait de médias, électroniques ou autres, était déjà à pied d'œuvre.

— C'est quoi, ce zoo ? demanda Surprenant à Brazeau.

— La nouvelle était en ligne à 6 h 40 ce matin. Cinq minutes après le premier appel au 911.

— C'est rapide.

— Normal. C'est PAD en personne qui a appelé.

— PAD ?

— Pierre-Antoine Deschamps, le chroniqueur judiciaire de *La Presse.* La nouvelle est en première page de leur site, au moment même où on se parle. Ça va faire le tour de la planète avant le dîner.

— Tu veux dire que c'est lui qui a été averti en premier ?

— Un coup de téléphone passé par un inconnu. Sébastien est sur l'affaire, on devrait avoir les détails bientôt.

Surprenant tourna la tête vers la toile orange.

— Tu as vu ?

— Rien de particulier. Un clou de six pouces dans une main caucasienne. Ça doit être celle de Brancato. Les mains coupées, ça ne court quand même pas les rues, à Montréal.

Brazeau émit un ricanement, peut-être pour signaler qu'il faisait de l'humour.

— On ne peut pas s'approcher, maugréa Surprenant.

— Si tu veux voir, rien de plus facile. J'ai eu le temps de prendre mes propres photos.

Brazeau lui tendit son téléphone. Pris à moins d'un mètre de distance, un cliché couleur montrait une main clouée contre une porte brune. La peau était d'une blancheur cadavérique. Les doigts, dont un annulaire gonflé sur une chevalière de mauvais goût, pointaient vers le ciel. Un long clou traversait le centre de la paume. Peut-être repoussés par le processus de putréfaction, les deux os de l'avant-bras, de diamètres différents, pointaient au site de l'amputation.

— Est-ce que ton PAD a écrit un article ? demanda Surprenant en ouvrant le fureteur.

— Un entrefilet, mais le reste va débouler assez vite.

Sous le titre *La main de Luca Brancato ?* s'étalait, sur trois colonnes, une photographie de la main, cette fois prise de plus loin. Suivaient quelques lignes, signées Pierre-Antoine Deschamps, qui exposaient les données factuelles quant à l'apparition de ce que le chroniqueur appelait un « trophée ».

— Quand même incroyable que *La Presse* publie ça, observa Surprenant.

— Ils veulent peut-être augmenter leur tirage.

— Ça complique un éventuel procès. Qui était au courant, pour la main ?

— Nous n'avons pas diffusé le fait que Brancato a été amputé. L'information a filtré jusqu'aux journalistes par les témoins oculaires de la scène.

Surprenant leva les yeux vers la masse grise de la basilique.

— Pourquoi ici ?

— Notre bûcheron a peut-être une dent contre Dieu ?

— Es-tu entré à l'intérieur ?

— Une équipe est en train de fouiller les lieux. Ça pourrait être long.

Surprenant se retourna vers la rue. Des reporters rectifiaient leur coiffure avant de livrer leur topo devant les caméras. Parallèles aux flèches de la basilique, les antennes des unités de production mobiles projetaient vers le ciel leur jet continu de données binaires, ces 0 et ces 1 qui allaient se matérialiser, sur les écrans du monde, en cette nouvelle dérangeante : un amputeur fou, à Montréal, exposait la main de sa victime sur la porte d'une église. Curieusement, le fait n'étonnait qu'à peine Surprenant. La main coupée dans la ruelle de la Petite-Italie annonçait déjà que le meurtrier était en quête de reconnaissance. Il observa l'attroupement, les deux hélicoptères qui tournoyaient au-dessus du centre-ville, la circulation bloquée rue Notre-Dame. Le tueur avait choisi son moment : l'heure de pointe du lundi matin.

— Ton PAD, il est toujours ici ?

— Il doit être dans l'unité de commandement.

Stationnée à l'écart, au coin de Le Royer, la grosse fourgonnette GMC fleurait le café et la pâtisserie.

— Ah ! fit Brazeau en se dirigeant vers un carton de muffins.

Concentré, Guzman mitraillait le clavier d'un ordinateur.

— Tu es ici ? s'étonna Surprenant.

— La mère de Mélanie est à la maison. Ça tombe bien, je n'ai pas du tout envie de commencer mon congé de paternité aujourd'hui.

— On a une idée de la provenance de l'appel à Deschamps ?

— Les W sont là-dessus.

— Les W ?

— C'est pour « www ». Les techniciens en com. Au début, on disait W3. Maintenant c'est juste W.

— J'oubliais : félicitations pour le bébé.

Surprenant serra la main de son jeune coéquipier. À ce moment précis, il se souvint que son père était devenu un homme réel qui s'éveillait dans un décor nouveau à Iberville. Il prit aussi conscience que, dans le brouhaha qui avait suivi le coup de téléphone de Brazeau, il avait oublié d'annoncer à Geneviève que Maude était enceinte.

Assis au fond du véhicule, un grand homme aux allures d'artiste, une caméra serrée contre lui, était en discussion avec Sasseville.

— Vous n'avez pas le droit ! protestait-il d'un ton outragé.

Surprenant interrogea Brazeau du regard. Tout en s'escrimant avec l'emballage d'un muffin aux bleuets, LP fit oui du bonnet.

Surprenant s'approcha et se présenta. Pierre-Antoine Deschamps, un sexagénaire dont les cheveux encore abondants, relevés vers l'arrière, semblaient teints, lui accorda à peine un regard, tout à sa discussion avec Sasseville.

— Ces photos m'appartiennent ! Vous ne pouvez pas les confisquer sans mandat !

Le journaliste possédait une voix profonde, posée, une diction impeccable que Surprenant qualifia mentalement de *radio-canadienne*. Il avait au cou une écharpe de cachemire grise élimée, qui portait des traces de sang séché ou, plus probablement, de sauce tomate.

— Monsieur Deschamps..., reprit Sasseville d'un ton menaçant.

— Je crains que monsieur ait raison, dit Surprenant en s'assoyant en face de lui. Avons-nous obtenu un mandat de non-publication ?

— Non.

— Dans ce cas, la seule chose que nous puissions faire, c'est de demander à monsieur ou à son chef de pupitre de retirer la photographie de leur plein gré. Acceptez-vous, monsieur Deschamps ?

— C'est hors de question !

— J'aimerais que nous revenions sur l'appel qui vous a amené ici.

— J'ai tout raconté – deux fois – à *madame* Sasseville. J'ai autre chose à faire.

— Vous partirez quand nous vous le permettrons, monsieur.

Surprenant, aussi grand mais plus jeune que Deschamps, approcha son fauteuil de celui de sa collègue, lui coupant le chemin vers la sortie.

— Allez-y, mais faites vite, concéda Deschamps d'un ton hautain.

— Pour commencer, l'heure exacte.

— 6 h 10. C'est dans ma déposition.

— À votre domicile personnel ?

— Au 1953 Fullum. Aussi au rapport.

— Votre numéro est-il public ?

— J'ai vérifié, intervint Sasseville. Il n'y a qu'un Pierre-Antoine Deschamps à Montréal. Le numéro n'est pas confidentiel.

— Montréal est une petite ville, sergent Étonnant. Un journaliste a intérêt à demeurer accessible, surtout quand il couvre les affaires judiciaires.

— Vous garderez votre humour pour vous. Un homme ? Une femme ?

— La voix était maquillée, comme mécanique. Je crois que c'était un homme.

— Jeune ? Vieux ?

— Impossible à dire.

— Quel a été le message précis ?

— « La main de Brancato. Basilique Notre-Dame, rue de côté. »

— C'est tout ?

— L'appel a duré moins de dix secondes. L'appareil affichait « inconnu ».

— Le fournisseur de service devrait nous communiquer les renseignements bientôt, dit Sasseville.

— Vous ne savez donc pas qui vous a appelé ?

— Aucune idée.

— Cette personne a quand même senti le besoin de maquiller sa voix.

— Certains criminels sont plus prudents que d'autres.

— Portez-vous un intérêt particulier au meurtre de Brancato ?

— Particulier, non. Mais vous savez peut-être, même si vous êtes nouveau ici, que je couvre le crime organisé depuis plus de quinze ans. Alors, oui, je suis de près l'affaire Brancato. Je sais même que les crimes majeurs sont encore responsables de l'enquête.

Deschamps fixait Surprenant de ses yeux bleus, vifs, impertinents. L'homme avait des sources, même au SPVM.

— À en juger par cette main sur une porte, dit calmement Surprenant, nous n'avons pas affaire à un gang ou à la mafia.

— Ne sous-estimez pas nos amis. Ils peuvent jouer les psychopathes si ça fait leur affaire.

— Que s'est-il passé après que vous avez reçu l'appel, à 6 h 10 ?

— Je me suis habillé en vitesse et j'ai sauté dans mon auto. Il n'y avait pas de circulation, je suis arrivé ici à 6 h 27 et j'ai appelé le 911.

— Après avoir envoyé votre photo au journal.

— C'était mon droit. Ils l'ont immédiatement mise en ligne. C'est leur droit aussi.

— Vous comprenez que vous avez révélé au public, sans l'accord des autorités, des éléments relatifs à l'enquête ?

— Je vous mets au défi de me poursuivre.

Deschamps, menton relevé, semblait prêt à en découdre avec la justice. Sa réaction parut à Surprenant si inhabituelle qu'il l'attribua à un facteur inconnu. Le journaliste éprouvait-il des difficultés personnelles ? Sa situation au journal était-elle précaire ? L'assassinat de

Brancato s'inscrivait-il dans une suite d'événements dont il ignorait l'origine ?

— Le meurtrier vous a choisi pour diffuser la nouvelle. Pourquoi ?

— Parce qu'il voulait que ça sorte, sergent. Je suis connu. Le tueur ne voulait pas manquer son coup. Maintenant, excusez-moi, j'ai un texte à livrer.

Deschamps ébaucha le geste de se lever. Surprenant agrippa d'une main sa veste de cuir et le força à se rasseoir.

— Vous partirez quand je vous le dirai ! Vous restez ici et vous n'envoyez rien, aucun texte, aucune photo, à personne.

— Vous m'effleurez encore et je porte plainte, Surprenant !

— Tiens, vous savez mon nom maintenant. LP, veux-tu tenir compagnie à monsieur ?

Brazeau, qui avait suivi l'échange avec intérêt, vint poser ses cent kilos en face de Deschamps.

— Un muffin ? Un café ?

Surprenant, blanc de colère, rejoignit Guzman près des ordinateurs.

— Je demande un mandat. Il y a quand même une limite !

— À ta place, j'appellerais Guité avant.

Guité répondit à la deuxième sonnerie. La voix était lointaine, il était en mains libres quelque part.

— Une ordonnance de non-publication pour Deschamps ? Je serais tenté de te donner ma bénédiction, mais c'est compliqué. Il faut prouver au juge que nous ne pouvons obtenir ces renseignements autrement. La photo est déjà en ligne. Laisse-le aller, on a d'autres chats à fouetter. Je devrais être sur place dans deux minutes si Ville-Marie peut se dégager.

Surprenant coupa la communication, dépité, et retourna vers l'arrière de l'unité mobile.

— Vous pouvez partir, annonça-t-il sèchement à Deschamps.

— Bravo, vous arrivez en ville.

LP se leva et laissa passer le journaliste qui sortit en arborant un sourire de satisfaction.

— Tu parles d'un prétentieux ! pesta Surprenant.

— Si tu m'avais laissé le temps, je t'aurais mis en garde. PAD est le meilleur chroniqueur judiciaire de la ville. C'est aussi une tête de cochon. Rossi le déteste à s'en confesser. Remarque qu'avec ce que Deschamps a vécu…

— Quoi ?

— Sa femme a été tuée pendant une fusillade au Mexique, il y a une quinzaine d'années. Ç'avait fait tout un plat.

— Ça ne l'autorise pas à nous traiter comme des *minus habens*.

— « *Minus habens !* » Monsieur est allé à l'école ! Une de ses théories, c'est que les polices internationales sont dans le coup. On serait infiltrés.

— Il n'a peut-être pas tort…

LP, la lèvre inférieure ornée d'un résidu de bleuet, leva un sourcil.

— Est-ce que j'ai l'air infiltré, moi ?

Surprenant ne répondit pas.

— L'appel a été passé d'une cabine téléphonique au coin de Saint-Jacques et Saint-Laurent, annonça Guzman.

— Vas-y et mets-la sous scellés. On ne sait jamais.

Guzman partit en compagnie de Sasseville. Surprenant prit un café, déjà tiède, et quitta l'unité. Les agents avaient élargi le périmètre de sécurité et repris le contrôle de la rue Saint-Sulpice, dont toutes les issues étaient fermées à la circulation. Devant les portes ogivales qui donnaient accès à l'église, la toile orange attirait l'attention. Il passa sous les rubans et s'approcha. Ana Tavares apparut, gantée, la bouche couverte d'un masque chirurgical.

— Un corps en morceaux, forcément, c'est plus d'ouvrage, dit-elle sur un ton qui hésitait entre la blague et la plainte.

— Vous avez quelque chose ?

— Rien. Idéalement, il faudrait envoyer à Parthenais toute la pièce, la main et le bout de porte, d'un bloc. Ici, évidemment, c'est exclu.

— Je peux voir ?

— Discrètement.

Surprenant souleva la toile et avança d'un pas. Il ressentit immédiatement un malaise à l'estomac, moitié angoisse, moitié nausée. *In vivo*, la main droite de Luca Brancato était plus impressionnante que sur l'écran d'un téléphone. D'une blancheur sépulcrale, tendue vers le ciel contre ce portail d'église, les ongles portant des traces de sang, elle évoquait une vaine supplique, le geste inutile d'un vaincu.

Un clou en acier galvanisé transperçait la paume, en plein centre.

— Je me trompe ou ça pue ?

— Ça me surprendrait. Regardez.

Tavares lui montra deux fissures de part et d'autre du site de perforation.

— La main a fendu, comme une planche.

Toc ! Toc ! Du doigt, elle tapa sur la base du pouce.

— Elle n'est pas encore dégelée.

— Elle était congelée ?

— Qu'est-ce que vous feriez, chez vous, avec une main coupée que vous avez l'intention d'*utiliser* ?

La question, tout à fait pratique, trahissait un certain désarroi. Chacun d'eux avait vu des horreurs. Cette main, relativement peu dégoûtante, lançait un message dérangeant.

— Nous avons affaire à un fou, avança Surprenant.

— C'est ce qu'il veut nous faire croire. Maintenant, excusez-moi, je dois procéder avant que le ciel nous tombe dessus.

La technicienne s'installa entre la main et Surprenant. Le faisait-elle exprès ? À quelques centimètres de ses yeux, sa nuque dégagée par les cheveux remontés en toque, cet espace de peau vierge semé de vagues de poils follets, dégageait un parfum d'orange et de lavande.

À quelques centimètres aussi, mais plus bas, la combinaison blanche de la technicienne ne dissimulait pas tout à fait une croupe d'un galbe affriolant.

12
UN ROUGE DANS LE NOIR

Surprenant s'arracha à la contemplation des fesses d'Ana Tavares et retraita vers la rue Saint-Sulpice. À quelques pas du périmètre, Brazeau l'observait d'un air goguenard.

— Pas pire, la petite technicienne, hein ?

— Au lieu de dire des conneries, tu devrais t'informer des caméras de surveillance.

— Il y en a une au coin de Saint-Sulpice, mais je ne crois pas que le champ comprenne la porte.

— Il doit bien y avoir un curé dans cette bâtisse.

— Si tu veux mon avis, c'est le gars en noir qui jase avec Guité.

LP Brazeau, du menton, désigna leur supérieur, élégant sous sa casquette de tweed, et un petit homme à la crinière blanche qui conversaient devant le camion de CBC.

— Excuse-moi, j'ai un coup de fil à donner, dit Surprenant.

Surprenant se réfugia dans le portique d'un marchand de souvenirs et appela Geneviève, qui venait tout juste d'arriver au poste de la SQ de Saint-Sauveur.

— Ce matin, j'ai oublié de te dire que Maude est enceinte.

— Déjà ? Ça ne fait pas un an qu'elle vit avec Julien !

— C'est comme ça. Elle a l'air contente. Je t'en reparle ce soir.

— Et la main ?

— Elle est congelée.

— C'est aussi bien comme ça, tu ne trouves pas ? Je veux dire, c'est plus propre.

Ils se séparèrent sur leur *Ciao* rituel. Surprenant se dirigea vers Guité et le prêtre.

— … avec notre situation budgétaire, vous savez…, disait celui-ci alors qu'il s'approchait.

Guité, les joues hérissées d'une barbe clairsemée, accueillit Surprenant avec un air irrité, comme s'il était responsable de la situation.

— Sergent André Surprenant, présenta-t-il. Christian Trépanier, curé…

— Grand vicaire de l'Archevêché de Montréal. Je suis accouru dès que j'ai appris la nouvelle.

— Rien de plus naturel, dit Guité d'un ton onctueux.

— Quelle horreur ! ajouta le vicaire en sortant un téléphone de sa soutane.

Guité se tourna vers Surprenant.

— Le grand vicaire se demande quand l'église…

— La basilique, corrigea le religieux. Quelle horreur !

— … pourra être ouverte aux visiteurs.

— Aussitôt que nous serons certains que tout est sécuritaire, assura Surprenant. À propos, le bâtiment est-il muni de caméras de surveillance ?

— À l'avant seulement. Puis-je disposer ? Avec votre permission, j'aimerais m'assurer personnellement que la basilique n'a fait l'objet d'aucune… profanation.

— Vous avez ma bénédiction, dit Guité.

Dès le départ du vicaire, Guité se tourna vers Surprenant.

— Ce n'est pas tout. Rossi vient de m'appeler. Un Rouge a disparu à Montréal-Nord.

— Disparu ? reprit Surprenant en se demandant si Brazeau avait confié à Guité ses découvertes à propos de Desmond Alcindor.

— L'histoire habituelle, une auto vide près de la rivière des Prairies. Ce serait arrivé hier après-midi. On ne peut rien faire, la police n'a pas encore été appelée.

— Comment Rossi est-il au courant ?

Guité posa sur Surprenant un regard soucieux, puis reporta son attention sur l'église.

— On a quelqu'un chez eux.

— Je peux connaître le nom du disparu ?

— On verra cet après-midi. C'est délicat. On n'est pas censés savoir.

Sur ce, Guité quitta Surprenant pour aller voir la main de plus près. Surprenant retourna vers l'unité de commandement. Il y trouva Guzman, toujours devant l'ordinateur.

— La cabine téléphonique ?

— Scellée, avec un agent en faction à côté. C'est un appareil public, ouvert à tout venant. Je ne crois pas qu'on puisse en tirer grand-chose.

— Mary-Ann ?

— Elle a commencé à questionner les voisins.

Guzman était obnubilé par son écran.

— Qu'est-ce qui se passe ? demanda Surprenant en se penchant.

— On vient de faire Canadian Press. Regarde !

Comme un gamin fasciné par la puissance d'un gadget, Guzman lui montra la photo de la main, soulignée du titre « *A butcher in Montreal ?* »

— *Le boucher de Montréal !* Ça fesse dans le *dash* ! jubila Guzman.

Improbable rejeton d'un géologue évadé de Medellin et d'une fleuriste de Châteauguay, Sébastien Guzman se distinguait, aux crimes majeurs, par sa maîtrise de l'espagnol, ses antennes dans la diaspora sud-américaine et ce que certains appelaient son enthousiasme, d'autres, sa naïveté. Six ans de patrouille et cinq ans aux escouades spécialisées n'avaient pas éteint chez lui une flamme juvénile. Surprenant se redressa en se demandant si la paternité allait y parvenir.

— Peux-tu te charger de la scène ici ? Je partirais avec LP.

— Pour faire quoi ?

— Réfléchir.

Surprenant se garda de livrer le fond de sa pensée. Le tueur les avait attirés dans cette rue étroite du Vieux-Montréal. Il avait perturbé le centre-ville, mobilisé les médias, établi son ordre du jour. Il fallait prendre du recul et ne pas se laisser happer par cette mise en scène.

Surprenant rejoignit Brazeau devant l'église.

— Tu viens ?

— Où ?

— Ailleurs.

Remorquant son coéquipier, il quitta le périmètre, fendit l'attroupement des badauds et gagna la place d'Armes. Débarqués d'un autobus marqué du drapeau américain, une quarantaine de touristes poireautaient devant les grilles de la basilique. Revêtue de dalles grises, la place offrait, sous le vent d'automne, un visage austère. Pique levée sur son piédestal de granit, Maisonneuve défiait les clochers jumeaux du sanctuaire.

— Tu veux voir la cabine ? demanda Brazeau.

— En plein ça. Le tueur savait que nous localiserions l'appel. Il nous a peut-être laissé un petit quelque chose.

La rue Saint-Jacques, ex-cœur financier du Canada, était paralysée par le contrecoup de l'événement. Une dizaine de mètres avant l'intersection avec Saint-Laurent, sur le trottoir nord, un agent buvait un café à côté d'une cabine téléphonique.

— Le journal où travaille Deschamps, dit Surprenant en désignant à leur gauche l'édifice de *La Presse.*

Le matricule 937 répondait au nom de McGilvray et arborait une moustache rousse qui s'harmonisait avec les rubans qui entouraient le téléphone public. Deux photographes s'approchèrent des policiers.

— S'il vous plaît, messieurs ! dit fermement Surprenant.

Il demanda à McGilvray d'éloigner les photographes, qui les mitraillèrent de plus belle. La scène attira l'attention des passants. Un attroupement commença à se former.

C'était une cabine tout à fait ordinaire, avec un annuaire vandalisé et des graffitis que Surprenant entreprit de déchiffrer.

— Regarde ! s'exclama Brazeau en montrant le sol.

Au milieu de quelques papiers d'emballage, de feuilles mortes, reposait, longue d'une quinzaine de centimètres, une branche d'amélanchier.

— Je te l'avais dit ! triompha Surprenant. Le gars a de la suite dans les idées.

L'extrémité du rameau était verte, la branche avait été récemment coupée. Surprenant l'inséra dans un sac de plastique en se souvenant qu'il avait oublié, le jeudi précédent, d'enregistrer la branche découverte dans la ruelle de la Petite-Italie. Ils photographièrent les graffitis, pour la plupart des invites obscènes, et reprirent la direction de la basilique.

— Qu'est-ce qu'il veut ? demanda Surprenant à voix haute.

— Pas à dire, il possède un certain sens dramatique. À propos, comment ça s'est passé avec ton père ?

— Pour être bref, je l'ai aidé à se sauver de l'hôpital à L.A., il est à Iberville, chez mon oncle, sous une fausse identité, il pisse du sang et il ment comme il respire.

LP fit « Hum ! », dans la partie grave de son registre.

Tout en marchant, Surprenant appela son oncle Marcel. Son père s'était levé aux aurores, avait mangé trois rôties cretons-moutarde, avait enlevé la moitié des clips de sa plaie et avait emprunté son pick-up, dès 8 h 30, pour aller magasiner.

— Il est matinal, observa Surprenant. Surtout si on tient compte du décalage.

— À mon avis, il se dépêche de dépenser avant de se faire bloquer sa carte de crédit.

— S'il s'en sert, il est cuit.

— Sais-tu ce que je pense ? Il s'en sacre comme de l'an quarante.

Surprenant coupa la communication en se demandant ce qui s'était passé en cette année quarante. Ils débouchaient sur la place d'Armes. Un goéland était perché sur la tête de Maisonneuve.

— C'est quoi, cette histoire d'amélanchier ? demanda LP.

— Aucune idée. J'ai commencé à relire le livre de Ferron, c'est mystérieux en diable. As-tu épluché le dossier de Desmond Alcindor ?

— Aucune piste, mon cher. Un règlement de comptes parfaitement exécuté.

— À l'aide d'un 22.

Surprenant composa un numéro.

— Hudon ! aboya son collègue de l'antigang.

— Surprenant. Avez-vous obtenu l'expertise au sujet des balles de 22 ?

— Les gars de Parthenais n'ont pas juste ça à faire.

— Avec la main de Brancato et le Rouge qui a disparu à Montréal-Nord, il y a peut-être moyen de mettre un peu de pression ?

— Qui t'a parlé du Rouge de Montréal-Nord ?

— Notre boss.

Il y eut un silence. Hudon évaluait la nouvelle donne.

— On va bouger ce matin. Meeting à 13 heures à Versailles.

— Parfait.

— Surprenant ? Pas un mot à personne au sujet de la source de Rossi. Je ne comprends pas que Guité t'ait mis au courant. Je répète : personne.

Surprenant rengaina son téléphone avec un sentiment de malaise. L'objurgation de Hudon, qu'il respectait malgré leurs frictions, ouvrait des perspectives désagréables, dont celle-ci : si le SPVM avait des informateurs au sein du crime organisé, l'inverse devait être vrai.

Assis sur un banc pour reposer ses genoux, Brazeau avait perçu la moitié de la conversation.

— Rien encore sur les balles ? Si tu veux, je t'arrange ça. Rendez-vous à l'entrée de Parthenais dans quinze minutes.

Vingt-cinq minutes plus tard, ils pénétraient dans la section de balistique du Laboratoire de médecine légale, où officiait le cousin du beau-frère de Brazeau, un jeune cerveau nommé Kevin Lafleur.

— Vous sautez la liste de priorités. Si l'antigang se plaint à mon boss…

— T'inquiète pas de l'antigang, on travaille main dans la main, lui garantit Brazeau.

Ils passèrent devant une salle emplie d'étagères sur roulettes qui supportaient des centaines d'armes d'épaule. Dans la pièce suivante, sorte d'atelier, des techniciens démontaient, comparaient, expertisaient, remontaient des pièces à conviction.

— Le plus long, c'est de s'assurer d'avoir les bonnes balles.

Une salle adjacente, fermée, contenait, sur des rayonnages d'acier, les douilles recueillies sur les scènes de crime. D'un geste à la fois dérisoire et emphatique, Lafleur désigna de la main l'ensemble des étagères.

— Vous êtes devant l'histoire du crime au Québec depuis 1960.

Cinq minutes après avoir tiré deux balles de cartons numérotés et vérifié leur authenticité sur un registre, le technicien les insérait dans les réceptacles d'une lectrice branchée à un ordinateur. Il s'agissait de comparer les rainures latérales laissées par le passage dans le canon. Surprenant et Brazeau se penchèrent au-dessus de l'épaule de Lafleur. Le technicien fit tourner les deux cylindres d'acier sur l'écran. Ces stries étaient-elles identiques ?

— Bingo ! s'exclama Brazeau. Ça concorde.

— À première vue, ça semble concorder, concéda le technicien. Pour une expertise béton, ça prend davantage de critères. Je ne peux pas vous livrer ça tout de suite.

— Nous avons ce qu'il faut, dit Surprenant. Merci.

Le 10846 boulevard Gouin faisait partie d'une enfilade de huit duplex face à la rivière des Prairies. La construction ne semblait pas remonter à plus de dix ans. Identiques avec leur revêtement en imitation de pierre, leur balconnet ceinturé de PVC, leur stationnement souterrain, leur pelouse jaunie, leur haie de buis, l'ensemble donnait une impression de luxe abordable, confortable, assez peu compatible avec l'image qu'avait Surprenant d'un caïd de gang de rue.

— Où Alcindor a-t-il été trouvé ? demanda-t-il en s'approchant.

— Devant la porte d'entrée. D'après la position du corps, la trajectoire des balles, on a conclu que l'assassin a tiré à peu près de cet endroit.

Brazeau désigna un espace à leur gauche, sous les fenêtres de la façade.

— La nuit, ça doit être à l'ombre.

Un rideau bougea derrière la fenêtre.

— Il y a quelqu'un, dit Brazeau.

— Aussi bien sonner, c'est plus poli.

Ils sonnèrent deux fois, à une minute d'intervalle. La porte s'ouvrit sur une jeune blonde en survêtement de sport, la mine renfrognée, un enfant café au lait d'un an dans ses bras tatoués.

— Qu'est-ce que vous voulez ?

Le ton était plus las qu'agressif. Surprenant montra sa badge et nota une cicatrice d'aspect récent sous l'œil gauche de la femme. Quelque chose, ce glissement dans la voix, ces yeux gris trop fixes, lui disait qu'elle était sous l'influence d'une quelconque substance.

— Vous êtes la... conjointe de monsieur Alcindor ?

— J'étais. Vous devez quand même savoir qu'on l'a descendu ?

— Nous pouvons entrer ?

— Sans mandat, non. La maison a été fouillée de fond en comble il y a trois mois, restez sur le perron.

— Votre bébé va attraper le rhume, dit Brazeau.

— Je vais le mettre dans son parc. Restez ici.

Elle disparut à l'intérieur. Surprenant et Brazeau échangèrent un regard. Elle réapparut au bout de plus d'une minute.

— Qu'est-ce que vous voulez savoir ?

— Luca Brancato.

Surprenant avait asséné le nom pour observer sa réaction. La femme fit une grimace, haussa les épaules, d'une façon peu naturelle.

— Connais pas.

— C'est le gars qui a été tué jeudi passé, un peu comme votre mari, près de Beaubien.

— Le gars du restaurant ? J'ai vu ça aux nouvelles. Jamais entendu parler de lui avant.

— Votre chum le connaissait ? intervint Brazeau.

— Ça me surprendrait beaucoup.

— Nous avons des raisons de penser, au contraire, qu'ils brassaient des affaires ensemble, dit Surprenant.

— Pensez ce que vous voulez, dit-elle en retraitant dans la maison.

La porte se referma doucement. Un claquement signala que le loquet avait été tiré. Les deux policiers retournèrent à leur véhicule. Poussé par le vent d'est, un crachin désagréable leur picotait le visage.

— Tu n'aurais pas dû lui parler de Brancato, dit Brazeau d'un ton soucieux. Elle ne nous a rien appris de plus. Tout ce que tu as fait, c'est de les avertir.

— C'est peut-être ce que je voulais.

13
HANDS OF MONTREAL

— Ton père est revenu vers midi, avec un plein chargement : du linge d'hiver, des pilules naturelles, des cordes de guitare, quatre vingt-six onces de fort, mais surtout un ordinateur, une imprimante et des petites caisses de son. Il est en train d'installer ça dans la salle de séjour. Ta grand-mère Thérèse avait raison : un homme, tu sais ce que ça vaut à trente ans. Maurice a pas plus d'allure qu'il en avait en 1970.

— Justement, mononcle… Quand avez-vous su qu'il était vivant ?

— Si tu te rappelles bien, j'ai jamais prétendu qu'il était mort.

— Mais…

— Excuse-moi, je pars pour la pêche.

Surprenant déposa son téléphone sur le comptoir de L'Olympe. Chaque lundi, jour du spécial *avgolemono-moussaka*, LP l'entraînait dans cette binerie que son propriétaire, un partisan des Bruins de Boston nommé Dimitri, avait, peut-être pour railler Place Versailles, affublée de ce nom pompeux. La cuisine y était aussi bonne que le décor était quelconque. Dimitri, quelque peu désinhibé depuis un accident de quatre-roues, leur fournissait parfois des tuyaux sur l'évolution du crime organisé dans la métropole.

— Ton père ? s'informa Brazeau, la bouche pleine.

— Il a acheté un ordinateur, des cordes de guitare, quatre bouteilles de fort. Qu'est-ce qu'on fait avec un homme qui revient d'entre les morts ?

— Légalement, tu veux dire ?

Ils explorèrent le sujet pendant quelques minutes. Surprenant se sentait fatigué, vaguement irrité. La résurrection du Fantôme, au milieu d'une enquête complexe, le plaçait devant plus de questions que de réponses. Que s'était-il réellement passé entre ses parents ? L'histoire que lui avait racontée son père était-elle vraie ? Son oncle Marcel était-il au courant de la fuite de son frère ? Que savait Roger, le notable de la fratrie, quand il l'avait recueilli à Montréal ? Le policier renouait avec son malaise d'enfant : il était prisonnier de secrets détenus par ses proches.

À 13 heures, les deux hommes se présentèrent à la salle de réunion. Guité, rasé, se lissait la moustache d'un air soucieux. Lorraine grignotait parcimonieusement un muffin. Guzman branchait son ordinateur au projecteur. Hudon et Rossi étaient en retard. Sasseville, de son côté, était toujours à la basilique.

Guité suivit Surprenant des yeux et dit d'un ton hostile :

— Te voilà. Où étais-tu ce matin ?

— À Parthenais, puis à Montréal-Nord.

— En train d'interroger la veuve de Desmond Alcindor. Rossi m'a mis au courant.

— Comment l'a-t-il appris ?

Guité serra les lèvres avant de répondre :

— Je t'ai confié ce matin que nous avions une source au sein des Rouges. Je t'ai aussi fait comprendre que nous devons protéger cette source, par exemple en ne nous précipitant pas sur une auto abandonnée près de la rivière des Prairies. Une heure plus tard, sans consulter personne de l'antigang, tu visites la veuve d'Alcindor et tu lui demandes, tout bonnement, s'il y a un lien entre les Rouges et Brancato !

— Au labo, nous avons appris que les deux meurtres ont été commis avec la même arme. J'ai pensé que je ne débordais pas du cadre de mon enquête.

— Aucune enquête ne t'appartient, Surprenant. À l'avenir, consulte-moi avant de prendre ce genre d'initiative. Quant à toi, *Brazzo*, j'aurais espéré que tu conseillerais mieux notre… Madelinot.

— J'ai essayé, protesta Brazeau.

Hudon et Rossi firent leur apparition et s'assirent en face de leurs collègues des crimes majeurs.

— Nous pouvons commencer, annonça Guité. D'abord, *the Montreal butcher* !

Guzman fit défiler une série de clichés de l'entrée latérale de la basilique Notre-Dame, puis de la main placardée.

— La première question, l'identification, est partiellement résolue. J'ai appelé chez les Brancato. Une des deux filles, Sophia, a vu la photo sur Internet et m'a affirmé que la bague était bien celle de son père. Pour la confirmation, il faudra attendre l'ADN.

— L'enquête de voisinage ? demanda Guité.

— Rien. La main était en train de dégeler. Ça semble exclure qu'elle ait passé plus de deux heures sur la porte. L'endroit est peu passant la nuit. J'ai obtenu l'enregistrement de la caméra de surveillance qui est située au coin de la place d'Armes. Le champ ne comprend pas directement la porte latérale de l'église. Il faudra plusieurs jours pour analyser ça.

La cabine téléphonique au coin de Saint-Jacques et Saint-Laurent apparut.

— L'appel au journaliste de *La Presse* a été passé de cet appareil à 6 h 10. Nous pouvons supposer que la main a été clouée sur la porte de l'église peu de temps avant.

Surprenant sortit le sac contenant la branche d'amélanchier de sa poche et le déposa sur la table.

— C'était à terre, dans la cabine.

— Qu'est-ce c'est ? demanda Hudon d'un ton ironique.

— *Amelanchier canadensis*, dit Brazeau. On en a trouvé une pareille derrière le Stromboli.

— Peux-tu parler en français, LP ? maugréa Rossi.

— Une branche d'amélanchier, dit Surprenant. Je ne crois pas qu'il y en ait beaucoup au centre-ville. C'est une signature.

— *A signature*..., dit rêveusement Guité. Nous ne sommes plus dans le règlement de comptes de la mafia, n'est-ce pas, Rossi ?

— Ce n'est pas leur genre. Quand ils décident de se débarrasser de quelqu'un, ils lui tirent une balle dans la tête, le criblent de balles au fusil automatique, rapidement, discrètement. Ils ne s'abaissent pas à faire de pareilles singeries.

— Parfois, on trouve leur auto, abandonnée, près de la rivière des Prairies, insinua Surprenant.

— Nous reviendrons là-dessus, intervint Guité. Pourquoi la basilique Notre-Dame ?

— Notre gars a peut-être de la religion, avança Surprenant. L'important, c'est qu'il a convoqué lui-même un journaliste sur les lieux. Il ne veut pas juste tuer, il veut qu'on sache qu'il a tué.

— Il crée sa légende, suggéra Hudon. Les branches d'amélanchier, la main sur l'église, retransmise sur Internet... Il a réussi : en quatre jours, il est devenu le boucher de Montréal.

— Pourquoi Deschamps ? demanda Brazeau.

— Parce que c'est la pire teigne en ville, répondit Hudon. À l'antigang, on l'a sur le dos à longueur d'année. Au moment où on se parle, il doit être occupé à nous planter dans un article.

— Ça nous en apprend quand même un peu sur notre tueur, dit Surprenant. Il lit *La Presse*, il est probablement francophone, il a un projet ou une quelconque vengeance à assouvir.

— On devrait faire appel à Sandrine, proposa Guité.

Hudon, malgré le respect qu'il vouait publiquement à son supérieur, ne put réprimer un mouvement d'agacement :

— On n'est quand même pas devant un tueur en série. C'est juste un gars qui a tué un Italien et qui a cloué sa main sur une église !

— Et qui sème derrière lui des branches d'amélanchier, continua Surprenant. Excusez-moi, qui est Sandrine ?

— La profileuse, répondit Guité. Je compte l'utiliser, quand même ce serait seulement pour protéger son poste.

Silence. Pendant que Surprenant s'interrogeait sur la nature du contentieux entre Hudon et la profileuse, Lorraine, habituellement une ombre, intervint d'une voix ironique :

— J'écris « quand même ce serait seulement pour protéger son poste » ?

— Évidemment pas, dit Guité, embarrassé. Quoi que tu en penses, Charles, Sandrine se joindra à nous dès demain. Parle-nous maintenant du disparu de Montréal-Nord.

Hudon inséra une clef USB dans l'ordinateur de Guzman. Apparurent sur l'écran la face et le profil d'un jeune Noir frêle, dont les lourdes paupières évoquaient un reptile.

— Billy Lavalette, vingt-sept ans, possession, vente, habite Saint-Michel. Menu fretin. Passion : les bagnoles de collection. La voiture abandonnée est sa Mustang vintage 67. Pour les livraisons, il se servait de différents bazous, dont son préféré, une Excel brune qu'on pouvait suivre à la trace dans tout le nord de la ville.

— *Servait ?* s'étonna LP. Il est peut-être de bonne heure pour parler de lui au passé ?

— Personne ne s'attend à le voir réapparaître, dit Rossi d'une voix sévère.

— Était-il lié à Alcindor ? demanda Surprenant.

— Oui, dit Hudon. Tout ce beau monde se connaissait.

— Et Brancato ?

— Noir total. Ce qu'on pense, c'est que les Siciliens ne sont pas contents de sa mort. La femme de Brancato est quand même la cousine de Vito Scifo.

— Vous en savez pas mal sur Lavalette, insista Surprenant. Vous le suiviez à la trace dans son Excel ?

— On se fout de Billy Lavalette ! intervint Guité. On se fout aussi d'Alcindor. D'autres ont déjà pris leur place, au moment où on se parle. On cherche plus haut, les sources d'approvisionnement, les boss, les gros *deals*.

— Qu'est-ce qui se passe avec la Mustang, en pratique ? demanda Guzman.

— Une patrouille locale est maintenant sur les lieux, dit Hudon. L'affaire sera confiée à des enquêteurs du 27. Nous demeurons en dehors de tout ça.

— *Nous*, ça comprend qui ? demanda Surprenant.

Hudon le gratifia de nouveau de son air dédaigneux.

— Depuis que tu as eu la brillante idée de faire un tour chez la blonde d'Alcindor, tu te promènes avec une cible dans le dos, Surprenant. Les crimes majeurs, l'antigang, on fait le mort sur Lavalette.

— Pour l'instant, compléta Guité.

Le clavier de l'ordinateur de Lorraine fit écho à ces dernières paroles. Surprenant éprouva un sentiment de rage et d'impuissance : dans leur QG de Place Versailles, ils étaient épiés, infiltrés, et devaient jouer de ruse avec les criminels qu'ils traquaient. La réunion se poursuivit pendant près d'une heure. Ils émirent des hypothèses, se répartirent des tâches et convinrent de se rencontrer le lendemain en fin d'après-midi.

Surprenant et LP regagnèrent leurs bureaux. Pendant que son coéquipier se replongeait dans le passé de Brancato, Surprenant ouvrit le tiroir de son classeur et en retira la première branche d'amélanchier. Les deux branches, s'il fallait en juger par leur feuillage, semblaient provenir du même arbre. Sagement, il descendit les enregistrer aux archives. Le gros Lavallée était encore d'office.

— Je te l'avais dit ! Les Rouges et les Italiens…

— C'est un classique, compléta Surprenant.

— Paraîtrait qu'hier, il y en a un qui n'est pas rentré coucher.

Surprenant déposa ses deux sacs de plastique, sans mot dire.

— Tu fais de la botanique ? demanda Lavallée.

— Passe-moi le formulaire et ferme-la, veux-tu ?

De retour à son cubicule, Surprenant prit ses courriels, mit la touche finale à deux rapports, fit le ménage de son bureau tout en ressassant les événements du matin et le déroulement de la réunion. Sa colère faisait place à une sourde irritation. Sous le prétexte de protéger sa prétendue source et avec l'aval de Guité, Hudon avait circonscrit son territoire : les Siciliens et les Rouges, *verboten* ! En se joignant à l'escouade des crimes majeurs du SPVM, il avait espéré échapper aux conflits hiérarchiques. Il s'était montré naïf. Était-ce la ville ? Était-ce ces communications instantanées, courriels, appels, textos, qui le cernaient de leurs faisceaux invisibles ? Le SPVM tout entier baignait dans la paranoïa tandis que lui éprouvait la curieuse impression de travailler dans une cage de verre.

Vers 15 heures, il appela Sasseville rue Saint-Sulpice. Les techniciens avaient terminé, l'enquête de proximité n'avait rien donné, l'unité de commandement s'apprêtait à lever le camp.

— Le gars savait exactement ce qu'il faisait, conclut-elle. As-tu lu le dernier papier de PAD ?

Peut-être en raison de plaintes, la photo de la main avait disparu du site de *La Presse*. Le nouvel article de Deschamps faisait la manchette. Bien que la main n'ait pas encore été officiellement associée à Brancato, le chroniqueur revenait sur les circonstances du meurtre commis quatre jours plus tôt, dressait un portrait du restaurateur, étayé par des témoignages de parents et de voisins et concluait :

« La violence exprimée par cet acte barbare constitue une transgression. Quelqu'un a choisi de nous prendre à témoin et de nous placer devant l'inconnu. La tentation est d'occulter le message en prétendant qu'il s'agit de l'œuvre d'un déséquilibré. Le sang-froid du meurtrier nous porte à croire que nous – parce que c'est nous qui sommes visés – avons affaire à un être structuré qui, logiquement, frappera encore. »

— Il se prend pour qui ? pesta Surprenant à voix haute.

— Je ne sais pas, répondit Brazeau qui était apparu derrière lui. Chose certaine, il n'a pas tort. As-tu pris tes courriels ?

La voix de son coéquipier avait monté de quelques tons, signe indéniable de son excitation. Dans sa messagerie, Surprenant découvrit un message signé I. Dukic, adressé à tous les membres de l'escouade : *Qu'est-ce que vous en pensez ?* Suivait une adresse YouTube. Clic : une vidéo nommée « *Hands of Montreal* ».

Le tout ne durait pas plus de quinze secondes. Dans la pénombre, une main gantée de noir tenait une main blanche contre une porte. À en juger par la chevalière, il s'agissait de celle de Brancato. Le clou, bien visible, semblait déjà fixé au centre de la main. Trois coups de marteau violents, secs comme des détonations. La main noire disparut, laissant la main blanche seule au centre de l'image. Fin.

— « Qu'est-ce que vous en pensez ? », s'étonna Surprenant. Pas énervé, le Dukic.

— C'est reparti, soupira Brazeau.

Le téléphone sonna. C'était Guité.

— As-tu vu la vidéo ? Descends chez les W. Je veux que cette saleté disparaisse des ondes avant la fin de l'après-midi.

— Je ne suis pas certain que ce soit la bonne chose à faire.

— *Never mind !* On ne laisse pas ça sur Internet ! Ça va donner des idées à tous les petits bouffons.

— J'aimerais vous reparler de la taupe chez les Rouges.

— Demain. Mets-toi sur la piste de la vidéo.

14
LE FAKIR DE ZAGREB

— Une chance que je ne suis pas susceptible, grogna Brazeau dans l'escalier qui les menait au sous-sol. Trois mois que tu es dans la place et Guité t'appelle avant moi !

— Toi, il te connaît. Il veut savoir ce que j'ai dans le ventre.

Au bout du corridor qui menait aux archives, de l'autre côté du vestiaire et de la salle d'entraînement, Brazeau le conduisit à une porte d'acier qui portait, sous le sigle à cinq branches du service, l'inscription « TRAITEMENT DE L'INFORMATION ».

Surprenant s'attendait à débarquer dans un lieu bizarre, encombré de fils, d'ordinateurs dernier cri et de tours de stockage, peuplé par une colonie de myopes poilus secoués de tics. Il pénétra dans une sorte d'aquarium lunaire, dégagé, baignant dans une lumière bleuâtre. Il leva les yeux : les fenêtres étaient bouchées par des panneaux de liège. Un air frais, sans odeur, circulait. La pièce semblait insonorisée. Les W eux-mêmes, au nombre de deux, étaient alignés devant de larges écrans plats, coiffés d'écouteurs et de micros dignes d'opérateurs de navette spatiale. Celui de droite, qui semblait attendre leur visite, leur fit signe d'approcher.

Avec ses longs cheveux noirs frisés et sa barbe de deux semaines, Ivan Dukic, pas plus de trente ans, ressemblait à un fakir dans un film porno. Sur son bureau, deux ordinateurs, une figurine de porcelaine brandissant un drapeau croate et une tasse contenant ce qui ressemblait à du thé vert. Il leur adressa un signe de tête discret, qui pouvait aussi bien traduire la timidité que le mépris du *hacker* pour le profane.

— Assoyez-vous. Je suis en train d'analyser les images.

Un premier écran était occupé par des colonnes de commandes informatiques, labyrinthes dans lesquels les W, tels des rongeurs, grignotaient leur chemin. Sur un deuxième écran, une vidéo défilait au super ralenti. Géante, la main tranchée de Luca Brancato accaparait l'attention. La tête du marteau s'abattit une première fois sur le clou, faisant jaillir un éclat de la paume. Dukic arrêta l'image.

— Nous pourrons peut-être identifier la marque de cet outil. Le film est de qualité médiocre, sans doute pris d'un téléphone portable.

— Qui tient le téléphone ? demanda Surprenant.

— Bonne question. La caméra est fixe, l'image ne bouge pas ou très peu. Le tueur, si c'est lui, a un complice ou utilise un trépied.

— Il aime vraiment la publicité, commenta Brazeau.

— Le lieutenant Guité veut que la vidéo soit retirée des ondes, dit Surprenant.

Dukic leva sur lui un regard indigné.

— Ce truc sur YouTube, c'est vivant ! Nous pouvons savoir qui la regarde. Les gens laisseront des commentaires. C'est un lieu de rencontre, un appât ou une vitrine. Si nous la retirons tout de suite, nous perdrons des données.

Il appuya sur le dernier mot. Surprenant promena son regard sur le local, tenta d'imaginer, encore une fois, les milliards d'octets qui transitaient par ces fils, qui allaient se ranger dans des disques aux profondeurs insondables.

— Vous pouvez savoir d'où ça provient ?

— Donnez-moi une heure ou deux et je pourrai avoir une adresse IP. Le gars a une paire de couilles et/ou pas de cerveau. Les ordinateurs ne sont pas des purs esprits, ils laissent des traces.

— Et les cellulaires ?

— Les cells, c'est moins évident.

— Vous nous conseillez donc de laisser l'image en ligne ?

— Oui. Croyez-moi, il y a des trucs bien pires sur le Net.

Surprenant quitta Versailles peu après 16 heures. Convaincre Guité de la nécessité de laisser la vidéo sur la Toile n'avait pas été facile.

— Vingt-quatre heures max, avait concédé son supérieur.

À contre-courant des banlieusards, il prit la Métropolitaine en direction ouest. Le ciel s'était dégagé. Le soleil se couchait déjà au-dessus de Pointe-Claire. Il composa le numéro de sa fille.

— Je peux passer chez toi ?

— Oui ! J'ai hâte de te voir.

Il trouva miraculeusement à se stationner sur Mont-Royal, acheta une bouteille de pomerol et prit Saint-Dominique vers le nord. Les lieux lui étaient familiers. D'abord avec une coloc puis avec ce Julien aux couettes de rasta, Maude y habitait depuis trois ans un cinq et demie bancal muni d'un balcon. Il sonna, poussa la porte vert pomme, monta l'escalier poussiéreux, encore encombré en ce début de novembre par deux bicyclettes. Maude l'attendait sur le palier, dans son éternelle salopette.

— Papa !

Elle lui sauta au cou. Ils s'étaient vus deux semaines plus tôt, lors d'un rituel souper du dimanche soir, mais quelque chose avait changé : elle était enceinte, subitement, sans même avoir mentionné que Julien et elle envisageaient d'avoir un enfant. Il recula d'un pas et la regarda. Il éprouva un choc : avec ses longs cheveux, ses sourcils fournis, son nez légèrement busqué, ses joues rondes, Maude était le portrait de Maria quand celle-ci lui avait appris, sur le pas de la porte de leur appartement de la rue Chabot, qu'elle était enceinte de… Maude.

— Tu as vraiment un don pour les surprises.

L'existence de sa fille, maintenant âgée de vingt-trois ans, avait été ponctuée de mutations, dont la première avait été son désir de quitter les Îles-de-la-Madeleine, à seize ans, pour étudier au cégep à Montréal et devenir vétérinaire. Elle s'était installée chez ses grands-parents Chiodini, qui l'avaient couvée comme un gallon de truffes. Deux ans plus tard, après un sans-faute au cégep de Bois-de-Boulogne, elle était acceptée à la Faculté de médecine vétérinaire à Saint-Hyacinthe. Était-ce l'effet de l'affranchissement du giron familial, l'influence d'une coloc que grand-papa Guiseppe trouvait quelque peu *lunatica*, le désenchantement face aux réalités de la pratique, le contrecoup du divorce de ses parents ? En janvier, l'étudiante exemplaire secouait la parenté en abandonnant l'université pour s'engager comme serveuse dans un restaurant du Vieux-Montréal. Surprenant, qui commençait à cohabiter avec Geneviève à l'époque, n'avait pas désapprouvé son geste. Sa fille lui avait toujours paru trop sage, sa rébellion était un signe de santé. Quelques mois de travail et de fiesta en ville et la *ragazza pazza*[3], toujours selon les mots de Guiseppe, partait avec un aller simple non pas pour Naples, berceau des Chiodini, mais pour Barcelone.

Son attrait pour les lettres s'était développé pendant ses six mois de pérégrination en Europe. Après avoir englouti un monceau de romans, en autobus, en train, en bateau ou dans d'inconfortables lits d'auberge, après s'être imprégnée d'histoire et d'architecture en arpentant les capitales du vieux monde, elle était revenue au Québec, bronzée, cinq kilos en moins, avec l'ambition avouée de devenir professeur d'université et écrivaine. « Professeur d'université, c'est suffisant, *no* ? », avait objecté Guiseppe, qui avait fait son argent dans la construction. « Je veux écrire trois livres parfaits et illisibles », avait répondu Maude. Surprenant avait conclu que sa fille partageait avec lui un attrait pour la nébulosité.

---

3. Fille folle.

Sa vie amoureuse, quant à elle, s'était caractérisée par une suite de relations intenses avec différents sujets masculins, la plupart rencontrés en voyage. Les épisodes se terminaient de façon brusque, « parce que ce n'était pas *ça* », et étaient suivis de périodes d'euphorie pendant lesquelles Maude se réjouissait de redevenir enfin elle-même. Pendant ce temps, elle poursuivait ses études en littérature, moitié en Europe, moitié à Montréal, mais n'écrivait aucun roman parfait et illisible. L'hiver précédent, elle s'était attachée, presque sans s'en apercevoir, à ce Julien Massicotte aux couettes de rasta, d'abord sous-locataire, puis coloc, puis chum en titre. D'après ce qu'elle avait confié à son père, un soir où ils s'étaient imbibés de tequila, leur relation était facilitée par deux facteurs. D'un, Julien, technicien paysagiste, n'avait aucune prétention intellectuelle. De deux, ni l'un ni l'autre ne croyaient en l'amour, ce qui les libérait d'une obligation de résultat.

— La grossesse n'était pas vraiment prévue, admit-elle ce jour-là. Julien et moi, nous avons beaucoup parlé et nous sommes convaincus que nous avons plus à gagner qu'à perdre.

— C'est un long contrat, tu sais.

— J'achève mon bac. Julien a vingt-neuf ans. Il va être un super père.

— Un père ordinaire, c'est déjà beau.

Elle le guida vers la cuisine, le lieu de la majorité des échanges signifiants dans la famille. Le cœur subitement serré, il promena son regard sur ce décor familier, frigo peint en rose, affiches de cinéma, babillard couvert d'enveloppes et de mémos. Les portes d'armoire avaient été enlevées et envoyées chez un ami ébéniste qui, en un an, n'avait pas trouvé le temps de les retaper. La table croulait sous les publications de tous genres, livres, revues, journaux. La fenêtre arrière, qui donnait sur le hangar et l'escalier de secours, était presque bouchée par les pots de Julien, herbes, épices, plantes décoratives, parmi lesquelles ce plant de cannabis qu'il feignait de ne pas remarquer.

— Je sais, dit Maude. Il faudra mettre un peu d'ordre…

Il lui tendit la bouteille de pomerol.

— Tiens ! Tu boiras ça avec Julien.

— Pas moi. L'alcool, c'est terminé jusqu'en juillet.

— Bravo ! As-tu autre chose à boire ? J'ai eu une sacrée journée.

Se contentant elle-même d'un jus de fruit, elle lui servit le fond d'une bouteille de Southern Comfort.

— J'ai moi aussi une nouvelle, commença-t-il. Tu vas avoir un enfant. Tu vas aussi avoir un grand-père.

Était-ce la fatigue ? Il s'aperçut que sa voix hésitait, manquait d'assurance. Maude, ses yeux bruns agrandis par l'émotion, le regardait avec appréhension.

— Tu veux dire que…

— Je l'ai retrouvé, à Los Angeles, dans un hôpital.

Loin de se réjouir, Maude semblait déstabilisée. Il avait gardé ses enfants à l'écart de son drame personnel. Maude et Félix savaient que leur grand-père avait disparu quand leur père avait neuf ans, mais ce dernier ne leur avait communiqué aucun détail. Des Surprenant, ils avaient connu ce grand-oncle Roger, qui leur faisait parvenir de coûteux cadeaux à Noël et à leur anniversaire, grand-maman Nicole, cette vieille femme toussoteuse, veuve en série, qui exhalait, comme sa maison de la rue Riendeau, un parfum de mélancolie, et l'oncle Jacques, le livreur de poulet, cette ombre qui ne ressemblait en rien à leur père. Le grand-oncle Marcel, quant à lui, ne quittait son refuge de la rivière à Barbotte que pour les enterrements. Leur vraie famille, à part leur père et sa nouvelle blonde avec qui ils avaient établi un *modus vivendi* agréable, c'était les Chiodini.

En un monologue entrecoupé de quelques questions, Surprenant lui conta son équipée à Los Angeles.

— Tu veux dire qu'il est officiellement mort ? s'étonna Maude.

— Disons qu'il vit sous une autre identité.

— Est-ce qu'il va retrouver grand-maman ?

Surprenant observa sa fille. Elle semblait maintenant ravie d'avoir pour grand-père un éternel fugitif. Peut-être était-elle soulagée de sentir que son père, assise de son monde, n'était pas trop affecté par le revenant.

— Ça me surprendrait. Je crois plutôt qu'il cherche à se retrouver lui-même.

Il quitta sa fille, l'embrassant de nouveau sur ses joues rebondies, et marcha pensivement jusqu'à l'avenue du Mont-Royal. 17 h 10. Le flot des automobiles se coagulait dans le crépuscule. Il prit place dans sa BMW et appela son oncle Marcel. Son père, après avoir passé une partie de l'après-midi à étrenner son nouvel ordinateur, avait appelé Jacques. Ce dernier était venu le prendre vers 16 heures dans sa Yaris *Cocorico Express*.

— Maurice est parti en me disant de ne pas l'attendre pour souper.

— Pauvre Jacques ! Des plans pour qu'il fasse un infarctus.

— Si tu veux mon avis, il avait l'air plutôt content.

Surprenant raccrocha en se demandant si son frère était lui aussi au courant de la pseudo-disparition de son père. Cela lui parut impossible. Il prit Mont-Royal en direction de Saint-Laurent et appela Geneviève pour lui dire qu'il serait à la maison dans dix minutes.

— Tu y seras avant moi. Je suis bloquée sur la 15. Tu n'as rien ce soir, j'espère ?

Le ton n'était pas acide, tout simplement pressant. Depuis trois jours, ils ne s'étaient vus que cinq minutes, au petit matin, quand elle lui avait tendu son téléphone sur lequel s'étalaient les lettres « LP Brazeau ».

— Nous avons la soirée devant nous, *chérie*.

Dans leurs échanges, il n'utilisait le mot qu'entre guillemets, pour se faire pardonner quelque oubli ou pour lui redire, emphatiquement, à quel point il l'aimait.

Il tournait sur Saint-Joseph lorsque Ivan Dukic le contacta. La vidéo avait été postée sur YouTube à 11 h 32 à partir du réseau sans fil du Starbucks situé au 1301, Sainte-Catherine Est. Le compte YouTube était lié à un Pierre Tremblay dont les coordonnées étaient fictives. Le tueur avait utilisé une adresse anonyme : tchgbcbckq@ anonimail.com.

— Ce truc, c'est vraiment anonyme ? demanda Surprenant.

— Serveur *offshore*, c'est béton. On pourrait peut-être essayer par Interpol, mais ça prendrait du temps et ils ont autre chose à faire.

— Autrement dit, c'est la mélasse ?

Au bout du fil, Dukic observa une pause, peut-être pour signaler que la substance n'était guère utilisée à Zagreb ou par les gens de sa génération.

— C'est la mélasse, le brouillard ou le vide, appelez ça comme vous voudrez. Un moment donné, le gars fera une erreur et on le pincera.

Le fakir semblait pugnace, ce qui, à la fin d'une longue journée, rassura Surprenant.

— On le pincera, répéta-t-il en raccrochant.

Il appela Brazeau, lui donna rendez-vous rue Sainte-Catherine. Puis, avec un soupir, il composa le numéro de Geneviève et lui communiqua les derniers développements. Elle lui dit, d'une voix égale, qu'elle le prendrait quand il arriverait.

La visite au Starbucks situé au coin de la Visitation et Sainte-Catherine fut peu utile. Le réseau sans fil n'était pas protégé par un mot de passe et était accessible dans un rayon d'une quinzaine de mètres autour du restaurant. Surprenant et Brazeau notèrent les numéros de téléphone des employés qui étaient sur place pendant l'heure du midi, questionnèrent quelques commerçants voisins, sans grand résultat. Aucune caméra de surveillance ne couvrait l'intersection.

— Aiguille et botte de foin, conclut Brazeau.

— On verra, dit Surprenant.

Il se pointa chez lui à 19 h 15. Une odeur de safran flottait au rez-de-chaussée. Il trouva Geneviève dans la cuisine. Deux couverts étaient mis sur l'îlot.

— Paella, constata-t-il en l'embrassant.

— Ce soir, nous mangeons presque à l'heure espagnole. J'avais le temps de cuisiner.

— William et Olivier ?

— Au sous-sol.

Une bouteille de bolgheri était entamée d'un bon tiers. Geneviève, qui s'en tenait toujours à un verre en semaine, avait dépassé sa mesure.

— Tu fêtes ? demanda-t-il.

— J'ai un beau-père flambant neuf et je vais être grand-mère ! J'exige un compte-rendu détaillé de la situation.

Geneviève le lui avait souvent dit : ce qu'elle appréciait le plus dans leur relation, c'était leurs conversations du soir, ces méandres paresseux qui lui faisaient oublier ses années de mère monoparentale. Il commença par lui raconter sa visite chez Maude, soupesa avec elle la solidité de sa relation avec Julien, s'interrogea sur sa décision d'avoir un enfant. Alors qu'ils concluaient que cette brusque entrée dans le monde adulte s'inscrivait dans la suite de mutations qui avait caractérisé la vie de sa fille, William et Olivier émergèrent du sous-sol, notèrent avec satisfaction la réapparition de leur beau-père, firent une razzia dans le frigo et disparurent vers l'étage, soi-disant pour terminer leurs devoirs, plus probablement pour clavarder sur l'ordi.

Détendue, son pied nu replié sous ses fesses, Geneviève considérait Surprenant avec attention.

— Je n'ai encore rien dit aux garçons, à propos du Fantôme, dit-elle.

— Comment dire ? Le Fantôme est encore fantomatique.

Geneviève avait eu le mérite de l'accompagner tout au long de la recherche de son père. Il lui arrivait même de penser que, sans elle, il s'en serait tenu au *statu quo*. À table, puis dans leurs fauteuils jumeaux du salon, il lui raconta en détail son séjour à Los Angeles. Geneviève monta à l'étage pour voir ses fils. Surprenant se servit un verre de grappa, débarrassa la cuisine, s'installa au piano et trouva les accords de *Hotel California*.

Geneviève redescendit, vêtue de sa robe de nuit de flanellette : l'hiver s'annonçait. Elle l'embrassa dans le cou et entreprit de lui masser les épaules.

— « *Some dance to remember, some dance to forget* », cita-t-il. Ce qui me dérange, c'est de penser que mon oncle Marcel savait. Que tout le monde savait, sauf moi.

— Tu n'exagères pas un peu ?

— J'aimerais bien.

Les mains de Geneviève soulevaient les pans de sa chemise, caressaient son ventre. Il arpégea un accord de neuvième et se retourna.

— Je ne t'ai pas encore parlé de l'enquête.

— Ça attendra.

15

UNA LUPARA BIANCA

Il s'endormit après l'amour, comme un bûcheron dans un motel de La Tuque, pour se réveiller en sursaut dans le noir. La main lui était apparue en rêve, blanche, immense, se refermant sur lui alors qu'il sortait d'un saloon où son père se faisait enlever la prostate par un trio de chanteuses rousses. Geneviève dormait profondément, comme toujours, sa main gauche reposant sur sa poitrine. Sa gorge était sèche, la grappa avait peut-être été de trop. 3 h 24. Il se leva et alla boire un verre d'eau à la salle de bain. Dehors, les branches des érables s'entrechoquaient sous le vent. En ce milieu de nuit, après trois heures de sommeil, il avait l'esprit clair. Dans son bureau, il envoya un message à Ana Tavares : *Avez-vous remarqué quelque chose de particulier sur le montant gauche de la porte de la basilique ?*

Pour se rendormir, il opta pour son nouveau truc : la lecture d'un roman classique. Après quelques essais, il avait mis de côté Balzac et Zola, trop vivants, Stendhal, trop passionnant, pour se rabattre sur Victor Hugo. Le grand homme, avec ses phrases emphatiques, ses intrigues poussives, était parfaitement soporifique. Il s'immergea dans *Les Travailleurs de la mer*, somnola au bout de quinze minutes et retourna dans le lit conjugal où il s'écroula pour le compte.

À 7 heures, il fut éveillé par un appel de Guité. Son patron le convoquait à son bureau à 8 heures, avant la réunion d'équipe. Le flegme de son supérieur semblait entamé.

— Quelque chose ne va pas, lieutenant ?

— Nous en parlerons tantôt.

L'appel se termina sur un « clac ! » peu rassurant. À 8 heures tapant, Surprenant se présenta au bureau de Guité à Versailles. Lorraine, qui réprimait son amusement, lui offrit un café qu'il refusa poliment.

— Il vous attend, lui dit-elle en reportant les yeux sur son écran.

Peut-être pour faire oublier que son unique mais large fenêtre donnait sur un hôpital psychiatrique et une succursale de *Zellers*, le bureau du lieutenant Stéphane Guité était aménagé sous un double thème, britannique et maritime. Une belle bibliothèque de bois sombre supportait des livres de référence, des soldats de plomb, des affiches de propagande de la Deuxième Grande Guerre, des photos de Londres dévastée, du setter familial, de Churchill lui-même mordillant son cigare, tandis que les murs d'un bleu tendre étaient ornés de photographies de voiliers et de gaspésiennes. Le lieutenant, qui portait un habit rayé, une chemise bleu poudre et une cravate retenue par une pincette en or, semblait concentré sur la lecture d'un dossier.

— Surprenant ! Au moins, tu es à l'heure. Nous avons une grosse journée devant nous, entrons dans le vif du sujet.

À peine assis dans l'une des chaises Windsor qui ornaient le bureau, Surprenant fut confronté à un cliché de mauvaise qualité, manifestement obtenu à l'aide d'une caméra de surveillance, le montrant cherchant son chemin dans le hall du Cedars-Sinai Hospital.

— Tu te reconnais ?

— Y a pas à dire, ça me ressemble.

Suivirent d'autres clichés pris à l'hôpital puis, coup de grâce, une photo le montrant en compagnie de son père alors qu'ils faisaient la file devant les contrôles de sécurité de l'aéroport de Los Angeles.

— J'ai ici un fax du LAPD. Connais-tu un dénommé Lionel Supernant ?

— C'est mon père.

— *Citizen Supernant*, sans adresse aux États-Unis, s'est sauvé de l'hôpital en laissant derrière lui une facture de 56 895 dollars. Et 32. *US*.

Après un silence, Surprenant affirma que son père avait l'intention de payer sa note. Guité resta de marbre, puis ajouta :

— Tu es complice d'un délit aux États-Unis. En principe, je devrais te suspendre. D'autant plus que, d'après le dossier, ton… paternel ne semble pas avoir une cenne qui l'adore. Un nommé Don Henley a allongé dix mille dollars, mais il reste ce petit arriéré.

Surprenant se pencha vers l'avant.

— C'est un malentendu. Donnez-moi la facture. Elle sera payée dans les meilleurs délais.

— Ces gens-là ne te lâcheront pas. Supernant, c'est son vrai nom ?

Surprenant comprit qu'il devait jouer franc jeu. En cinq minutes, il résuma l'histoire de son père, se permettant même de confier son problème : comment Maurice Surprenant, déclaré mort en 1980, soit dix ans après sa disparition, pouvait-il retrouver son identité et sa citoyenneté canadienne ?

— Aucune idée, conclut Guité. Consulte un avocat. Mais je vois déjà se pointer le problème des assurances. Ton père possédait-il une assurance vie ?

— Oui, dit Surprenant avant de se lever et de changer de fauteuil.

— Qu'est-ce qu'il y a ?

— La prochaine brique va peut-être tomber à côté.

Guité sourit, reprit un masque sévère, lui tendit la facture du Cedars-Sinai.

— Règle ça. Je vais me charger du reste. Les gars du LAPD ont sûrement d'autres chats à fouetter.

— Merci. Avant la réunion, je voudrais vous demander quelque chose. Le secret autour de la source chez les Rouges… Je ne peux pas avancer si je n'ai pas accès à l'information. Je suis persuadé que les meurtres d'Alcindor et de Brancato sont liés. Si Hudon et Rossi n'ouvrent pas leur jeu, je suis bloqué.

Guité fronça les sourcils, tortilla sa moustache, fixant un point derrière Surprenant.

— Tu peux toujours soulever la question pendant la réunion. On verra ce que ça donnera.

Sandrine Vadeboncœur était une petite blonde menue, dans la quarantaine, qui aurait pu être belle si ses yeux, d'un bleu pur, n'avaient donné l'impression qu'ils cherchaient à s'évader de son visage. Tels qu'ils étaient, exorbités, globuleux, striés de veinules, ils évoquaient un poisson enfermé dans un bocal. Voulant peut-être se mettre à l'abri des déconvenues, elle ne compensait par aucun artifice. Sans maquillage, sans vernis à ongles, sans bijoux, les cheveux coupés courts, en chemise et en pantalon, elle ressemblait à un fonctionnaire asexué, dont le pouvoir résidait dans l'intellect. Seul vestige de ce naufrage : la voix était modulée et chaleureuse.

— D'après le dossier et les notes de Lorraine, commença-t-elle, il semble que les meurtres de Desmond Alcindor et de Luca Brancato ne sont pas formellement liés.

— Pardon, intervint Surprenant, ils ont été commis avec la même arme.

— Le rapport définitif de balistique n'est pas au dossier, objecta Hudon.

— Je me concentrerai donc sur le meurtre de Brancato et sa suite, soit l'exposition de sa main coupée sur une porte latérale de la basilique Notre-Dame. Que signifie cette main ? Nous sommes en présence d'un homme qui veut communiquer.

— Vous excluez une femme ? demanda Guité.

— La violence des actes pointe vers un homme. Sur la vidéo, la main gantée paraît assez forte. Dans sa déposition, le journaliste de *La Presse* décrit une voix métallique, mais plutôt grave. L'amputation elle-même, d'après l'autopsie, semble avoir été faite d'un coup, à l'aide d'un instrument tranchant. Cela suppose une certaine force physique. Enfin, les statistiques sont claires : ce type de meurtre, chez les femmes, est une rareté.

— Tout le monde sait ça, Sandrine, dit Hudon.

Les yeux de poisson se posèrent froidement sur le chef de l'escouade antigang.

— Bien sûr. Brancato a pu être abattu pour des motifs crapuleux et son meurtre a pu être déguisé en crime signifiant. L'hypothèse est peu probable, je propose que nous l'écartions pour l'instant. Loin de se cacher, ce tueur parle. Il convoque les journalistes, publie une vidéo sur YouTube, laisse derrière lui des signes, des indices, des messages. Il est organisé, mais aussi imprudent. Il possède une certaine connaissance de l'informatique et des médias. Cela m'oriente vers un solitaire, un être intelligent, articulé, animé par un projet. Nous n'avons pas affaire à un psychopathe primaire ou à une brute, mais à une sorte d'artiste.

Le mot résonna dans la salle de conférence. La voix de Sandrine Vadeboncœur, véhicule de son charme, se perdit dans l'environnement sonore de la pièce, ce murmure complexe – souffles de la ventilation, rumeurs de circulation automobile, cliquetis des ongles de Lorraine sur son portable – auquel les policiers ne portaient plus attention.

— Un artiste ? releva Rossi. Je suis porté à être d'accord avec Sandrine. Nous sommes peut-être en face d'un psychopathe sophistiqué.

Les regards convergèrent vers le vétéran de l'antigang. D'un, il portait un croc-en-jambe à Hudon, qui avait désapprouvé le recours à la profileuse. De deux, il avait toujours manifesté du dédain envers ceux qu'il appelait les « logues ». Brazeau avait peut-être raison : Rossi se ramollissait à l'approche de la retraite.

— Écoutons donc les messages de cet *artiste psychopathe*, proposa Guité sur un ton qui n'était pas exempt d'ironie.

— Le premier, c'est la main coupée, dit Surprenant.

— C'est un symbole puissant, convint Vadeboncœur. La main, c'est l'instrument de la volonté, le pouvoir, ce qui agit. Couper la main de quelqu'un, c'est le punir, l'empêcher de récidiver. La main peut même être le synonyme de la personne, comme dans l'expression « une main étrangère ».

— Ou « la main de Dieu », dit Brazeau. La basilique, elle fait quoi dans le projet de l'artiste ?

— Il est peut-être croyant, avança la profileuse. Chose certaine, il attire l'attention sur l'Église, catholique, dans ce cas-ci. Elle aussi mérite d'être punie.

— On est loin de nos oignons, observa Hudon.

— Laisse Sandrine terminer, dit Guité.

— Merci. L'exposition de la main ou du cadavre d'une personne châtiée est une pratique ancienne. C'est une forme de dissuasion. La basilique Notre-Dame est un lieu public, elle est située sur une place. C'est aussi en plein quartier des affaires. On peut penser aux pendus du Moyen-Âge, à la Corriveau, exposée à un carrefour, plus récemment aux cadavres mutilés des victimes de la guerre des cartels au Mexique ou encore aux châtiments prescrits par la charia.

— Un psychopathe intégriste, c'est ce qui nous manquait, lâcha Brazeau.

— Les branches d'amélanchier sont importantes, reprit patiemment Vadeboncœur. Il faut analyser toutes les données nominales ou chiffrées que le tueur nous communique. J'ai dit qu'il était imprudent. Il est aussi présomptueux : il croit que nous ne trouverons pas. Ou encore il veut que nous trouvions. J'ai dressé une liste non exhaustive.

Elle projeta une feuille sur laquelle étaient notés, en capitales d'une curieuse écriture penchée vers la gauche, les mots suivants :

LUCA BRANCATO
31 OCTOBRE 2008
STROMBOLI
AMÉLANCHIER
MAIN (DROITE)

BASILIQUE NOTRE-DAME
PLACE D'ARMES
3 NOVEMBRE 2008
PIERRE-ANTOINE DESCHAMPS
TCHGBCBCKQ@ANONIMAIL.COM
PIERRE TREMBLAY

— Cette liste contient la majorité des éléments que le tueur nous soumet. Parmi les plus intéressants, il y a les branches d'amélanchier et cette adresse anonimail, que le tueur a choisie.

— Ça doit être un pseudo fourni par un ordinateur, objecta Hudon.

— Quand on recherche un tueur, il faut partir du principe qu'il n'y a pas de hasard. Ces éléments peuvent être approchés sous plusieurs angles : symboliques, géographiques, linguistiques. C'est ce que je ferai dans les prochains jours.

Surprenant proposa d'ajouter à la liste le nom de Desmond Alcindor, ce qui provoqua une certaine tension dans le groupe.

— Un rapport préliminaire indique qu'il a été tué avec la même arme que Brancato, ajouta Brazeau, solidaire. C'est plus pesant qu'un bout de branche ou qu'un pseudo YouTube.

Guité se tourna vers Hudon.

— Est-ce qu'on ouvre, Charles ?

Un silence délicat s'installa. Surprenant nota que Lorraine, une mine de renseignements quand on prenait la peine de l'observer, avait cessé de taper sur son clavier et regardait Hudon avec une certaine anxiété.

— Aussi bien y aller, soupira Hudon. Notre source, ou plutôt la source de Jean, c'était Lavalette.

— Le gars à la Mustang ? s'étonna Brazeau.

— Lui-même, dit Rossi. Je ne sais pas ce qui s'est passé. J'avais coincé Lavalette, je pouvais lui faire prendre deux ou trois ans pour trafic, il a craqué. Il ne m'apprenait pas grand-chose, il essayait de survivre, il gagnait peut-être du temps avant de filer à l'étranger. Là, clac, il disparaît.

Surprenant pensa au visage de Billy Lavalette, à ses mornes yeux reptiliens, et se surprit à ressentir une vague culpabilité. Ce jeune homme n'avait été qu'un livreur, un obscur fantassin broyé par de multiples factions, dont la police.

— En plus, intervint Brazeau sur un ton presque joyeux, il a disparu à l'italienne ! Comment dites-vous déjà, Jean ? *La lupara bianca*[4] ?

Très droit, peut-être blessé par ce « vous » qui l'associait aux mafieux ou embarrassé par la disparition de sa source, Rossi répliqua :

— Brazeau, en ce qui concerne l'italien, tu devrais t'en tenir à Pavarotti et à *Nessun dorma*.

— N'empêche, dit Guité, que la façon d'opérer nous est familière.

Surprenant leva la main, comme à l'école.

— J'aimerais, pendant que Sandrine est ici, que nous mettions toute l'affaire sur la table. Comme je l'ai proposé tantôt, j'ajouterais le nom d'Alcindor au haut de la liste. La première victime, c'est lui.

Hudon fit non de la tête.

— Une arme, ça se vole, ça se vend, ça peut servir à orienter la police vers de faux suspects. Jean va exposer les faits pour commencer.

— Il est à peu près temps.

— Messieurs…, dit Guité.

Rossi attendit que le silence se fasse.

— La coke dans le coffre-fort de Brancato m'a intrigué. Brancato n'était pas un proche des Scifo. Ce n'était pas un soldat, encore moins un *capo*. Il ne fréquentait pas le Café Stella, n'a jamais été vu en compagnie de Greco ou de Leggio, qui contrôlent le secteur. J'ai

---

4. La *lupara* est un fusil de chasse à canon scié, jadis utilisé en Sicile pour chasser le loup ou exécuter les traîtres. On parle de *lupara bianca* quand le corps de la victime n'est pas retrouvé.

tendu quelques perches dans la communauté. Ce que j'ai appris, c'est que Brancato était un consommateur, pas un trafiquant. Cela concorde d'ailleurs avec le rapport de toxicologie. J'ai quand même voulu vérifier du côté des Rouges.

— Vous en avez glissé un mot à Lavalette, compléta Guité.

— Samedi après-midi, dit Rossi. Quand je voulais lui parler, je lui passais un texto codé sur son cell, à partir d'un téléphone sécurisé. On se voyait au cimetière de l'Est, à bonne distance de la tombe de sa mère, en plein air. Il m'a assuré qu'il ne savait rien de Brancato, mais qu'il allait se renseigner, l'air de rien.

— L'air de rien, répéta Guité sur un ton presque perfide.

— Billy était prudent, continua Rossi. Soit il m'a menti, soit il s'est passé quelque chose.

— Comme quoi ? demanda Surprenant.

— Il était peut-être impliqué dans le meurtre de Brancato ? Les Rouges ont pu apprendre qu'il jouait double jeu et décider de faire un exemple.

— En l'escamotant à l'italienne ? demanda Surprenant.

Rossi, décidément fatigué, haussa les épaules.

— Les Italiens savent peut-être des choses que nous ignorons.

— En résumé, vous n'avez rien qui lie formellement Brancato à Alcindor ou aux Rouges ? insista Surprenant.

— Rien, reconnut Rossi. Nous n'avons aucun élément qui nous indique qu'il trafiquait ou qu'il était en rapport avec un membre d'un gang de rue.

— Il reste que Lavalette est disparu trois jours après la mort de Brancato, répliqua Surprenant.

— Encore une fois, je ne peux établir de rapport !

Brazeau prit la parole :

— On a un motté qui descend un restaurateur italien, qui lui coupe une main et qui la cloue sur une église. C'est quoi, le mobile ? À voir la trogne de Brancato, c'est pas une histoire de cul. À voir son compte en banque, c'est pas une histoire d'argent. Alors, il reste quoi ?

— Un meurtre gratuit, dit Hudon. L'œuvre d'un fou, sans lien avec Alcindor ou Lavalette.

— Revenons à Brancato, intervint Guité. Rien ne nous indique que la disparition de Lavalette est le fait de notre… coupeur de main. Si c'était le cas, il aurait trouvé le moyen de le publiciser. Je me trompe, Sandrine ?

— Probablement pas.

— Alors, l'antigang se concentrera sur Lavalette, et les crimes majeurs, sur Brancato et *l'artiste.*

Guité avait enrobé ses derniers mots d'une ironie assassine. Bien qu'il ait lui-même imposé la présence de Vadeboncœur au sein de l'équipe, il tenait à garder ses distances par rapport à ses conclusions.

Surprenant demanda de nouveau la parole.

— Nous n'avons pas parlé de Deschamps. Pourquoi l'assassin lui a-t-il donné l'exclusivité du *scoop* ?

— C'est le chroniqueur judiciaire le plus connu en ville, dit Hudon.

— Il ne m'a pas paru très net. J'ai même eu l'impression que le meurtre de Brancato le dérangeait. Je veux le réinterroger.

— C'est ton droit, admit Hudon d'un ton goguenard. Je te souhaite bonne chance.

— Nous devrions baptiser notre tueur, proposa la profileuse pour dissiper la tension ou répondre à Guité. Ça nous donnerait une image mentale.

La recherche du pseudo du meurtrier permit aux policiers de se détendre et d'oublier l'échange entre Surprenant et Rossi. Après plusieurs suggestions plus ou moins heureuses, dont « Belzébuth » de Brazeau et « Mercure » de Surprenant, Rossi sortit du silence.

— « L'amputeur », proposa-t-il. Après tout, sa principale caractéristique, c'est qu'il a coupé la main de sa victime.

Les hommes se tournèrent vers Vadeboncœur. La pythie ferma ses immenses yeux quelques secondes, accola le nom au tueur virtuel avant de trancher :

— L'amputeur… Ça ne va pas vraiment avec mon impression d'un artiste. Ça fait un peu « Étrangleur de Boston » ou « Jack l'Éventreur », mais, comme dit si bien Jean, c'est l'image qui lui va le mieux. Et c'est probablement comme ça que le public l'appellera de toute façon.

Et voilà le retour d'ascenseur, pensa Surprenant.

16

LE BAS DE LA VILLE

— Tu ne trouves pas étrange que Rossi ait accepté si facilement l'hypothèse du psychopathe de Vadeboncœur ? demanda Surprenant à LP alors qu'ils regagnaient leurs bureaux. Hier, il soutenait que l'affaire devait être prise en charge par l'antigang.

— Vadeboncœur a été imposée par Guité. Avec sa source qui a sauté, Rossi a compris qu'il devait se ranger de son côté. Il a envie de quitter le service sur une bonne note.

— Qu'est-ce qui se passe entre Vadeboncœur et Hudon ?

— Il l'a quittée quand les yeux lui sont sortis de la tête. Évidemment, il prétend que ça n'a aucun rapport.

— Les amours intestines…

— Tu peux bien parler !

Sous ses airs balourds, Brazeau savait susciter les confidences. Surprenant lui avait révélé qu'il avait rencontré Geneviève alors qu'elle travaillait sous ses ordres aux Îles-de-la-Madeleine[5]. En amadouant la jeune agente, il avait transgressé une règle non écrite : pas

5. Cf. *On finit toujours par payer.*

de relations amoureuses entre collègues, encore moins entre gradé et subalterne. Il était par ailleurs aux prises avec un empêchement plus gênant : il était marié et père de deux adolescents. Avec le recul, il comprenait mieux ce qui avait précipité la fin de son mariage avec Maria. Les premières années s'étaient déroulées sous de bons auspices. Le déménagement aux Îles avait provoqué des tensions. Maria, isolée, s'était mise à peindre dans la grande maison du Gros-Cap pendant que son sergent de mari débrouillait des broutilles ou jouait au hockey avec les Dinosaures de JFT Électrique. En lui, son enfance se précipitait en cette angoisse qu'il diluait dans le travail et l'alcool. Maria était une femme impétueuse, ambitieuse, qui n'avait rien à faire avec un homme qui avait délaissé Bach pour pianoter du Charlebois et reportait d'année en année leur retour à Montréal. Le mérite de Geneviève avait été de l'attendre, patiemment, et de l'accepter tel qu'il était, rêveur et un peu brouillon, avec cette part d'ombre qui était à la fois sa voile et son ancre.

Brazeau et lui retrouvèrent Sasseville dans la salle des enquêteurs. Son espace n'était pas difficile à localiser : son babillard était orné des dessins de son neveu, une tribu de bonshommes multicolores aux têtes gigantesques.

— Tu n'es pas venue à la réunion ? demanda-t-il.

— Accident sur la Métropolitaine.

— Tu n'as rien manqué, mentit Brazeau.

— Notre tueur est devenu officiellement « l'amputeur », annonça Surprenant. Sébastien est ici ?

— Il est resté à la maison. Sa belle-mère est à l'hôpital. Une crise de foie ou je ne sais pas trop.

Sasseville était d'humeur maussade. Surprenant regarda de nouveau les dessins d'enfant et proposa :

— Rendez-vous à mon bureau dans dix minutes ?

Il gagna son espace de travail et ouvrit sa messagerie. Ana Tavares lui avait répondu. *Vous m'impressionnez. Le montant en bois du côté gauche de la porte de la basilique montre deux ouvertures fraîches, à mon avis la trace de deux clous. Le meurtrier a dû y fixer un support pour son téléphone ou sa caméra numérique. Il travaille seul. Il a, comme vous dites si bien, du front tout le tour de la tête. Le rapport officiel sera déposé aujourd'hui. N'hésitez pas à me contacter si vous avez d'autres questions...*

Était attachée une photographie montrant les deux trous mentionnés. Le tueur s'était présenté rue Saint-Sulpice au petit matin, seul, emportant avec lui la main congelée, un marteau, des clous, un téléphone, et avait froidement tourné sa vidéo. Trois soirs plus tôt, quand il avait abattu et mutilé Brancato, il avait utilisé, dans un court laps de temps, au milieu d'une ruelle, un pistolet ou une carabine de calibre 22, une hache et possiblement une planchette de bois pour faciliter son travail. Comment transportait-il ses outils et son arme ? Dans un sac à dos ? Dans les poches d'un large manteau ?

Surprenant écrivit sur un *post-it* « L'amputeur apparence ? » et le colla à son ordinateur.

Le courriel d'Ana Tavares l'intriguait par deux autres aspects. *Comme vous dites si bien...* Ce « vous » s'adressait-il à sa personne ou aux Québécois dits de souche ? Ana Tavares, d'origine portugaise, n'avait pas d'accent particulier. Ce *vous* avait-il une portée politique ? D'autre part, que signifiaient les trois points de suspension à la fin ? Était-ce une forme d'invite ? Un tic d'écriture ?

Il avait toujours fait usage de son charme auprès des femmes. Il s'agissait d'une sorte de réflexe, acquis dès l'enfance. Soudainement, surgi de nulle part, un souvenir lui revint : il n'a pas six ans, il est assis dans son lit, rue Riendeau, en sueur. De la cuisine lui parviennent des bruits de dispute, des cris, des halètements, l'éclatement d'un verre ou d'une vitre, puis cette insulte lancée par son père : « Hostie de chienne en chaleur ! »

Une autre image : sa mère, le matin, maquillant un bleu sur sa tempe. Son petit frère Jacques, candide, mangeant ses Fruit Loops au bout de la table :

— Qu'est-ce que tu as, maman ?

— C'est rien. Une tasse qui est tombée d'une étagère.

Quand sa mère disait « C'est rien », c'était toujours quelque chose. André regardait par la fenêtre. La Meteor de son père n'était pas dans la cour. Il avait dormi ailleurs.

Surprenant allongea la main vers le téléphone et commença à composer le numéro de sa mère.

Brazeau fit son apparition, avec sa tasse de café marquée « SNOOPY FOR PRESIDENT ». Surprenant posa le récepteur et dit :

— Aide-moi à débarrasser mon babillard.

L'île de Montréal, sur une carte, ressemblait à un pied vu de côté. Les orteils pointaient vers Toronto, le bas de la jambe vers Québec, le talon était LaSalle. La cheville du mont Royal constituait à peu près la démarcation entre l'est et l'ouest, l'articulation franco-anglaise. Le tout rappelait à Surprenant les bas rouges des Red Sox de Boston, équipe à laquelle il s'était identifié pendant son unique saison de baseball organisé, quelques semaines avant la disparition de son père, en 1970.

Les trois enquêteurs dressèrent une liste des lieux associés à l'affaire. Sasseville proposa de diviser les punaises en deux groupes : les couleurs chaudes, associées aux Siciliens et aux Rouges, et les couleurs froides, associées à celui qu'ils appelaient désormais l'amputeur. Bien qu'arbitraire, l'exercice fournissait des pistes de réflexion. Les punaises rouges et jaunes étaient concentrées dans le nord de la ville, dans l'axe Rosemont–Rivière-des-Prairies, tandis que les vertes et bleues hérissaient le sud. La basilique Notre-Dame, la cabine téléphonique au coin de Saint-Jacques et Saint-Laurent, l'adresse de Pierre-Antoine Deschamps, rue Fullum, le Starbucks au coin de la Visitation et Sainte-Catherine, les bureaux de *La Presse* étaient tous situés au sud de la rue Sherbrooke.

— On a peut-être quelque chose, murmura Brazeau.

— Qu'est-ce que ces points ont en commun, à part d'être dans le bas de la ville ? demanda Surprenant.

— La rue Saint-Jacques a toujours été associée au pouvoir, dit Sasseville. L'église, l'argent, la presse, les communications.

— Les communications, peut-être, dit Surprenant. Ça va avec le besoin qu'a notre ami de publiciser ses actes.

Sasseville se mit à épingler, de part et d'autre de la carte de la ville, les éléments visuels reliés à l'affaire. Vingt minutes plus tard, les visages de Luca Brancato, de Desmond Alcindor et de Billy Lavalette ornaient le babillard, entourés de photographies des diverses scènes de crime.

— Il manque quelque chose, dit Surprenant.

— Quoi ? demanda Brazeau.

— *Nous*. Nous interagissons avec eux. Je pense qu'ils ont quelqu'un ici à Versailles.

— Pas vrai ? dit Sasseville sur un ton qui laissait entendre que la présence d'une taupe au sein des escouades spécialisées lui paraissait plausible.

— Oublie ça, grogna Brazeau. Il manque quelqu'un d'autre dans notre tableau : Deschamps.

À défaut de photo, Surprenant traça le nom « DESCHAMPS » sur une feuille vierge et l'épingla à côté de la main clouée sur la porte de la basilique.

Pierre-Antoine Deschamps lui donna rendez-vous à 11 h 30 dans un bistro de la rue Bleury où il semblait avoir ses habitudes. Miroirs, comptoirs de chêne sombre, dorures, personnel vêtu de noir, menus sur ardoise, journaux montés sur des baguettes de bois, l'établissement misait sur le charme vieille Europe. Attablé près de la fenêtre, *Le Monde diplomatique* étalé à côté d'un bock de blonde, le journaliste portait, malgré le temps frisquet, un veston de tweed et, relâchée sous un menton qui s'affaissait discrètement, la même écharpe que la veille.

— Sergent Surprenant ! Je parie que, ce matin, vous vous ennuyez des Îles-de-la-Madeleine ! Ou même de Lac-Beauport…

— Vous savez, je suis avant tout Montréalais.

— Je sais. Vous avez hérité de la maison de votre oncle Roger, sur l'avenue de l'Épée.

Déstabilisé, Surprenant se tourna vers le serveur et commanda une rousse.

— C'était quelqu'un, votre oncle, poursuivit Deschamps en hochant la tête. Un homme diplomate. Il était de tous les camps.

— Vous vous renseignez comme ça sur tout le monde ?

— C'est ce que j'enseigne à mes élèves : le journalisme, c'est la curiosité érigée en profession.

— Je ne suis pas venu ici pour parler de mon oncle.

— Qu'est-ce que vous voulez savoir ?

Sous les sourcils blancs qui juraient avec les cheveux trop blonds, les yeux de Deschamps le fixaient avec un mélange d'ennui et d'impertinence. *Cet homme se sert de son savoir pour agresser*, pensa Surprenant.

— Vous observez le crime organisé depuis quinze ans. J'ai besoin de vos lumières.

— En retour de quoi ?

— Ma position est… délicate. J'aimerais que vous répondiez d'abord à mes questions.

Deschamps émit un grognement de mécontentement. Le serveur revint avec les menus et la bière de Surprenant.

— Je vous recommande la bavette, dit le journaliste. Je me contenterai d'une salade niçoise.

Surprenant passa sa commande et le serveur repartit vers les cuisines.

— Notre amputeur pourrait être lié à des combines entre les Rouges et les Italiens, entama le policier.

Deschamps rectifia la position de son couteau, se pencha vers l'avant.

— De quelles combines parlez-vous ?

— Nous savons que Brancato n'avait pas peur d'une petite ligne de coke.

— Bof !

— Je pense qu'il pouvait aussi en trafiquer. Seulement, il ne semblait pas travailler avec les gens du Café Stella. D'où les Rouges.

— Les Rouges, les Rouges, c'est facile à dire ! À qui pensez-vous en particulier ?

— Desmond Alcindor, descendu le 4 juillet alors qu'il rentrait chez lui à Montréal-Nord. J'ai l'impression que c'est lié.

Deschamps but une gorgée de bière, le temps d'analyser l'information.

— Qu'est-ce qui vous fait croire ça ?

— C'est confidentiel.

— Vous ne me donnez rien, Surprenant.

— En temps et lieu, je vous assure un *scoop*.

— J'ai déjà joué dans ce film, plusieurs fois à part ça.

— Aidez-moi et je vous raconterai quelque chose d'intéressant. Qu'est-ce que vous savez à propos du fonctionnement des Rouges ?

Deschamps jaugeait Surprenant, d'un regard qu'il voulait dur, mais qui trahissait l'ambivalence et – étonnamment – la peur.

— Les gangs de rue sont formés de petits criminels, de jeunes désespérés qui veulent sortir du rang. Depuis les opérations qui ont frappé les motards et les Italiens, les Haïtiens et les Latinos peuvent s'élever plus facilement des gangs de rue aux gangs majeurs. Alcindor était devenu influent à Rivière-des-Prairies. Ce qui est intrigant dans sa mort, c'est qu'il n'y a pas eu de représailles, au sein des Bleus par exemple. Aucun suspect n'a été arrêté. D'après ce que je sais, son meurtre est inexplicable. Il n'avait doublé personne. Il gérait tranquillement son territoire. Je ne crois pas que cette possible association avec Brancato ait pu le faire tomber.

— Ça vous dit quoi, cette main ?

— C'est une forme de barbarie. Comment dire ? C'est inhabituel. Ça ne sent pas le crime organisé.

— Vous parlez de la mafia ?

— Évidemment. D'un autre côté, les Italiens sont menacés par de nouveaux gangs qui essaient de s'imposer. Les Asiatiques, en particulier, ne sont pas reposants. Ce sont peut-être eux qui ont fait le coup.

Deschamps ne semblait pas avoir une grande foi dans son hypothèse. Le serveur apporta les plats.

— Qu'est-ce que vous faites de la disparition de Lavalette ? demanda le journaliste avec une sorte d'amusement malveillant.

Surprenant fut déconcerté : la disparition de Lavalette n'avait pas été diffusée par les médias.

— Vous êtes au courant ?

— Je vous l'ai dit tantôt : la curiosité érigée en profession.

— Lavalette travaillait avec Alcindor.

— Ce n'était un secret pour personne. Bien que j'imagine que l'antigang en sait sûrement beaucoup plus que moi là-dessus…

Peut-il savoir que Lavalette était une source de Rossi ? se demanda Surprenant.

— L'information ne circule pas toujours très bien entre les escouades du SPVM.

— Je croyais que Guité avait réussi à créer un esprit d'équipe.

— Je ne suis pas assez idiot pour confier à un journaliste ce qui se passe à Versailles.

— C'est prudent de votre part. D'autant plus que vous avez atterri au SPVM à la suite des manœuvres de votre oncle Roger…

— Vous changez de sujet. On m'a dit hier que vous soutenez que le SPVM est infiltré par le crime organisé. Sur quoi vous basez-vous ?

— Lisez mes articles. Consultez les statistiques. Je me répète : vous ne me donnez rien, Surprenant.

Son visage intelligent fendu d'un sourire, Deschamps aiguilla la conversation vers Aix-en-Provence, où il avait fait une maîtrise « en littérature et en amours complexes ». Surprenant l'écouta patiemment en songeant que l'homme, qui avait besoin d'un public, devait plaire aux femmes.

— Vous vivez seul ? demanda-t-il à l'arrivée des desserts.

— Ça paraît tant que ça ?

— Votre écharpe est tachée. Votre chemise est fripée. Sans vous offenser, vous dégagez un peu une impression de laisser-aller.

Deschamps considéra Surprenant avec une attention renouvelée, presque offensante, comme s'il venait subitement de découvrir un interlocuteur digne d'intérêt.

— J'ai perdu ma femme il y a seize ans. J'ai élevé mon fils seul. J'ai eu des blondes, mais ça n'a pas duré. Je suis un animal rare à Montréal : un mâle potable non réclamé.

— On m'a dit que votre femme avait été tuée dans une fusillade au Mexique.

Deschamps s'intéressa à sa crème brûlée, peut-être surpris par cette allusion aux circonstances précises du décès de son épouse.

— Ce n'était pas une fusillade, dit-il au bout d'un moment. C'était une exécution. Julieta fêtait l'anniversaire de son neveu dans un restaurant de Juárez. Les *sicarios* de Fuentes sont débarqués en camion. Ils ont choisi six clients au hasard et les ont abattus.

— Je suis désolé.

— Je ne m'en suis jamais remis. Mon fils non plus.

— C'est à partir de ce moment que vous vous êtes intéressé aux trafiquants ?

— Revenons à nos moutons. Vous avez dit que vous aviez quelque chose d'intéressant à me raconter.

— Vous pouvez tenir votre langue ?

— Si je ne savais pas tenir ma langue, je serais au chômage ou au fond du fleuve.

— Près du corps de Brancato et dans la cabine d'où le tueur vous a appelé, nous avons retrouvé deux branches d'amélanchier. Ça vous dit quelque chose ?

— Des branches d'amélanchier ? Rien du tout.

La réponse était trop rapide, trop assurée. Deschamps, qui aurait dû être étonné par cette circonstance si étrange, mentait.

— Vous êtes certain ?

— Absolument.

Surprenant eut la confirmation de son impression : le journaliste était, pour une raison inconnue, troublé et même effrayé par cette histoire d'amélanchier.

— C'est ça, votre *scoop* ? reprit Deschamps sur un ton méprisant.

— En plein ça. Vous trouvez que c'est peu. Moi, je trouve que c'est beaucoup. J'espère que ça ne se retrouvera pas dans *La Presse* demain.

— Pour ça, vous n'avez pas à vous inquiéter, dit Deschamps en se levant.

Surprenant tendit sa carte au journaliste.

— J'ai une dernière question. Que savez-vous à propos de mon oncle ?

S'il était heureux de voir que Surprenant avait mordu à l'hameçon, Pierre-Antoine Deschamps ne le montra pas. Il rangea soigneusement la carte dans son portefeuille, puis, le visage fermé, comme s'il annonçait à contrecœur une mauvaise nouvelle à un ami :

— Votre oncle Roger a réalisé des projets très payants dans l'ouest de la ville. À Saint-Laurent, à Pointe-Claire. Comme je vous l'ai dit, il avait des entrées partout. Si on se méfie de vous à Versailles, après votre embauche spectaculaire, ne vous surprenez pas. Sans jeu de mots.

17

SPÉCIAL CHOP SUEY

Ce mardi après-midi, Surprenant eut de la difficulté à se concentrer sur son enquête. Les insinuations de Deschamps au sujet de son oncle, si elles étaient demeurées vagues, soulevaient des doutes sur l'honnêteté de son mentor. À sa mort, Roger Surprenant possédait, à part sa maison de l'avenue de l'Épée, des actifs de 600 000 dollars, incluant ses REER, son Steinway et sa Jaguar. C'était beaucoup et c'était peu. L'homme n'avait pas eu d'enfants et n'affichait pas de passions ruineuses. De sa vie d'architecte, il parlait rarement, soit qu'il désirât laisser ses problèmes au bureau ou qu'il considérât qu'évoquer sa profession dans le cours d'une conversation constituait une faute de goût, presque une impolitesse. En rétrospective, cette discrétion cachait-elle autre chose ? La Toile se montrait elle aussi peu loquace. Les contrats d'architecture n'étaient pas accessibles au public. Roger Surprenant n'y apparaissait que dans des rôles avantageux, membre du conseil d'administration de l'OSM, président d'une campagne de financement de la Mission Old Brewery. Était-il branché sur le milieu politique ? Surprenant trouva le nom de son oncle parmi les donateurs des partis libéral, péquiste et conservateur. Deschamps avait raison : l'architecte avait des entrées partout.

Surprenant était ébranlé. La statue de son oncle Roger était déboulonnée par les allégations d'un journaliste qui semblait bien informé. Deschamps pouvait-il mentir dans le but de le déstabiliser ? Surprenant pensa à sa jeunesse avenue de l'Épée. Que savait-il de son oncle, après tout ? Roger était un homme intelligent, rompu aux usages du monde. Pour lui, quoi de plus facile que de présenter son meilleur profil à un adolescent ? Les trois mots, *Victoria Sporting Club*, venus de nulle part, lui occasionnèrent un frisson. Son oncle et son père étaient-ils liés aux mêmes réseaux ? Avaient-ils participé aux mêmes combines ? Quelles étaient leurs relations ? Encore une fois, il sentit en lui, comme un liquide froid et poisseux, le secret.

Il jura, seul devant son ordinateur, et composa le numéro de sa mère. Trois, quatre, cinq, six, il compta les sonneries, l'imagina cherchant en maugréant le récepteur du téléphone mobile à travers le logement de la rue Riendeau, sous le regard inquiet de Balou le bâtard.

Elle répondit à la huitième sonnerie, à bout de souffle.

— C'est toi ? Je pensais que tu étais mort.

Que Nicole Goyette ait encore de l'esprit étonnait bien du monde, y compris le neurologue qui avait à deux reprises emprunté le mot « gruyère » pour décrire l'état de son cerveau. Sa jambe gauche, son œil droit, son sens de l'orientation avaient été touchés par des accidents vasculaires sans que sa vivacité soit altérée. En particulier, elle avait conservé l'habitude de maintenir ses deux fils sous le joug de ce que Geneviève appelait « une gentille culpabilité ». Jacques, en particulier, ne pouvait en faire assez. Il avait beau vivre deux maisons plus loin, la véhiculer, pelleter son perron, réparer sa plomberie, il s'attirait encore des allusions à ses déboires scolaires ou amoureux. Avec André, qui lui avait échappé en s'exilant à Montréal puis aux Îles-de-la-Madeleine, elle adoptait un ton plus respectueux, qui n'excluait pas des sous-entendus quant à la rareté de ses visites.

— J'ai été assez occupé ces derniers temps.

— Le gars qui coupe des mains ? Y a que ça à la TV. C'est sans parler de *l'autre*…

Surprenant garda le silence, pour marquer sa désapprobation devant cette classique tactique de guérilla maternelle : l'emploi d'un substantif vague, *l'autre*, *la chose*, *l'affaire*, qui obligeait son interlocuteur à préciser sa pensée ou lui rappelait qu'il avait omis de l'informer, en premier, d'un fait important.

— Justement, j'aimerais te parler.

— Je reste toujours au 813 Riendeau. Aurais-tu envie d'un chop suey?

— Avec cette enquête, je ne sais pas si j'aurai le temps de souper.

— Je vais en faire un pareil. Balou est fou de ça.

Surprenant raccrocha en bénissant le médecin de sa mère. Elle avait continué de fumer jusqu'à l'orée de l'insuffisance respiratoire, de se gaver de dessert et de charcuterie jusqu'à l'AVC, mais s'était prise en main depuis qu'elle avait sauvé ce chien de l'euthanasie. Par un curieux transfert, elle s'était remise à cuisiner, *pour lui*, des spaghettis végétariens, des sautés aux légumes, d'après les recettes des chefs qu'elle glanait à la télévision. Balou, qui voyait chaque soir des plats succulents atterrir dans sa gamelle, avalait le tout à une vitesse olympique, narines et pupilles dilatées, comme si un brusque retour du destin pouvait mettre fin à sa fortune. Sa maîtresse soupait à ses côtés, assise sur un tabouret au bout de l'îlot que son Jacques lui avait aménagé. Elle y reprenait ses habitudes de mère ou de serveuse, mangeant à la sauvette, toujours prête à se lever pour servir un enfant ou un client. Le chien engraissait, Nicole se départissait tranquillement des kilos qui l'attiraient vers la tombe, revigorée par les lentes marches qu'elle faisait, trois fois par jour, entre la rivière, l'épicerie et le cimetière où reposaient trois de ses quatre conjoints.

Comment réagissait-elle au retour de *l'autre*? Surprenant s'aperçut que l'affaire Brancato l'avait accaparé au point où il ne s'était pas penché sur la question. Sa négligence, probablement volontaire, conjurait une peur ancienne. Ces deux-là s'étaient aimés, avaient eu des enfants, s'étaient déchirés. Il l'avait abandonnée d'une façon lâche pour réapparaître trente-huit ans plus tard, malade et sans le sou. *L'autre*… Elle devrait normalement le haïr. Et pourtant…

Un coup de fil de Brazeau le tira de ses réflexions. Le cousin de son beau-frère, en échange de deux billets dans les rouges au Centre Bell, lui avait envoyé une copie du rapport final de balistique. Brancato et

Alcindor avaient été abattus avec la même arme. Les caractéristiques des stries et des marques de percussion suggéraient, sans le prouver, qu'il s'agissait d'un pistolet de calibre 22 long rifle, du genre Smith & Wesson M41.

— Une arme légère, précise, utilisée dans les compétitions de tir, termina Brazeau.

— Tu as des passes pour des billets des Canadiens ? demanda Surprenant.

— Positif. Je suis une mine de contacts, *Buddy.*

— Ce qui est intéressant, c'est que ce 22 n'est en lien avec aucune autre affaire.

— Avec toutes les armes qui circulent en ville… Tu en es où ?

Surprenant lui fit un compte-rendu de sa rencontre avec Deschamps.

— Il n'en sait pas plus que nous, conclut Brazeau.

— Pardon. Il était au courant de la disparition de Lavalette, qui n'a pas encore été publicisée. Il savait aussi que Lavalette faisait partie des Rouges. Je me demande même s'il ne savait pas qu'il travaillait pour nous.

— Tu exagères.

— Sans compter qu'il connaît presque la marque de mes caleçons. Il en sait beaucoup plus qu'il ne le laisse paraître et il ne veut pas lâcher le morceau.

— Je te l'ai dit : ce gars-là, c'est la teigne intégrale.

— 17 heures, je décroche.

Il visita une dernière fois sa messagerie. *Salut Papa ! Wow ! Quelle nouvelle ! Je vais être mononcle ! Sabrina is over the top ! On fête ça demain soir, un gros souper avec tout le monde ! La nonna farà la bolognese ! On pendra la crémaillère en même temps ! Felix*

Surprenant hocha la tête. Depuis quelques mois, soit depuis la rencontre de Bouba et le démarrage de sa compagnie de dépannage informatique, son fils faisait un usage immodéré du point d'exclamation. Cette pétulance juvénile signalait-elle le bonheur ou l'abus de stimulants ? Chose certaine, l'accent aigu sur le « e » de Félix avait disparu à la même époque. Était-ce dans l'air du temps, cette mondialisation qui galopait sur Internet, ou subissait-il l'influence de cette charmante *and fully bilingual* Sabrina Stottlemyre, soi-disant spécialiste en événements ?

Avant de quitter Versailles, Surprenant envoya un message à la gentille dame à lunettes mauves qui veillait sur ses intérêts à la caisse populaire d'Outremont, lui demandant de transférer 57 000 dollars à son compte courant. Même si l'héritage de son oncle lui avait permis de rembourser ses dettes, il avait eu la sagesse de demander une marge de crédit hypothécaire. L'oncle Roger, de sa tombe, tirait son jeune frère Maurice d'un mauvais pas.

— Pourquoi tenais-tu à ce que je t'accompagne ? demanda Geneviève.

— Tu me serviras de témoin.

— Ta mère ne se sentira pas à l'aise pour parler.

Dans la pénombre de la Z3, il caressa le cou de Geneviève, à son endroit préféré, sous l'oreille. Le jazz de Radio-Canada jouait en sourdine. *Life can be so sweet on the sunny side of the street.* Les essuie-glaces découpaient rythmiquement des demi-lunes dans la pluie froide qui assaillait le pare-brise. De part et d'autre de l'autoroute 35 s'étendaient, séparées par quelques feuillus solitaires, les terres noires de la Montérégie.

— Au contraire, elle n'osera pas me mentir.

Il sourit, satisfait de sa réplique. Il l'avait observé en maintes occasions : en présence de Geneviève, sa mère rectifiait son maintien, châtiait son langage et, paradoxalement, s'ouvrait davantage. Devant la deuxième compagne de son aîné, cette mère monoparentale qui avait, comme elle, élevé seule deux garçons, elle plaidait sa cause, toujours par sujets interposés. Si son mari avait disparu en 1970, ce n'était pas sa faute. Elle était une honnête femme, maltraitée par l'existence, qui avait travaillé dur toute sa vie pour maintenir à flot le rafiot familial. La situation, ce soir-là, serait différente. Nicole Goyette ne pourrait plus prétendre que son beau Maurice avait été tué par la mafia ou le FLQ. Il était bien vivant, à moins de dix kilomètres de là, dans un chalet de la rivière à Barbotte.

Queue battant plus vite que les essuie-glaces, Balou vint les accueillir à la porte. Geneviève portait ses cadeaux d'hôtesse, de la tisane de cassis et un pot dans lequel elle avait repiqué de la ciboulette et du basilic. Surprenant s'était muni d'une bouteille de côtes-du-rhône.

— Entrez ! cria Nicole depuis la cuisine.

Elle avait monté la table des grandes occasions, une vieille table en noyer rescapée de la maison de son père, qui avait tenu une quincaillerie sur la 9e Avenue. La mère de Surprenant était presque sur son trente-six, pantalon gris, chandail noir sur lequel s'étalait un collier de fausses perles assorties à ses boucles d'oreille. Les cheveux gris, courts mais abondants, encadraient sobrement un visage triangulaire, aux angles arrondis, toujours dominé par des yeux d'une vivacité redoutable.

— Ça sent bon, chez vous, dit Surprenant en se penchant pour l'embrasser.

— Tu veux dire que ça ne sent plus la cigarette ?

— Disons que ça aide.

Son enfance rue Riendeau était indissociable de l'odeur de la nicotine. Ses parents fumaient partout, dans la cuisine, dans leur chambre, dans le salon, dans l'unique salle de bain, sur la galerie aux beaux jours d'été. Il n'y avait pas que l'odeur, mais aussi cette subtile trame de son : le craquement des grosses allumettes de bois qu'utilisait Nicole, le grincement du couvercle du zippo argent de son père, aux armes du chevalier O'Keefe, les soupirs expiratoires des fumeurs, finement jouissifs, qui signalaient un relâchement de la tension, le tapotement compulsif des cigarettes contre les cendriers, enfin le glissement des pantoufles de sa mère quand, avant de se coucher, elle faisait la tournée des ronds de poêle et des mégots, pour conjurer sa peur du feu. Si André veillait toujours, occupé à lire un Bob Morane sous la couverture, il entendait la finale de la symphonie, la chasse d'eau de la toilette.

Le chop suey de Nicole Goyette était un mets anachronique, issu de la rencontre de la fève germée, du bœuf haché, du céleri et de la sauce soya. Surprenant y décela un goût nouveau.

— Du gingembre frais, expliqua sa mère. Excellent pour la digestion.

— Tu digères mal ?

— Je fais de la prévention.

Yeux éperdus, oreilles dressées, Balou attendait sa pitance à son poste habituel, près du téléviseur. Nicole questionna son fils à propos de son enquête, prit des nouvelles de ses petits-enfants, parla politique, mettant un point d'honneur à éviter le sujet du jour. À la fin, Surprenant se versa un dernier verre de vin et pointa de la bouteille la chaise vide au bout de la table :

— Me semble qu'il manque quelqu'un.

Après sa disparition, la chaise du beau Maurice, face à la rue, était demeurée vacante pendant des mois, des années. Nicole mangeait au bout opposé, entre ses deux fils, une patte repliée sous les fesses, l'autre sur le plancher, entre deux voyages à la cuisine pour chercher du ketchup, du lait, des patates pilées. Par la suite, la place allait être empruntée par Jean-Claude, le commis voyageur à moustache dont chaque retour, aux petites heures de la nuit du vendredi, était signalé par le couinement *crescendo* du sommier du lit double. Jean-Claude Quintal devait s'endormir au volant, une fois de trop, et s'écrabouiller contre un orme sur la route de Marieville. Lui succédèrent Ti-Paul, opérateur de machinerie lourde, emporté par une pancréatite, et enfin Roméo, constructeur de chaloupes, un gentil sexagénaire qui allait donner, avant de claquer de son cinquième infarctus à Hollywood Floride, quelques années de paix, peut-être de bonheur, à la serveuse. Depuis sa mort, deux ans plus tôt, la chaise avait retrouvé sa fonction de commémoration du Fantôme.

Nicole Goyette, défiée par son fils, le regardait fixement, mûrissant sa réplique :

— Pour ta gouverne, il va pleuvoir des cochons avant qu'il repose son cul sur cette chaise.

— Paraîtrait qu'il a revu Jacques…

Blanche de colère, la mère semblait ne pas avoir entendu.

— Sais-tu qui m'a appris la nouvelle ? Madame Tétrault, à la pharmacie ! « C'est-tu vrai ce que j'ai entendu dire, que votre mari serait revenu ? » J'ai eu l'air d'une vraie folle, je suis rentrée ici assez vite que je boitais plus !

— Calmez-vous, Nicole.

Geneviève prit la main de celle qu'elle venait, pour la première fois, d'appeler par son prénom. Nicole se tourna vers elle.

— Qu'est-ce que tu ferais, toi, si ton mari ressuscitait après trente-huit ans ? Qu'est-ce que tu veux que j'en fasse, de Maurice Surprenant ?

— Vous n'avez rien à en faire. C'est un grand garçon.

— Un vieux garçon, tu veux dire ? Pis l'autre, là, le fafouin qui pense même pas à m'avertir !

Nicole pointait un doigt déformé par l'arthrite vers son policier d'aîné chez qui l'émotion se traduisit, peut-être à cause du côtes-du-rhône, par une boutade agressive :

— Pour moi, tu l'aimais mieux mort !

Pendant que Geneviève tournait vers son conjoint des yeux furibonds, la mère observa un silence dramatique, puis lâcha :

— J'ai le regret de te dire, mon garçon, que tu as raison !

Toute vérité, aussi explosive soit-elle, a le pouvoir de diminuer les tensions. Il ne fallut pas une éternité aux trois convives pour reconnaître que Nicole, avec l'impunité du troisième âge, avait énoncé une évidence : le retour du beau Maurice bouleversait l'équilibre de la famille.

— La vie est courte, aussi bien pas se faire d'accroires, poursuivit la mère. Être veuve, c'est confortable. On a la paix et personne pour nous contredire.

Surprenant sembla vouloir répliquer, puis se ravisa. Geneviève, quant à elle, n'avait pas lâché la main de sa belle-mère.

— Qui sait ? Vous allez peut-être avoir l'occasion de vous expliquer ?

Nicole sourit, comme si elle venait d'entendre une blague usée.

— J'ai fait de la tarte au sucre.

Elle se leva et boita vers la cuisine. Le dos tourné, elle reprit:

— Comprenez-vous ? C'est pas juste qu'il m'a laissée. Il m'a fait croire, il VOUS a fait croire, à vous autres, ses deux enfants, qu'il était mort. Ça, excusez-moi, ça se pardonne pas.

Surprenant reprit la bouteille, versa les dernières gouttes de vin dans sa coupe. Il avait envie de défendre ce père qui l'avait abandonné. Geneviève l'observait. Il se tut. Sa mère revint avec la tarte et un dix onces de vodka, son péché mignon, coincé sous son bras.

— Ne t'attache pas à lui, conseilla-t-elle à son fils. Quand il aura repris des forces, il va repartir, comme un *hobo*.

Ils mangèrent le dessert devant la chaise vide. Nicole dévia la conversation vers la grossesse de Maude, qu'elle trouvait, elle la fille qui s'était mariée en famille, quelque peu précipitée. Surprenant, une énième fois, offrit de lui procurer un ordinateur. Geneviève se leva pour ranger la vaisselle.

— Laisse faire ça, Geneviève. Je suis quand même pas invalide.

Cette fois, ce fut Surprenant qui la retint par le bras. Nicole se reversa un doigt de vodka. Levant ses yeux bleus vers son fils:

— De quoi il a l'air ? As-tu une photo ?

Sur l'autoroute des Cantons-de-l'Est, Surprenant réfléchit au fait qu'il n'avait pris aucune photo de son père à Los Angeles. Geneviève avait pourtant pris la peine de lui prêter sa caméra à Dorval. Il avait toujours rechigné à fixer la réalité, crûment, sur des clichés, leur préférant le chatoiement du souvenir. Son père semblait être fait du même bois. Sa vie tenait dans un étui de guitare et un sac de plastique. Il existait une autre raison, qui tenait de la superstition: il avait cru, absurdement, qu'une photographie, cette preuve d'existence, aurait fourni à Maurice Surprenant un prétexte pour disparaître une deuxième fois.

— Tu n'as pas envie de l'appeler ? demanda Geneviève.

Il ne s'étonnait plus de la capacité qu'avait sa conjointe de le suivre, presque pas à pas, dans ses pensées.

— J'ai eu assez d'émotions pour ce soir.

À l'approche du pont Champlain, il changea d'idée et demanda à Geneviève de composer le numéro de son oncle Marcel. Son père répondit.

— Allo !

— J'appelle pour prendre des nouvelles.

— C'est smatte de ta part. Je me demandais justement ce que tu étais devenu.

La brève conversation ne fut chaleureuse qu'en surface. Maurice Surprenant, paradoxalement, semblait moins sûr de lui au sein de sa famille que dans sa chambre d'hôpital du Cedars-Sinai. Interrogé sur l'achat de son ordinateur, il déclara sur un ton ironique, après une quinte de toux, qu'il avait l'intention d'écrire ses mémoires.

— C'est une bonne idée, approuva Surprenant. Comment va la santé ?

— J'enlève le reste des agrafes demain. *Everything is fine.*

— Vous toussez. Vous n'avez pas besoin de voir un médecin ?

— Surtout pas ! À part ça, je t'ai demandé de me tutoyer.

— Faudra se pencher sur la question de ton identité.

— Pourquoi ? À Iberville, tout le monde me reconnaît !

L'appel se termina dans des salutations malaisées. Surprenant était à la fois inquiet au sujet de la santé de son père et furieux de le redécouvrir aussi irresponsable que dans son enfance.

Il déposa rageusement son téléphone entre les deux sièges.

— Ce ne sera pas facile, commenta Geneviève.

Devant leurs yeux, Montréal projetait les feux de ses gratte-ciel sur le fleuve. Le cellulaire sonna alors qu'il montait Jeanne-Mance en direction nord.

— Brazeau, annonça Geneviève en regardant l'écran.

18

DEUX OU TROIS ?

Les cheveux filasse, de petite taille, maigre, le macchabée gisait, face sur l'asphalte, dans une ruelle reliant la rue De Bullion et l'avenue Coloniale. La main droite était tranchée un peu plus bas que celle de Luca Brancato, peut-être à cause du blouson de cuir ajusté. Il avait reçu une balle dans le dos, sous l'omoplate gauche, une autre dans la tête, à bout portant, s'il fallait en juger par les traces de poudre visibles sur l'arrière du crâne.

— Stéphane Crevier, dit Brazeau. Un petit vendeur connu des gars du poste 22. Surnom : Stephie. Il aurait fait aussi dans la prostitution, dans le temps où il avait encore une belle gueule.

Il était difficile de savoir si la gueule en question avait présenté quelque attrait. Une balle était ressortie par le nez et le visage du mort exprimait, face à sa sortie précipitée, une horreur stupéfaite.

— Le 22 ? C'est le Centre-Sud ?

— 1200, Papineau.

— Encore le bas de la ville. Notre tueur a de la suite dans les idées. Même *modus operandi*, encore la drogue.

— Selon son permis, Crevier est domicilié au 3448 Coloniale. C'est à deux pas.

— Qu'est-ce qu'il faisait ici ? Il coupait par la ruelle pour rentrer chez lui ?

Brazeau leva la tête et examina le décor. Le passage, étroit et sombre, constituait un lieu idéal pour une embuscade. L'endroit précis où avait été abattu Crevier était bordé par deux cours fermées par de hautes palissades. Malgré tout, l'assassin avait une nouvelle fois couru un risque : un passant, sur De Bullion ou Coloniale, aurait pu l'apercevoir.

Brazeau se pencha, fit « chut ! » pour étouffer les protestations de Surprenant et déplia le bras droit du cadavre.

— Ça remonte à moins d'une heure, si tu veux mon avis.

— Qui a découvert le corps ?

— Une mémé portugaise qui passait par ici. Elle n'a peur de rien, celle-là. J'ai pris sa déposition et ses coordonnées, elle rentrait chez elle pour s'occuper de son vieux qui relève d'une fracture de la hanche.

Surprenant recouvrit le corps et se releva. Les équipes de télévision s'activaient sur Coloniale.

— Les journalistes sont au courant pour la main ?

— S'ils l'ont appris, ce n'est pas de nous. Les agents ont bouclé la scène très rapidement. J'ai été clair avec la mémé au sujet de la confidentialité.

— Tu as vu Deschamps ?

— Pas encore, mais ça ne devrait pas tarder.

— L'antigang ?

— Silence radio.

L'équipe de l'identité judiciaire déballait son équipement. Guzman et Sasseville débarquaient en renfort. Surprenant regardait le corps de Stephie Crevier.

L'amputeur récidivait. Pourquoi ?

Délaissant la scène de crime, il retraita vers une voiture de patrouille, d'où il appela Charles Hudon. Ce dernier avait été avisé du meurtre. *Par qui ?* se demanda Surprenant. Selon Hudon, la victime ne faisait partie d'aucun gang. Au bas de la chaîne, Crevier s'approvisionnait auprès d'un dénommé Bill Mercier, relié aux Hells, qui contrôlait une partie du Village.

— Donc aucun lien apparent avec les Italiens ou les Rouges ?

— Pas du tout le même monde, André. Crevier, c'était un petit *wannabe*. À mon avis, l'amputeur frappe un peu au hasard.

— Ça ressemble à ça, dit Surprenant, qui pensait tout le contraire.

Il prit congé de son collègue. *André !* Que Hudon se mette à le tutoyer n'était pas de bon augure. Surprenant consulta la page de *La Presse* sur son cellulaire. 22 h 06. Aucune mention du meurtre. L'appel que le meurtrier avait passé à Deschamps, la veille, était-il lui aussi le fait du hasard ? Le chop suey de sa mère et le côtes-du-rhône se manifestèrent sous la forme d'un rot saturé de sel, d'acide et de gingembre. Ce meurtre lui inspirait une vague nausée et un sentiment de fatigue, comme le énième mauvais coup d'un petit délinquant. *OK, bonhomme, arrête de trancher la main du monde, veux-tu ?*

Sasseville et Guzman s'approchèrent.

— Alors qu'est-ce qu'on fait ? demanda Guzman.

— Ta belle-mère a pris du mieux ? s'informa Surprenant.

— Pierres au foie. Elle s'est fait couper la poutine.

— Vous avez vu la scène de crime. L'enquête de voisinage donnera peut-être quelque chose, cette fois-ci.

Les deux jeunes sergents-détectives s'éloignèrent sans rechigner. Surprenant et Brazeau étaient leurs égaux au plan hiérarchique, mais possédaient plus d'expérience. Seul dans l'auto-patrouille, Surprenant s'interrogea sur le sens de la réflexion qui l'avait traversé quelques instants plus tôt. *OK, bonhomme...* Ces meurtres, par leur symbolisme grossier, par leur caractère répétitif, évoquaient un enfant.

Son téléphone sonna. L'écran affichait « Pierre-Antoine Deschamps ».

— J'ai reçu un courriel à 20 h 49, entama le journaliste.

— L'expéditeur ?

— Une salade de lettres, arrobas, anonimail.com.

— Et ça raconte ?

— Un seul caractère. Le chiffre « 2 ».

— *Deux ?* Vous n'avez pas pensé à me faire signe ?

— J'étais au cinéma.

— On vous a écrit à votre adresse personnelle ?

— Au journal. J'arrive.

— Parfait. J'ai quelques questions pour vous.

Peut-être pour ne plus s'attirer de questions quant à sa vie domestique, Deschamps se matérialisa quinze minutes plus tard sans son écharpe, mais dans un imperméable beige de bonne coupe qui évoquait le commissaire véreux dans *Casablanca.*

— Qui c'est ? demanda-t-il sans plus de préambule.

Il avait recommencé à pleuvoir, ce qui compliquait le travail des techniciens. Fuyant les regards des badauds et des agents, Surprenant attira Deschamps sous un perron de la rue De Bullion.

— Vous le saurez bien assez tôt. Stéphane Crevier.

Dans la pénombre, le journaliste parut troublé.

— Connais pas.

— Vous êtes certain ?

— Je viens de vous dire que je ne le connais pas !

— Aucun lien apparent avec Brancato ou avec les Rouges, n'est-ce pas ?

— Écoutez, Surprenant, je suis chroniqueur judiciaire, je ne m'intéresse pas aux petits bums !

— Vous savez tout de même que c'est un petit bum.

— Évidemment que c'est un bum ! Sinon pourquoi on l'aurait tué dans une ruelle ? Vous voulez sans doute une copie du e-mail ?

Était-ce l'effet de la pluie et du froid qui se faisait plus mordant? Deschamps avait perdu sa superbe et voulait couper court à la conversation.

— C'est sûr que ça m'intéresse. Vous devrez me l'envoyer, de même que celui d'hier. Il s'agit de pièces à conviction.

Le journaliste grogna, tira son téléphone et lui montra un courriel émanant de tchgbcbckq@anonimail.com et consistant dans le seul chiffre «2», écrit en caractère standard, sans guillemets, sans point, sans signature. Surprenant inscrivit l'adresse dans son carnet, puis demanda:

— Maintenant, expliquez-moi encore une fois pourquoi le tueur s'adresse à vous. Ça devient une habitude.

— Je n'en ai aucune idée. Il a utilisé mon adresse au journal. N'importe qui y a accès.

— Il veut que la nouvelle sorte, c'est ça? Vous m'avez menti tantôt. Vous savez qui était Crevier.

— Je ne connais pas ce Stéphane Crevier! Si j'ai dit que c'était un petit bum, c'est que toutes les victimes de l'amputeur ont des liens avec le crime. C'est assez évident, non?

— *Deux*… Ç'aurait pu être *trois*, non?

— Encore Alcindor? J'ai repensé à notre conversation de ce midi. Vous avez sûrement de bonnes raisons de penser que les meurtres d'Alcindor et de Brancato sont liés?

Je ne peux pas lui parler de l'arme, pensa Surprenant.

— Oui.

Deschamps attendit quelques instants. Voyant que Surprenant ne développait pas, il ajouta d'une voix plus basse:

— Ça se peut que vous ayez raison.

— Vous pouvez m'en dire davantage?

— Non. À part une chose: Crevier n'a rien à voir avec Brancato ou Alcindor. C'est très mystérieux.

Surprenant ne répondit pas, promena son regard sur la scène de crime. Les techniciens, dont les uniformes blancs reflétaient par intermittence les feux des gyrophares, avaient monté une bâche au-dessus du corps de Crevier. Des galeries arrière, des deux bouts de la ruelle, les curieux, fascinés par le sang, échangeaient des hypothèses. Il garda pour lui son impression : ces meurtres de criminels n'étaient pas le fait du crime organisé, mais d'un homme seul.

— Un gars des Rouges, un restaurateur italien, un petit bum du bas de la ville, ça ferait vraiment une drôle de brochette, insinua Deschamps.

— Une *insalata mista*. Si ça se peut que j'aie raison, comme vous venez de le dire, pourquoi le chiffre « 2 » ?

— C'est à vous de le découvrir. C'est peut-être une piste.

Mains dans les poches, un peu voûté, Deschamps ressemblait à un boxeur sonné qui s'accroche en espérant la fin du round.

— La main devrait réapparaître quelque part, reprit-il sur un ton trop léger. Pourquoi pas accrochée au tableau indicateur du Centre Bell ? Après la basilique, ça serait logique.

— J'ai une autre question. Que savez-vous à propos des *projets payants* de mon oncle ?

Le visage du journaliste se fendit d'un sourire de satisfaction.

— Votre oncle a conçu, entre autres choses, les plans du centre Rockland, de l'aréna de Pointe-Claire, du centre communautaire de Westmount. Tous ces projets ont été réalisés par la firme TMS.

— Et… ?

— Vous arrivez à Montréal. Le *M*, c'est pour *Monti*, un homme de paille des Scifo. Arrosez un peu de sauce libérale, ça donne un spaghetti assez payant.

— Mon oncle ne faisait pas de politique.

— Vous dites peut-être vrai. Il savait se trouver au bon endroit. Et vous en profitez, n'est-ce pas ?

— Vous êtes un homme désagréable, Deschamps.

— Quand on ne se soucie plus de plaire aux gens, on acquiert une liberté et un pouvoir considérables.

— Je sais que vous me cachez quelque chose.

— Pensez ce que vous voulez.

— Quel film êtes-vous allé voir ce soir?

— Vous contrôlez mon alibi?

— J'aime le cinéma.

— J'ai vu *Borderline* au Quartier latin. Vous voulez voir mon billet?

— Le truc du cinéma, je connais. On se reverra, Deschamps.

Laissant son interlocuteur en plan, Surprenant retourna vers la ruelle. Deschamps n'avait même pas pris la peine de lui demander si le mort avait été amputé.

La réunion du lendemain matin s'amorça dans une atmosphère lourde. Guité, arborant une chemise d'un rose inédit, semblait être en proie à une migraine. Hudon et Rossi, de glace, célébraient secrètement l'aggravation de la situation chez leurs collègues des crimes majeurs. Les mousquetaires de ladite escouade, Brazeau, Guzman, Sasseville et Surprenant, exhibaient des gueules de lendemain de veille. Lorraine distribuait bouteilles d'eau et bonjours de la tête, avec une discrétion de croquemort.

Autour de la table, la seule personne détendue était la dernière venue: la pythie, Sandrine Vadeboncœur.

— Et de deux! grinça Guité. Commençons par partager les derniers éléments.

Sur l'écran défilèrent les photos de la scène de la veille. Avec son visage stupéfait, ses yeux fixes, son trou de sortie dans le nez, Stéphane Crevier, en noir et blanc sur l'asphalte, évoquait un petit animal, oiseau ou rongeur, foudroyé par les balles d'un chasseur. Suivirent les photos des environs, le résumé des antécédents judiciaires, une copie du courriel adressé, à 20 h 49, à Deschamps, ce simple chiffre « 2 » envoyé par tchgbcbckq@anonimail.com, enfin une branche d'amélanchier, la troisième, fichée dans une anfractuosité d'un poteau de téléphone en face du logement de Crevier.

— André, ordonna simplement Guité en éteignant l'appareil.

La recrue des crimes majeurs, encore une fois chargée d'animer la discussion, consulta ses notes.

— Notre amputeur récidive. Commençons par les faits. Les techniciens ont retrouvé deux balles qui correspondent, à première vue, à ce que nous avons trouvé derrière le Stromboli. Même arme, même *modus operandi*: une balle au thorax, une autre dans la tête à bout portant. C'est probablement un bon tireur. Les premières balles touchent toujours la zone cardiaque. Selon le rapport de balistique, Brancato et Alcindor ont été abattus par la même arme, une 22 utilisée lors des compétitions de tir. L'amputation de la main droite de Crevier ressemble à celle qui avait été infligée à Brancato.

— Quelqu'un a bien vu quelque chose? s'étonna Hudon. Cette ruelle est un lieu passant et il n'était pas 10 heures du soir. C'est incroyable!

— Rien jusqu'ici. Par contre, nous avons un message, encore une fois adressé à Deschamps, et ce chiffre «2». Pourquoi le meurtrier a-t-il pris le risque de nous donner cette information? Pourquoi a-t-il de nouveau impliqué Deschamps? Pourquoi a-t-il écrit «2» alors que ça aurait dû être «3»? Je répète: Brancato et Alcindor ont été tués avec la même arme.

— Peut-être pas par le même tireur, dit Hudon.

— Que disent les W? demanda Guité.

— Le courriel aurait été envoyé d'un cell. C'est plus difficile à retracer qu'un ordinateur. L'adresse électronique est la même que celle utilisée pour l'envoi de la vidéo. À propos de cette adresse…

— Elle contient une séquence, l'interrompit Vadeboncœur. Ça me semble significatif.

Surprenant lui décocha un regard courroucé.

— J'aimerais continuer, insista-t-il. Cette séquence significative, c'est «bcbc». B pour Brancato, C pour Crevier. Ça fait deux.

— Vous m'enlevez les mots de la bouche, sergent, dit Vadeboncœur.

— Une question se pose, reprit Surprenant. Pourquoi ce message « 2 » ? On peut le prendre au pied du chiffre, si je peux m'exprimer ainsi.

— Ho ! fit Brazeau.

— Mais, si on prend en considération le fait qu'Alcindor a été tué avec la même arme que Brancato et probablement Crevier, on peut aussi penser que le tueur insiste sur le 2 plutôt que le 3. La séquence devrait être ABC. Il veut occulter le A.

— « L'amputeur connaît l'alphabet », ça ferait un bon titre de roman, lâcha Brazeau.

Il y eut un silence parmi les participants, chacun mesurant la profondeur de l'humour de LP ou les implications de la théorie proposée par Surprenant.

— Ça me fait penser à un Agatha Christie, dit Guzman.

— *ABC contre Poirot*, cita Sasseville. Je les ai tous lus.

— ABC ? C'est une hypothèse parmi d'autres, convint Guité en se massant le front. Ça ne nous apprend rien sur les motivations du tueur, encore moins sur son identité.

— D'autant plus que ça pourrait n'être qu'une coïncidence, dit Hudon. Ou un leurre… Encore une fois, rien de solide ne relie Brancato à Alcindor.

Surprenant l'ignora et poursuivit :

— Crevier avait un casier : petit trafic, prostitution. Selon les gars du 22, il s'approvisionnait auprès des Hells et était surtout actif au Village. Il habitait seul un trois et demie sur Coloniale. C'est une autre constance du *modus operandi*. Les victimes, Alcindor, Brancato, Crevier, sont abattues le soir ou la nuit alors qu'elles s'apprêtent à regagner leur domicile.

— J'aimerais que nous revenions sur la séquence ABC et la personnalité du tueur, dit la profileuse. Je crois que nous nous entendons tous sur le fait que l'amputeur agit seul et ne fait pas partie d'un gang organisé ?

Les regards convergèrent vers Rossi. Le vétéran hocha la tête, avec une moue de dédain.

— Tuer par ordre alphabétique, ce n'est pas sérieux. Cette histoire d'ABC peut nous mener dans le champ. J'ai vu ça plusieurs fois, croyez-moi. Appuyons-nous plutôt sur des faits.

— D'accord, concéda Guité. Je crois aussi qu'il faut établir la psychologie du suspect.

La remarque s'adressait à Vadeboncœur.

— Nous sommes en présence d'un solitaire qui tue des trafiquants et qui publicise ses crimes, dit-elle. Il veut peut-être se poser en justicier, venger quelqu'un. C'est peut-être lui-même un toxicomane ? Il tire où ? Dans la tête. Il coupe la main droite, celle qui agit, puis il tire dans la tête.

Nouveau silence, brisé par Guzman :

— Ce qui nous ramène à Deschamps. La croisade contre la drogue, c'est son dada. Curieusement, le tueur lui donne toujours le *scoop*…

Surprenant leva son stylo.

— Les victimes des cartels, exposées sur la place publique… Sa femme, assassinée au Mexique… Faudrait vérifier si elle n'est pas justement morte comme ça, d'une balle dans la tête.

19

L'HOMME DERRIÈRE LE PISTOLET

La réunion se poursuivit dans une atmosphère plus détendue : les policiers avaient le sentiment d'avancer. Le deuxième ou le troisième meurtre de l'amputeur confirmait certaines hypothèses, en infirmait d'autres, fournissait, un peu selon le processus thèse-antithèse-synthèse, une amorce de portrait du tueur. Hudon considérait maintenant la disparition de Billy Lavalette comme un « dommage collatéral » : d'après ce que l'escouade antigang avait pu glaner sur le terrain, le jeune livreur à la Mustang avait été éliminé par les Italiens en réponse au meurtre de Brancato.

Surprenant pensa que son collègue de l'antigang passait rapidement sur le fait que Lavalette était une source du SPVM. Il avait pu être exécuté pour cette raison. Aucun corps n'avait été retrouvé. Il demeurait possible que Lavalette ait simplement réussi à quitter le pays, sans sa Mustang, voire que cette fuite ait été orchestrée par la police et que Hudon et peut-être Guité jouent la comédie pour confondre une taupe au sein du service.

Par ailleurs, l'enterrement de Luca Brancato avait lieu le jour même. Surprenant et ses trois coéquipiers, à qui l'on adjoindrait deux détectives en renfort, allaient se consacrer à plein temps à l'amputeur. Selon Vadeboncœur, le tueur pouvait récidiver, et ce, dans un délai qui se comptait en jours plutôt qu'en semaines. Il était toujours impuni. Il avait frappé dans des lieux publics, à la barbe de tout le monde. Il s'enhardissait et montrait peut-être qu'il souhaitait être pris pour jouir de ses quinze minutes de gloire.

— Vous semblez bien certaine de ce que vous avancez, souligna Guité après avoir avalé trois comprimés non identifiés.

— Ce tueur est limpide, affirma-t-elle. Comment dire ? Il agit avec une sorte d'ingénuité, de fraîcheur. À mon avis, il n'est pas très vieux.

À la sortie de la réunion, les quatre enquêteurs se retrouvèrent autour du bureau de Surprenant. Sasseville ajouta une photographie de Stéphane Crevier à la galerie de personnages. Brazeau ficha une punaise bleue entre De Bullion et Coloniale, un peu au sud de l'avenue des Pins, et observa :

— L'activité de l'amputeur se déplace quelque peu. Il a franchi la ligne Sherbrooke.

— Pas vraiment, dit Surprenant en plantant une punaise verte au coin de Sainte-Catherine et Beaudry. Le territoire de Crevier, c'est le village gai, si j'ai bien compris.

— J'ai une suggestion, annonça Guzman.

Les trois autres se tournèrent vers lui. Il était rare que le jeune latino se permette d'orienter les débats.

— Partons de l'hypothèse que Brancato et Alcindor fricotaient ensemble. Il faut trouver le point de rencontre entre A, B et C. Le tueur est là, à l'intersection de ces trois vies.

Brazeau, l'air embarrassé, se massa le menton.

— Tu énonces une évidence, Sébastien…

— Je veux dire qu'il faut y aller systématiquement. Il faut fouiller le passé de chacun, tout noter, et faire des recoupements. Pas juste à la mitaine, en se servant de bases de données et d'outils de recherche.

— Pourquoi pas ? dit Surprenant. Qui prend qui ?

Guzman étant toujours sujet à une défaillance de sa belle-mère, Sasseville hérita de Crevier, Brazeau, d'Alcindor, tandis que Surprenant, dont ses partenaires ignoraient le passé napolitain, resta pris avec Luca Brancato.

Dans l'après-midi de novembre, soudainement ensoleillé, l'ocre de la brique de l'église de la Madonna della Difesa s'harmonisait avec les feuilles que les ouvriers municipaux ramassaient, à quelques pas, dans le parc Dante. Hudon et Rossi, flanqués de deux techniciens, l'un qui filmait, l'autre qui prenait des clichés à l'aide d'un téléobjectif, observaient l'arrivée du corbillard, mains dans les poches, sous un gros érable de Norvège. Surprenant, qui s'était mis en embuscade une trentaine de mètres plus loin, jugea approprié de se joindre à ses collègues.

— Vous ne faites pas dans la discrétion, observa-t-il après un salut de tête.

— Si nous n'étions pas là en train de les filmer, je crois qu'ils s'inquiéteraient, ironisa Rossi.

Hudon se taisait, sans doute irrité par la présence de Surprenant. Les yeux fixés sur la foule, les détectives de l'antigang notaient les présents, les absents, scrutaient les visages, enregistraient les saluts, les poignées de main, les manœuvres d'évitement, cherchant à décrypter, selon des codes dont ils n'étaient jamais sûrs, ce qui se tramait au sein des familles.

Surprenant reprit la parole :

— Vinny Palizzolo, le serveur, m'a dit que Brancato était en froid avec les Scifo.

— Pas si en froid que ça, dit Rossi en désignant du nez le parvis. Voilà Luigi Scifo.

Le fils aîné du *padrone* apparut, soutenant sa mère, qui se déplaçait à l'aide d'une canne.

— Tiens, ton Palizzolo…

Flottant dans un habit noir dans lequel il irait sans doute en terre, Vinny Palizzolo traversa la rue Alma d'un pas pressé, jetant un mégot sur le pavé et adressant à Surprenant un regard appuyé.

— Vinny est au courant de quelque chose…, suggéra Hudon.

— Ça, je n'en doute pas, mais est-ce qu'il veut en parler ? dit Surprenant.

— Tu n'as rien à perdre à essayer.

Tout en se demandant pourquoi les gens de l'antigang se montraient aussi coopératifs, Surprenant vit les portes de l'église se refermer.

— Et maintenant, qu'est-ce qui se passe ?

Rossi fit la moue.

— Comme dans tous les enterrements, le service, la sortie du cercueil, le cimetière. Ensuite, les proches se réuniront chez la veuve.

Les techniciens, détendus, grillaient une cigarette. Surprenant se tourna vers Hudon.

— Vous avez quelqu'un chez eux, comme chez les Rouges ?

— Si un Italien a la mauvaise idée de s'ouvrir la trappe, ce n'est pas long qu'on se retrouve ici à filmer ses funérailles.

— Je vois.

— C'est quelque chose que tu devrais savoir, Surprenant.

Le ton de Hudon était un chef-d'œuvre de duplicité. Surprenant prit congé de ses collègues et se dirigea vers sa BMW en éprouvant le désagréable sentiment que quelqu'un, quelque part, s'intéressait à son existence.

Sur le siège du passager reposait une chemise contenant le dossier Brancato. Il était près de 15 heures. Il n'avait pas envie de se taper l'aller-retour à Versailles. Il prit Saint-Denis en direction sud et tourna à droite sur Rosemont. Des travaux ralentissaient la circulation sur Van Horne. Il composa le numéro de son oncle Marcel à Iberville.

Après quatre sonneries, son père agressa son tympan d'un « Allo ! » retentissant.

— Bonjour, papa.

— Ah, c'est toi.

— Oui, c'est moi, répondit Surprenant en ayant l'impression que son père espérait tomber sur un autre interlocuteur. Ça va ? On dirait que tu es enroué.

— J'ai dû attraper un virus dans l'avion.

Surprenant s'enquit des manifestations du micro-organisme, tout en gardant l'impression que son père lui cachait quelque chose.

— Tu es sûr que ça va ?

— T'inquiète pas, juste un rhume. Écoute…

— Qu'est-ce qui se passe ?

Il y eut un silence, interrompu par une quinte de toux.

— *Goddam !* Ils m'ont retrouvé.

— Tu parles de l'hôpital ?

— Don a dû leur donner mon vrai e-mail. Ils m'ont envoyé un *bill* de 56 000 piastres. Du coup, j'ai vu autant de chandelles.

— Ils m'ont retrouvé aussi, papa. Je m'occupe de la facture.

— Pas question. C'est mon problème.

— C'est déjà arrangé.

— Moi, je suis fini. Tu es jeune, tu as une famille. J'ai juste à me rendre à Plattsburgh et à entrer dans le premier poste de police.

— Arrête ça. Je t'ai dit que c'était arrangé. En plus, ce n'est pas moi qui paie.

— Comment ça ?

— Roger m'a laissé sa maison. Payée.

Après une pause de quelques secondes, le père, doucement, raccrocha.

Troublé, Surprenant conduisit jusque chez lui. La réaction de son père le laissait en proie à plusieurs questions, dont celle-ci, récurrente : quelles avaient été les relations entre son père et son frère Roger ? Il alla s'asseoir devant le Steinway. Son oncle avait acheté ce piano à queue d'occasion, au début de la trentaine, à la suite de la réalisation d'un contrat. Bénéficiait-il déjà des ristournes ou des avantages auxquels avait fait allusion Deschamps ? À cette époque, son jeune frère Maurice, déjà marié, livrait de la bière et fumait du pot en fantasmant sur la vie des *rock stars*. L'architecte raffiné jouait du piano, le chauffeur irresponsable, de la guitare.

Éclats lointains, déformés, des souvenirs de réunions de famille remontèrent à Surprenant. Maurice, *le p'tit frère*, n'était l'égal de Roger qu'aux cartes. Pour le reste, il s'effaçait devant celui qui charmait toutes les femmes par son élégance, ses manières et son statut professionnel. Contrairement à son aîné, Maurice n'avait pas eu la chance d'être remarqué par le curé de Saint-Athanase et d'étudier, toutes dépenses payées, au Séminaire de Saint-Jean. C'était un mystère dans la famille, une de ces choses qui allaient de soi et dont on ne parlait pas : des quatre frères Surprenant, seul le deuxième, Roger, avait fait le cours classique. Roger avait été servant de messe, avait étudié le piano avec une religieuse, avait été poussé aux études par le curé Roberge, ne s'était jamais marié. Surprenant plaqua un accord de septième. Des réponses se proposaient : il avait été victime d'abus, il avait bénéficié de la bienveillance des religieux en échange de services, il n'était jamais sorti du placard et avait camouflé son homosexualité sous cette relation – platonique ? mythique ? – avec la femme du recteur de l'université.

Est-ce que mononcle était gai ? Surprenant égrena, plus tendu, un accord diminué. Roger sortait avec des femmes, de belles grandes femmes élégantes qui le considéraient, lui, le neveu adopté, avec une bienveillance distraite. Avec certaines d'entre elles, son oncle entretenait des relations qui se mesuraient en termes d'années. Jamais elles ne couchaient à la maison. C'était Roger qui découchait, parfois sans avertir, laissant son neveu dans l'expectative. André avait la maison à lui seul, comme aujourd'hui, et pouvait écouter Genesis et Harmonium à plein volume.

Roger n'était pas gai. La certitude était en lui, malgré les circonstances. Son oncle aimait les femmes. Il l'avait senti, plus tard, quand ils se retrouvaient, trop rarement, dans ces restaurants chics où son oncle ne manquait jamais de saluer, parfois en anglais, des *connaissances*, des hommes gras aux cheveux gominés qui arboraient des bagues trop lourdes et des montres trop coûteuses, mais aussi des belles d'âge mûr. Des lettres surgissaient parfois de l'ouverture dans la porte de chêne, écrites par des mains féminines, sans compter cette photographie d'une inconnue souriant sous un platane portant au verso ces trois mots, *Tuo amore, Claudia*, découverte dans le placard de la chambre d'amis quand ils avaient pris possession de la maison.

Son téléphone vibra. C'était Ana Tavares.

— Sur le deuxième moignon, celui de Crevier, on a trouvé les mêmes éclats de bois que sur celui de Brancato.

— La même planchette, probablement. Ça n'a rien d'étonnant, mais ça peut toujours servir.

— C'est ce que j'ai pensé.

— Merci de me donner l'exclusivité. Pourquoi m'aidez-vous comme ça ?

La technicienne émit un petit rire charmant.

— Je ne veux pas en parler au téléphone. Faites attention à vous, sergent.

Elle raccrocha, le laissant avec deux questions. À quel jeu jouait-elle ? À quelle menace faisait-elle référence ?

Pour dissiper la tension, Surprenant joua *À toutes les fois* de Beau Dommage, suivi de *Bewitched, Bothered and Bewildered* et de l'invention en *si* mineur de Bach, où il s'enfargea à répétition dans la finale. Puis il tira une bière du frigo et s'installa dans son *lazy-boy* avec son ordinateur portable.

« L'AMPUTEUR DES RUELLES FRAPPE
UNE DEUXIÈME FOIS »

Il jura à voix basse. Michel Vandal, du *Journal de Montréal*, avait appris que Stéphane Crevier avait lui aussi été amputé. Sur une pleine page, il mythifiait cet « amputeur des ruelles » en plus de spécifier que la victime, connue des policiers, était liée au commerce des stupéfiants. La juxtaposition de ces deux mots, « amputeur », « ruelles », créait une image forte. Le dernier mot possédait un endroit familier, quotidien, bon enfant, et un envers sombre. C'était le bien et le mal, le bon et le mauvais côté des choses de *L'Amélanchier*.

Trois branches d'amélanchier… Comment peut-on s'associer à un arbre ? Le roman de Ferron avait paru quarante ans auparavant. Lui-même l'avait lu au collège. Sa fille Maude l'avait étudié à l'université. Il conclut que, dans le contexte québécois, le tueur faisait probablement référence au livre plutôt qu'à l'arbre. Ou plus probablement à une personne associée à ce livre.

Dans *La Presse*, le meurtre de la veille était signalé en page 12 par un entrefilet, en des termes généraux, sans même que le nom de la victime soit mentionné. Deschamps se réservait peut-être le choix de le commenter le lendemain. Surprenant parcourut quelques chroniques archivées, remontant aussi loin qu'en 2005. Le thème de la lutte antidrogue était récurrent : le commerce des stupéfiants, après avoir subi une baisse dans les années qui avaient suivi l'attentat du World Trade Center, connaissait un boom sur le territoire de la CUM. Les saisies étaient en diminution depuis 2006, si bien qu'il fallait se demander pourquoi la GRC ou le SPVM semblaient en voie de perdre la partie. Dans le cas du service municipal, Deschamps méritait pleinement sa réputation de « teigne intégrale » : avec un acharnement qui confinait à l'obsession, il insinuait, répétait que le service était infiltré « au plus haut niveau », n'hésitant pas à mettre les politiciens provinciaux dans le coup.

En voilà un qui n'a pas peur de se faire des ennemis, songea Surprenant en ouvrant le dossier Brancato.

« Le tueur est là, à l'intersection de ces trois vies », avait dit Guzman. Desmond Alcindor avait été descendu le 4 juillet. L'intersection, si elle existait, se situait avant cette date. Il relut son rapport et regarda de nouveau les photographies. Luca Brancato réapparut, appuyé contre sa PT Cruiser. Clichés des environs, rapports d'autopsie, de balistique, d'éclaboussures, de laboratoire (la poudre recueillie dans le coffre était bel et bien de la cocaïne), description méticuleuse de la première branche d'amélanchier, avec, soulignées en rouge, la date et l'heure exacte à laquelle il l'avait enregistrée, relevés de trois téléphones, le cellulaire personnel, la ligne du Stromboli, celle de la maison familiale, comptes bancaires, histoire longitudinale du restaurateur depuis sa naissance à Montréal en 1952.

Comme l'avait résumé Brazeau, ce qui était remarquable dans les finances des Brancato, c'était la pauvreté des traces bancaires. L'homme vivait comptant, ce qui n'était pas complètement inhabituel, mais supposait des fonds occultes, des bas de laine, des prêts, peut-être même de l'usure. La résidence de l'avenue D'Auteuil, au nom de l'épouse, était libre d'hypothèque. Le local abritant le restaurant était loué à une compagnie à numéro, dont Brazeau n'avait pas retrouvé les propriétaires. Son coéquipier avait raison : Brancato aurait aussi pu vendre des gigueux en bois sur Sainte-Catherine. Néanmoins, l'épouse n'avait aucun revenu et l'une des filles étudiait à l'université Columbia. Les relevés s'étalaient sur 180 jours, soit du 4 mai au 31 octobre, date à laquelle les comptes avaient été gelés. Surprenant nota que les soldes moyens étaient sensiblement plus élevés en mai et juin que par la suite. Les affaires de Brancato avaient-elles commencé à péricliter en juillet ? C'était pourtant une période faste pour les restaurateurs. Avait-il augmenté sa consommation de cocaïne ? C'était à vérifier.

Le coffre-fort du Stromboli avait peut-être abrité des sommes appréciables en liquide. Le soir du meurtre, Vinny Palizzolo avait dû escamoter l'argent et la drogue avant d'appeler les policiers. Comment ? Une cache secrète avait-elle été aménagée ? Ou, plus simplement, le serveur, qui n'avait pas été fouillé, avait fourré le tout dans les poches de sa veste de l'AC Milan. Il parlerait à Palizzolo et aux filles de Brancato, mais pas le jour même de l'enterrement.

Il appela Brazeau.

— Qu'est-ce que tu as à propos des téléphones d'Alcindor ?

— Rien qui le relie à Brancato. Le gars avait l'air d'une brute, mais il était malin.

— Au fond, tout ce qu'on a, c'est le rapport de balistique. Le tueur est là, en arrière d'un pistolet 22 de type long rifle.

— Demain, je demanderai un relevé de tous les propriétaires enregistrés de pistolet 22 à Montréal. On ne sait jamais.

Surprenant raccrocha, s'alloua mentalement une deuxième bière. Roman à l'étude, drogue, bonne connaissance de l'informatique... Sandrine Vadeboncœur avait évoqué un suspect jeune. Surprenant écrivit au bas de la liste: « ÉTUDIANT ??? »

Dans le silence de la grande maison, il sentit poindre en lui une sourde angoisse. Six jours après le meurtre de Luca Brancato, alors que l'assassin leur avait fourni, comme pour se moquer, de multiples pistes, son équipe n'avait aucune idée de son identité. Et la main droite de Stéphane Crevier, dans un congélateur, quelque part, attendait de réapparaître.

20
SOUPER À GRIFFINTOWN

Surprenant, qui n'avait jamais beaucoup fréquenté le sud-ouest de la ville, dut utiliser un GPS pour localiser le loft de son fils rue Saint-Martin dans Griffintown. Il stationna sa BMW en face de ce qui avait tout l'air d'une ancienne usine, un bâtiment de brique de trois étages, allongé, qui aurait été sinistre si sa façade n'avait été récemment ravalée et ses fenêtres, de hautes percées rectangulaires qu'il imagina quadrillées de carreaux cassés, changées pour d'élégantes fenêtres à battants.

— Wow ! fit Geneviève.

— Tu aimes ça ? On peut déménager.

— À vingt ans, je crois que ça m'aurait plu.

Le soir était étonnamment doux. Au bout de la rue, ils devinaient la trouée du canal Lachine. Geneviève tira de son sac à main une boîte rectangulaire, enveloppée dans un papier cadeau.

— Qu'est-ce que c'est ? demanda Surprenant.

— Félix et Sabrina pendent la crémaillère, André. J'ai apporté un cadeau.

— Bonne idée.

À vingt ans, je crois que ça m'aurait plu. Magnum de rosso di Montalcino sous le bras, Surprenant entra dans l'immeuble en méditant ce fait : il n'aurait jamais connu la jeune Geneviève, celle qui était devenue policière pour venger la tuerie de Polytechnique, celle aussi qui, à l'aube de la vingtaine, avait erré un mois en Italie et en Grèce en compagnie d'un Allemand qui lui envoyait depuis, chaque année, des souhaits d'anniversaire.

Frisson. Le 8 novembre, c'était dans trois jours ! Il avait failli oublier. Comme pour se faire pardonner, il prit la main de Geneviève dans l'ascenseur et la porta à ses lèvres, d'une façon peut-être romantique, certainement inhabituelle.

— Qu'est-ce qui se passe ? demanda-t-elle.

— J'ai hâte que cette enquête soit terminée.

À gauche de la porte du 303, un panneau en acier d'un bleu flamboyant, deux fils tordus surgissaient du mur de ciment. Surprenant frappa trois fois, assez fort pour percer les décibels qui lui parvenaient à travers le battant. Après quelques secondes, la porte s'ouvrit sur celle qui était indubitablement, depuis huit mois, la blonde *steady* de son fils.

— Oh, c'est vraiment cool que vous soyez venus !

D'après ce que Surprenant avait cru comprendre, le surnom de Sabrina Stottlemyre, Bouba, était une déformation de *Boobs*, ce dernier sobriquet faisant référence à la généreuse poitrine dont la nature – et non la chirurgie, précisait-elle – l'avait dotée. Parlant français avec un soupçon d'accent, les joues roses et les yeux d'un bleu translucide, la jeune femme était une bombe verbomotrice, dévorée par vingt projets, mais munie d'un redoutable esprit d'organisation.

— Du jazz, c'est gentil, dit Surprenant en pénétrant dans l'appartement.

— Duke Ellington, c'est de votre âge, dit Sabrina. Ne vous offusquez pas, c'est la vérité. Déposez vos manteaux sur le futon là-bas. On n'a pas encore de crochets. Excusez Félix, il est au téléphone avec un client.

L'appartement, haut de plafond, percé de plusieurs fenêtres, présentait les caractéristiques classiques du loft urbain : un grand espace semé de poteaux et de tuyaux, dont les divisions étaient constituées par des meubles éclectiques, bibliothèque en bois brut, divan *fifties*, rideaux de bambou, stores suspendus, baignoire sur patte. Deux petites pièces fermées étaient adossées à un mur aveugle.

— Très tendance, dit la compagne de Surprenant.

— Je suis *vraiment* contente que tu sois venue, Geneviève.

Avec un sens politique qui contrastait avec son accoutrement de *hipster*, Sabrina faisait allusion au conflit qui couvait entre Geneviève et Maria. Même si leurs rapports demeuraient civils, les deux femmes s'affrontaient sur le partage de Surprenant. Sans qu'on puisse l'accuser franchement de mauvaise volonté, Maria Chiodini n'avait jamais pu se départir, envers sa rivale plus jeune, d'une condescendance d'autant plus agaçante qu'elle était subtile: la mère des enfants de Surprenant, sa femme, c'était elle. De son côté, Geneviève s'était évadée d'une union avec un conjoint irresponsable et rêvait de rapprocher les deux familles. Entre ses fils et les enfants de Surprenant, il y avait dix ans de différence. Quelques activités partagées ne s'étaient pas avérées concluantes. Maude et Félix, tout en appréciant Geneviève, partageaient l'avis de leur mère: leur véritable famille serait, pour toujours, la cellule Surprenant-Chiodini.

Geneviève, irritée, avait boycotté certaines réunions de famille, question de marquer son terrain et d'être solidaire de ses fils. La tension s'était néanmoins atténuée depuis leur déménagement à Montréal. Les enfants de Surprenant avaient plus de maturité. Maria, après quelques épisodes sentimentaux plus ou moins heureux, semblait avoir retrouvé un équilibre depuis son mariage avec Miles Pulaski, un commerçant de Parc-Extension qui, d'après les recherches de Surprenant, exploitait trois comptoirs de prêt sur gages. L'homme avait beau s'appeler Miles, comme dans Davis, et porter le nom d'un héros de la révolution américaine, le policier ne pouvait le blairer. Ce bellâtre bedonnant, qui sentait l'eau de Cologne bon marché, devait son aisance à la misère des autres, voire faisait du recel pour le compte des voyous qui écumaient les bungalows du nord de la ville pendant que les Jean-Claude et les Ginette de ce monde se doraient la couenne sur la Riviera Maya.

— J'avais *vraiment* envie de voir votre nouvel appartement, dit Geneviève. En plus, je vais passer quelques heures avec mon chum. Il n'est pas souvent à la maison ces jours-ci.

Signalait-elle que sa présence ne devait pas être interprétée comme un signe de conciliation ? Surprenant, qui observait les escarmouches entre ses deux femmes avec philosophie, fit mine de ne pas avoir entendu. Après les salutations, les embrassades, il se dirigea vers l'espace cuisine, d'où émanaient des odeurs alléchantes.

Giannina, son ex-belle-mère, une petite femme sèche dont les cheveux courts avaient acquis une belle teinte argentée, officiait à sa *bolognese.* Un verre de campari à portée de sa main gauche, Guiseppe était affecté à la taille des pâtes.

— Lasagne ! célébra Surprenant.

Giannina lui décocha son regard de côté, deux yeux noirs qui en une seconde vous décodaient jusqu'au trognon, puis lui tendit la joue. Elle, qui professait depuis toujours que l'amour était *uno capriccio* qu'il fallait dissocier du mariage, avait gardé une certaine affection pour son gendre. Si elle avait pu observer, comme tout le monde, que la moitié des unions se dissolvaient avant la mort de l'un des engagés, elle avait été incapable de ne pas faire sentir à sa fille que son divorce était un échec personnel, presque une faute. « Un mariage, ça ne commence pas à l'église. Ça commence quand ça ne va plus. » Les hommes, il fallait trouver moyen de les garder. Surtout, il ne fallait pas déserter le champ de bataille à la première incartade.

— André, à ta place, je ne laisserais pas traîner ma main sur le comptoir…

Couteau levé, Guiseppe le fixait de son œil malin. Ce verre de campari n'était pas son premier. Depuis que Giannina avait son permis de conduire, il n'avait plus à se préoccuper de l'ivressomètre.

Surprenant leva emphatiquement la main gauche.

— Je suis en congé ce soir.

— *Allora,* ce Sicilien ?

Guiseppe lui versa un verre propre à lui délier la langue.

— Il est blanc comme neige, dit le policier.

— Pour être blanc, Luca Brancato était blanc.

— Blanc comment, à votre avis ? demanda Surprenant en songeant à la cocaïne.

— Comment dire ? Blanc et pas blanc.

— Guiseppe, ne dis pas du mal des gens, avertit Giannina en râpant de la muscade.

Guiseppe fit le sourd.

— D'après ce que je sais, Tu-sais-qui n'est pas content. Le coupeur de mains, je ne voudrais pas être dans son pantalon.

Tu-sais-qui ne pouvait être que Vito Scifo, dont l'ombre pesait sur la ville. Si Guiseppe commentait la situation en termes aussi clairs, la situation était grave ou il avait forcé sur l'apéro.

— L'enquête avance, mentit Surprenant. Où est Félix ?

— Felixino ? Il joue au businessman dans le petit bureau. Celui-là, il ira loin.

Surprenant trouva son fils dans l'une des deux pièces fermées, un placard qui empestait la cigarette et au centre duquel trônaient, sur un panneau de mélamine supporté par des tréteaux, trois ordinateurs, une imprimante multifonction et un téléphone.

— Les affaires vont bien ?

— *The sky's the limit*, dit Félix, les yeux rivés sur son écran. Je suis à toi dans quinze secondes.

À vingt et un ans, Félix Surprenant était toujours un échalas. Sa minceur était encore plus évidente depuis qu'il avait troqué sa tignasse pour une coupe militaire, un centimètre de cheveux bruns, drus, propres à rassurer ses clients sur le sérieux de Abracadabra inc. Surprenant avait été le premier surpris de voir son fils, une bête de sous-sol plutôt fainéante, se métamorphoser en entrepreneur. Il avait toujours eu une passion pour l'informatique. Il avait passé des week-ends devant son hublot cathodique, avait dévoré des biographies de *whiz kids* et de *hackers*, avait gonflé les performances de son portable à l'aide de pièces achetées sur la Toile, était entré chez Ubisoft comme contractuel à dix-neuf ans. L'argent, par ailleurs, était un combustible qui le laissait plutôt indifférent. Avant Sabrina. La finissante en com et spécialiste en événements l'avait converti à son *credo* : le pouvoir et l'argent étaient aux mains de boomers naïfs, sans imagination, qui détruisaient la planète dans la poursuite d'un éden passéiste. Pour réussir, il n'y avait qu'à foncer et à prendre, rapidement, avant l'invasion des Chinois ou la Canicule éternelle. Bouba avait trois ans de plus que Félix. À cet âge, ce n'était pas négligeable. Surprenant essayait de garder envers elle une attitude ouverte, mais ne pouvait s'empêcher de se demander si, malgré l'apparente harmonie de leur jeune couple, elle n'avait pas assujetti les neurones de son fils à la réussite de sa carrière. Ceci dit, Felixino avait recruté des clients, dont la plupart gravitaient autour de la filière italo-polonaise, des *Instant Cash* de son beau-père, Miles Pulaski, à MAR Construction de ses oncles Mario et Marco Chiodini en passant par *Over the Rainbow*, la boîte de production de Bouba.

— *Ecco fatto*[6] *!* s'exclama le jeune homme en donnant un dernier clic de souris.

Félix baragouinait l'italien d'une façon qui lui valait les remontrances de sa grand-mère qui, elle, maîtrisait l'usage des subjonctifs.

— C'est quoi, cette chemise ? demanda Surprenant.

— Ben quoi ?

— Tu as l'air d'un chanteur western bas de gamme.

— Friperie. Toi tu as l'air d'un vieux flic.

Pour communiquer, le père et le fils avaient développé un ton parodique proche des dialogues de duos comiques. Le père avait le plus souvent le rôle du *straight man.*

— Bravo pour l'appart. Très tendance. Vous êtes hypothéqués à 110 % ?

— 85 % SCHL. Le beau-père nous a avancé le reste. T'inquiète pas, c'est juste du passif.

— Juste du passif.

— C'est comme un loyer. L'important, c'est la valeur ajoutée. Ici, on mange, on respire et on fait du *cash.*

---

6. Voilà qui est fait.

Au lieu de sonder son fils sur les contrats qui cimentaient son entente avec Bouba et Me Robert Stottlemyre, avocat criminaliste et président du fan-club des Alouettes de Montréal, Surprenant décida de l'utiliser, une première fois, en tant que ressource professionnelle.

— Tu as vu les nouvelles ?

— L'amputeur des ruelles ! Comment ne pas les voir ?

— J'aimerais que tu m'expliques certains trucs par rapport aux ordinateurs et aux téléphones intelligents.

Surprenant décrivit, en termes vagues, les deux communications du tueur : la vidéo publiée sur YouTube en créant un Pierre Tremblay fictif et le courriel comportant le simple chiffre 2, envoyés par la même adresse anonimail.

— Qu'est-ce que tu veux savoir ? demanda un Félix flatté d'être consulté.

— Le technicien du SPVM me dit que ces comptes anonimail sont intraçables.

— D'après moi, il a raison. Serveurs étrangers, etc. Vous avez plus de chances de le trouver à partir du film et du téléphone. Les films créés par les téléphones ont des extensions *mov*. Si ton gars est ferré en informatique, il a édité le *tag* qui pourrait le relier à un appareil. Encore là, s'il utilise un téléphone jetable ou volé, vous n'avez pas grand chances de le retrouver.

— Je vais essayer de me souvenir de ça. Autrement dit, le suspect pourrait être une sorte de génie en informatique, comme toi.

— Arrête de te moquer. Un jour, tu verras que j'ai eu raison d'abandonner l'université. Parle-moi donc de mon grand-père.

— C'est une histoire compliquée…

Tandis qu'il relatait à grands traits les événements des derniers jours, Surprenant eut de nouveau le sentiment que la réapparition du Fantôme dans la peau d'un *roadie* postpsychédélique entraînerait des modifications durables du climat familial. Face à son fils qui se lançait dans des entreprises que n'aurait pas reniées son aïeul, Surprenant eut l'impression que ce dernier sapait son autorité.

— Tu aurais dû l'inviter ! reprit Félix.

— Un nouveau passager à la fois. Ce soir, nous fêtons le bébé de Maude.

— Si c'est un gars, on devrait l'appeler Maurice.

Surprenant observa le visage de son fils, les sourcils fournis, le nez qui exhibait la bosse paternelle, les larges yeux bruns qui rappelaient ceux de Maria. Son esprit était ailleurs. De sa conversation avec Félix, il retenait surtout que le tueur était passablement versé en informatique, mais pouvait avoir négligé certains détails. Il en parlerait à Ivan Dukic dès le lendemain.

Le père et le fils quittèrent la pièce et retrouvèrent le reste des convives. Au bras de son rasta de Julien, Maude marchait déjà comme une femme enceinte, les pieds légèrement écartés pour protéger le passager. Elle, l'instable, la rêveuse, la voyageuse, rayonnait. Guiseppe, très allumé, embrassait sa *ragazza pazza* et félicitait le géniteur, comme si ce dernier avait accompli un exploit. À ses côtés, Giannina, tablier à la taille, examinait la tournure de sa petite-fille, couleur des yeux, éclat de la peau, dans le but de déterminer, avec sa clairvoyance habituelle, le sexe de la recrue.

Pendant que Miles, bière à la main, observait la scène depuis le coin cuisine, Maria, de dos, moulée dans une robe noire qui révélait quelques bourrelets, mettait la table. Surprenant s'approcha. Elle se retourna, ses larges mains aux ongles rouges hérissées d'ustensiles.

— Te voilà. Qu'est-ce que vous mijotiez, Félix et toi ?

— Il m'introduisait aux subtilités des courriels anonymes.

— Le sergent Surprenant est aux prises avec un coupeur de mains. Tu aurais dû rester aux Îles. Ça te convenait beaucoup mieux.

Elle lui tendit son visage. Il l'embrassa sur la joue.

— Bouba et Félix ont acheté une coutellerie ? Ça va faire changement.

— C'est ma contribution à l'installation du petit dernier. Nous sommes presque au bout de nos peines, Andrea.

Maria Chiodini sourit, un peu tristement. Surprenant se tut, surpris par l'évocation de cet *alter ego* intime, né vingt ans plus tôt dans la bouche d'une tante Chiodini qui tenait un restaurant à Sorrento.

Par la fenêtre, il apercevait l'enseigne FIVE ROSES au-dessus de l'autoroute Bonaventure.

Maria le regardait toujours, avec une sorte d'insolence. Ses traits altiers, tragiques, s'affaissaient discrètement, ce qui ne la rendait pas moins belle.

— Parent, enfant ou même conjoint, dit-il en posant affectueusement la main sur son épaule, on n'est jamais sorti de l'auberge.

— Laisse-le aller, dit Geneviève.

— Plus facile à dire qu'à faire.

— Félix ne s'est pas fait embarquer dans une magouille. Cet appartement va prendre de la valeur.

— Ce qui m'inquiète, ce sont ses nouvelles relations, Sabrina, Miles… Il y a quelque chose de pas clair là-dedans.

— Tu vois le mal partout. Sabrina est une bonne fille. Ce n'est pas sa faute si son père est un avocat du West Island.

Geneviève, dotée d'un ivressomètre intégré, conduisait. Surprenant avait forcé sur la grappa et était d'humeur maussade. De l'index gauche, il réduisit au silence le joueur de kora qui sévissait à la radio. À sa droite, les érables du parc Jeanne-Mance se profilaient contre les façades de l'avenue de l'Esplanade. Geneviève avait raison. Félix était majeur et vacciné, il avait le droit de faire sauter l'accent aigu de son prénom et d'emménager avec une experte en événements. Leur sabir anglofrench l'énervait. Maude et Félix, d'origine italo-québécoise, étaient parfaitement bilingues et habitaient un espace virtuel où l'anglais était la *lingua franca*. Les jeunes Montréalais s'étaient-ils libérés du prisme déformant des deux solitudes ? Leur métissage était-il le symptôme d'une louisianisation d'autant plus insidieuse qu'elle s'appuyait sur le discours d'élites qui associaient la défense du français aux dérives de la droite ?

Tu es vieux, Surprenant, songea le policier. Au-delà des considérations sociopolitiques, l'émancipation de ses enfants – la grossesse de Maude, la nouvelle vie de Félix – le mettait face à sa réalité de quadragénaire. Il n'était plus dans le coup, il appartenait à une ancienne génération, celle d'avant l'ordi, celle de Beau Dommage et du discours identitaire. La réapparition de son hippie de père n'arrangeait rien. Quand enfant il se baignait dans le Richelieu, ses pieds rencontraient, à quelques mètres de la rive, une vase froide, semée d'algues, qui signalait l'imminence du chenal. C'était cela : Lionel Supernant, avec sa guitare dans le chalet de la rivière à Barbotte, avec son français raboteux et son existence rapiécée, le ramenait à sa vase originelle, à ce malaise qui avait terni son enfance.

— Tu devrais te coucher à une heure raisonnable ce soir, lui conseilla Geneviève alors qu'elle tournait sur Laurier.

Il se réfugia plutôt dans son bureau, où il tomba sur un courriel, le premier, de son père. *Bonsoir André, j'ai raccroché un peu brusquement cet après-midi. C'est embarrassant pour un homme de voir son fils régler ses dettes. Une autre chose : je ne t'ai pas remercié d'être venu à ma recherche. Considère que c'est fait. Sans toi, je serais mort seul comme un rat à L.A. C'est peut-être ce que je méritais. Au moins, j'aurai eu l'occasion de voir mes deux gars et mon frère. Je suis ton affaire de mains à la télé. Les temps ont changé depuis le Victoria Sporting Club. C'était l'âge d'or du ciment. Mais ces histoires-là, ça revient toujours au même :* follow the gun and the money. *Merci encore. Maurice.*

S'il appréciait cette soudaine marque de reconnaissance, Surprenant trouva le ton de son père plutôt inquiétant. Se portait-il aussi bien qu'il le prétendait ? Ce premier courriel était-il le dernier ? 23 h 20. L'oncle Marcel était un couche-tôt notoire, il appellerait le lendemain.

Il tira la facture du Cedars-Sinai de son portefeuille et consulta son site bancaire. Les 57 000 dollars avaient bel et bien été transférés de sa marge de crédit dans son compte courant. Comment payer ce truc en dollars américains ? Un chèque ? *T'inquiète pas, c'est juste du passif.* Tout en se répétant mentalement la phrase de Félix, il soumit le problème à sa conseillère.

Le dossier Brancato était à gauche de l'ordi, à côté du petit château de sable qu'il avait rapporté des Îles-de-la-Madeleine. *Follow the gun and the money.* Il y avait bien une arme, mais pas d'argent dans ces meurtres. Si Brancato et Alcindor fricotaient ensemble, comme l'avait laissé entendre Deschamps, l'argent devait circuler entre eux. Comment ?

L'argent. Il bâilla, se renversa sur sa chaise, admira les hauts plafonds, les portes de chêne sombre, le balcon qui dominait le jardin arrière. Selon Deschamps, son oncle Roger devait en partie sa fortune à son association avec TMS Construction et à un dénommé Monti, « un homme de paille des Scifo ». Sur Internet, il découvrit Riccardo « Ric » Monti, un vieillard aux abondants cheveux gris, qui lui rappela, en moins racé, Aristote Onassis. L'adresse n'était guère difficile à trouver sur l'avenue Berthelet, « la rue de la mafia » selon l'usage consacré, à quatre maisons de celle de Vito Scifo.

Il se doucha, trouva Geneviève cognant des clous dans un polar d'Elizabeth George et s'allongea en compagnie de *L'Amélanchier*.

« La rue, personne ne s'en souciait plus dès que mon père était rentré : le labyrinthe, le Minotaure et ses rabatteurs, le Papa Boss, ses apôtres et ses séides basculaient derrière l'horizon, cul par-dessus tête. La maison se remettait à pencher du bon côté des choses. »

Qu'importaient Ric Monti et ses relations troubles avec les Scifo : son oncle Roger, l'homme de tous les partis, lui avait permis, pendant quelques années cruciales, de grandir à l'abri dans sa belle maison. Surprenant s'endormit sans le secours de Victor Hugo.

21
LE JOUR DU KOKKINISTO

Son téléphone le réveilla à 7 heures. Une Sonia inconnue lui apprit que le lieutenant Guité l'attendait à 8 heures précises dans son bureau.

Il trouva Guité moins souffrant que la veille. Au chaud dans un cardigan d'un gris délicat, le lieutenant dégustait des toasts à la confiture d'orange et du thé, avec un appétit manifeste.

— Tu en veux ? demanda-t-il, la bouche pleine.

— Merci. J'ai déjeuné.

— Tu manques quelque chose.

Décidément relax, Guité leva la main, projetant une goutte de confiture sur la photographie de son épouse, une brune d'allure sage qui louchait discrètement entre leur setter et leurs deux enfants.

— J'aimerais connaître tes impressions quant au déroulement de l'enquête, demanda Guité.

— Il y a un problème : quelqu'un a accès à ce qui se passe ici.

— Hum... Qui ?

— Deschamps. J'ai eu des discussions assez serrées avec lui. Il connaît les liens entre les Scifo et les Rouges, il a des échos de nos discussions à l'interne, il connaît mon histoire, mon adresse, même les dessous de la carrière de mon oncle Roger.

Guité haussa les sourcils.

— Tu soupçonnes quelqu'un en particulier ?

— Non, mais tout se passe comme si l'information circulait.

— Ton oncle Roger… J'aimerais aussi que tu reviennes sur les circonstances qui ont entouré ton embauche à l'escouade des crimes majeurs du SPVM.

Surprenant sentit un frisson lui enfiler l'échine. Que savait Guité ? Pouvait-il lui faire confiance ?

— J'ai fait une demande, j'ai été accepté. Vous m'avez accueilli ici, dans ce bureau, sans me poser de questions.

— Ce n'est pas comme si je t'avais recruté ou choisi. J'ai reçu une lettre signée du directeur du service des enquêtes spécialisées m'informant que tu entrais en fonction le 14 juillet. Vive la France !

— Pour tout vous dire, je n'ai aucune idée de la façon dont ça s'est passé. Mon oncle Roger, qui était un peu mon second père, m'a suggéré d'offrir mes services. C'était mon rêve. J'ai procédé.

— Tu as quand même compris que ce transfert était anormal ?

— Mon oncle était anormal.

— C'est-à-dire ?

— Il m'a fait venir en ville, il m'a inscrit au collège, il m'a prêté de l'argent, il…

— A trouvé moyen de te faire passer de la SQ de Lac-Beauport à l'escouade des crimes majeurs du SPVM. Tu as raison, c'était tout un homme. D'où tenait-il son pouvoir ?

— Aucune idée.

— Ça et le *bill* d'hôpital de ton père sans papiers, ça te met dans une position délicate.

— La facture du Cedars-Sinai sera payée cette semaine. Je ne suis pas dans une position délicate.

Les yeux rivés sur Surprenant, Guité se nettoya les incisives à l'aide de sa langue. Il avait réussi à garder sa moustache dans un état impeccable.

— À quoi joue Deschamps, selon toi ?

— Il marchande ses informations. Il m'a balancé de vieilles histoires à propos de mon oncle pour m'intimider ou obtenir des tuyaux sur l'enquête. À mon avis, il fait ça aussi avec ceux d'en face.

— Quel est le rapport avec l'amputeur ?

— Avant-hier, Deschamps avait l'air d'un homme qui a peur. Il me cache des choses. J'ai l'impression qu'il y a un lien entre l'amputeur et lui.

Guité termina son thé et se balança sur sa chaise ergonomique, scrutant Surprenant avec ses yeux de félin.

— Nous savons tout sur toi, Surprenant. Avant ton arrivée, on t'a passé au peigne fin : la disparition de ton père, ses liens avec la gang de la Rive-Sud dans les années 60, ton oncle mécène qui dessinait, entre autres choses, les centres d'achat de Ric Monti, ton mariage avec une sœur des jumeaux Chiodini, maintenant remariée avec un prêteur sur gages, tes sanctions disciplinaires aux Îles-de-la-Madeleine, tes états de service à Lac-Beauport. On savait tout et on t'a laissé entrer. Pourquoi ?

— Parce que je suis une maudite bonne police.

Guité se taisait.

— Vous avez peut-être pensé que vous pourriez m'utiliser ? tenta Surprenant.

Guité tira une feuille de sous son plateau.

— Lis ça.

La réunion de ce jeudi matin différa des précédentes. Tout d'abord, Lorraine, la fidèle assistante de Guité, brillait par son absence, ce qui se traduisit par une détérioration de l'intendance. Café, muffins, serviettes de table, bouteilles d'eau, tout manquait.

Ensuite, l'équipe accueillait deux membres en renfort, Alice Verreau et Simon Boulet-Larose, deux jeunes promus des polices de quartier. Enfin, Surprenant demeurait songeur, passif, laissant la place à ses coéquipiers, notamment à Sasseville, qui avait fouillé le passé de Stéphane « Stephie » Crevier.

— Il avait une spécialité : les cours d'école. Il était tout frêle, il avait une allure androgyne, il parlait doucement, il n'effrayait pas les enfants. Bill Mercier, son fournisseur de drogue, ne l'avait pas en haute estime.

— Tu as parlé à Bill Mercier ? s'étonna Rossi. Comment tu as fait ?

— Je suis allé avec un gars du 22. Évidemment, Mercier jure qu'il s'est retiré des affaires. Il nous a balancé Crevier en disant que c'était une tapette qui vendait aux enfants.

— Balancer un mort, ce n'est jamais risqué, commenta Hudon.

— Crevier avait chez lui une petite caisse confortable, quatre mille dollars cachés à trois endroits différents dans sa piaule. Pas de stock en quantité, évidemment, quelques pilules, un peu de pot pour sa consommation personnelle. J'ai parlé à sa mère, qui vit dans le fond des Bois-Francs. Son gars a quitté son village à seize ans. Il n'y a jamais remis les pieds. Elle l'a revu trois fois à Montréal. Aucun lien avec Alcindor ou Brancato. Jean peut peut-être nous dire si Mercier est lié aux Rouges ou aux Italiens.

Rossi fit non de la tête, puis, questionné par Guité, enchaîna sur Billy Lavalette. Les enquêteurs du poste 27 poursuivaient leur enquête. On n'avait aucune nouvelle du livreur des Rouges. La Mustang abandonnée près de la rivière des Prairies n'avait pas fourni d'indices. À propos de cette disparition, l'antigang se heurtait à des portes closes, celles du Café Stella et de la cellule Leggio-Greco. À défaut de pouvoir influer sur Luca Brancato, qui reposait au cimetière, les Siciliens avaient probablement voulu passer un message aux Rouges et à tous les gangs de rue montréalais : ils ne toléreraient aucune incursion sur leur territoire.

Le mystère demeurait entier à propos des liens entre Alcindor et Brancato. Brazeau avait interrogé à nouveau la veuve d'Alcindor, cette fois avec un meilleur résultat. La jeune femme, qu'elle soit à jeun ou lasse de vivre sous la menace, avait révélé que son conjoint avait eu des problèmes depuis qu'il avait pris le contrôle d'une agence d'escortes l'hiver précédent. Une jeune fille était morte d'une overdose, une autre avait parlé à la police, il aurait contracté des dettes envers des gens dont il ne voulait pas parler. Sans s'avancer, elle avait fini par avouer qu'il était possible qu'Alcindor, selon son expression, « ait travaillé avec les Italiens ».

Guité intervint :

— Rien de plus ?

— Rien de plus, dit Brazeau, mais je peux retourner la voir.

Guité se tourna vers Hudon et Rossi.

— Alcindor, Brancato et la cocaïne. S'il y avait trafic, qui était le fournisseur ? Qui était le vendeur ?

Les deux enquêteurs de l'antigang se regardèrent. Aucun des deux ne semblait vouloir se mouiller.

— Difficile d'imaginer Brancato à la tête d'un réseau, dit Rossi sur un ton ironique.

— Pourquoi ? demanda Brazeau.

— Il n'avait pas les couilles et le cerveau pour ça. Ne vous fiez pas à la femme d'Alcindor. Elle est habile, elle va vous mener en bateau. Je peux me tromper. Peut-être que Brancato jouait bien son jeu et était de maille avec les Scifo. Ça expliquerait qu'ils aient liquidé Lavalette. Ça pourrait vouloir dire, aussi, que les représailles ne sont pas terminées.

Un silence accueillit cette dernière hypothèse. Si Alcindor avait bien été sa première victime, l'amputeur avait jusque-là entraîné la mort ou la disparition de quatre personnes, toutes reliées au crime organisé. Les victimes les plus récentes, Lavalette et Crevier, étaient de petits revendeurs. Le dernier domino était-il tombé ? Les policiers partageaient la même peur : la mécanique aveugle des jeux de pouvoir ou la folie du tueur pouvaient faire d'innocentes victimes parmi ceux que Guité appelait, dans son langage churchillien, les « civils ».

Follow the gun and the money, songea Surprenant, qui avait de la difficulté à se concentrer.

— Et le pistolet ? demanda-t-il à Brazeau.

Ce dernier montra une liasse de feuilles.

— J'ai reçu hier soir le rapport du Registre des armes à feu. Vous ne me croirez peut-être pas, mais il y a 168 propriétaires de pistolet 22 long rifle dans le Grand Montréal. Enregistrés. Il y a aussi tout ce qui se vend sur Internet et le marché secondaire. J'ai parcouru rapidement la liste. Aucun nom ne m'a accroché.

— Nous pouvons nous en occuper, proposa Boulet-Larose.

— Adjugé, trancha Guité.

— Je contacterais aussi la Fédération de tir du Québec, dit Alice Verreau. D'après le dossier, nous avons affaire à un bon tireur. C'est un petit monde. On ne sait jamais.

— Juste par curiosité, vous allez chercher quoi ? intervint Hudon d'un ton condescendant.

La jeune Verreau, une longue marathonienne au visage anguleux, ne se démonta pas.

— Nous cherchons un inconnu parmi trois millions d'habitants, sergent Hudon. Vous savez comme moi qu'il faut accumuler les données et espérer un recoupement quelque part.

— Nous n'avons aucune idée de l'identité de ce tueur, insista Hudon.

Sandrine Vadeboncœur, silencieuse depuis le début de la réunion, entra en scène.

— Nous n'avons pas de nom, mais nous avons de plus en plus de pistes. Nous nous égarons dans les manifestations, nous n'écoutons pas ce que l'amputeur nous dit. Il y a la séquence *abc*, ces branches d'amélanchier, ces communications avec le journaliste Deschamps et surtout le choix des victimes. Le tueur nous parle, écoutons-le.

— Justement..., commença Surprenant en tirant de sa poche une feuille pliée en quatre.

Il lut ceci :

Nov. 5 – 23:35

De tchgbcbckq@anonimail.com à stephane.guite@spvm.org

L'oncle de Surprenant le recomende a la spvm. Roger Surprenant a fait son argent avec la mafia. Premiere femme de Surprenant italienne.

Comme une déflagration, la lecture du courriel fut suivie par quelques secondes de silence.

— Ouais, fit Brazeau.

— Pourquoi as-tu attendu tout ce temps avant de nous communiquer ce courriel ? demanda Hudon. C'est important.

— Je croyais que le lieutenant en parlerait plus tôt, dit Surprenant.

Guité lissait sa moustache, imperméable au reproche.

— J'ai pensé que c'était ta responsabilité. Comme je te l'ai dit tantôt, je connaissais ton passé, et celui de ta famille, avant de t'embaucher. Ce qu'il faut comprendre, c'est pourquoi le tueur t'a ciblé, toi, plutôt qu'un autre.

— Je peux avoir une copie du courriel ? demanda Vadeboncœur.

— J'en ai une pile ici, dit Guité avant de procéder à la distribution.

Chacun parcourut attentivement le document. Surprenant, qui le connaissait déjà par cœur, se demandait à quoi jouait son supérieur.

— C'est vrai, tout ça ? demanda un Hudon ravi de la tournure des événements.

— La seule chose qui soit fausse, c'est la deuxième phrase. Mon oncle a peut-être collaboré à des projets en lien avec des firmes dont certains propriétaires étaient italiens, mais il n'a pas « fait son argent avec la mafia ».

— C'est lui qui t'a fait entrer au SPVM ? demanda Rossi.

— Oui. Ne me demande pas comment, mais c'est le cas.

Hudon se tourna vers Guité, comme s'il attendait de connaître le fond de l'histoire. Comme un avocat qui entreprend sa plaidoirie, Guité se leva et se mit à faire le tour de la pièce, mains croisées derrière le dos.

— Messieurs, l'amputeur a commis une erreur en nous faisant parvenir ce message. Il confirme ce que nous soupçonnions : il a accès à des informations privilégiées. Peu de personnes sont au courant des faits rapportés. Roger Surprenant est décédé cet été de cause naturelle. Il n'a jamais été accusé de quoi que ce soit. Il a mené une brillante carrière, a enseigné à l'Université de Montréal, a collaboré à la construction de plusieurs pavillons de l'UQAM. Il a été associé à la firme de Ric Monti, mais rien n'indique qu'il ait fait quoi que ce soit d'illégal. Au sujet des circonstances qui ont entraîné l'embauche d'André, je n'en sais pas plus que vous. Par ailleurs, le candidat, bien que membre de la SQ, avait des états de service intéressants.

— Une vraie vedette ! glissa LP pour détendre l'atmosphère.

Guité s'immobilisa.

— Pas besoin de faire de l'esprit de bottine, *Brazzo*. Pourquoi l'amputeur - continuons à l'appeler ainsi - cherche-t-il à discréditer André ?

— Parce qu'il sent qu'il constitue pour lui un danger, répondit Vadeboncœur. André a interrogé Deschamps deux fois.

— C'est Deschamps qui m'a appris les liens de mon oncle avec la compagnie de Monti. Il connaissait aussi les circonstances de mon embauche au SPVM. Il a des sources au sein même du service.

Nouveau silence. Surprenant regarda Guité. Ce dernier, mains dans les poches, observait ses hommes. *Il voulait que ce soit moi qui amène le sujet*, pensa Surprenant.

— Et si Deschamps était l'amputeur ? proposa Hudon. Ça expliquerait tout.

Vadeboncœur s'opposa :

— Deschamps ne correspond pas au profil. Il est trop vieux. Il est rusé, calculateur, il entretient une haine personnelle envers les trafiquants, mais je ne le vois pas en train de couper la main de Brancato sous la pluie dans une ruelle de la Petite-Italie.

— Il faut chercher autour de lui, dit Surprenant. Quelqu'un qui aurait accès à ses informations.

— À *La Presse* ? suggéra Brazeau.

— C'est une idée, répondit Guité. Est-ce qu'il a des collaborateurs ?

— On pourrait l'interroger en bonne et due forme à Versailles, dit Surprenant. Ça le rendrait peut-être plus poli.

Alice Verreau leva une main osseuse.

— Filtrons les communications de Deschamps. À la limite, mettons-le sous écoute.

— Oublie ça, trancha Guité. Aucun juge ne nous donnera un mandat sur de simples soupçons.

— Ton oncle était un personnage relativement connu, dit Hudon en s'adressant à Surprenant. N'importe qui dans la Famille pouvait savoir qu'il a été associé à Monti.

— Par contre, répliqua Surprenant, les circonstances de mon embauche, ça ne pouvait sortir que d'ici.

— C'est toi qui le dis…

— Messieurs ! s'interposa Guité. Je m'occupe personnellement des supposées fuites à l'interne. À ce sujet, fermez-vous la trappe. On a la presse et le ministre de la Sécurité publique aux fesses, c'est suffisant. Surprenant, tu peux convoquer Deschamps ici, mais attends-toi à de la résistance. Hudon et Rossi, trouvez de qui Brancato aurait pu acheter sa poudre. Vous, les jeunes, mettez-vous sur le *gun*. La réunion est terminée.

— Juste un mot…

La profileuse aux yeux de poisson, très calme, voulait terminer sa communication.

— Je répète : l'amputeur nous parle. Tout d'abord, les branches d'amélanchier. Pourquoi ? Ensuite Crevier. C'était un petit dealer, un *no name*, qui n'était pas relié à Alcindor ou Brancato. Pourquoi le tueur l'a-t-il choisi ?

Guité pointa son index vers Sasseville.

— Mary-Ann ? Demain, je veux un autre topo sur le *no name*.

Contrairement à Brazeau, Surprenant n'était pas totalement acquis aux charmes du kokkinisto. Le mélange d'épices dans lequel Dimitri enrobait ses cubes de bœuf le laissait perplexe. Il y avait bien sûr de la cannelle, de l'origan, une surprenante touche de gingembre, mais aussi un autre ingrédient, qu'il avait, au propre et au figuré, sur le bout de la langue et qui le mettait en contact avec une impression aussi nébuleuse que dérangeante.

— Qu'est-ce qui se passe avec Lorraine ? demanda LP, la bouche pleine.

— Je ne sais pas.

— Neuf ans que je suis aux crimes majeurs, elle n'a jamais manqué une journée. Gibraltar avec des boules. Guité n'a même pas fait allusion à son absence.

— *THAT'S ALL YOU HAVE TO SAY?*

Les regards des clients de l'Olympe, plein en ce jeudi de kokkinisto, convergèrent vers Dimitri qui, très énervé au téléphone, tentait de régler la panne de son module de paiement bancaire avec un quelconque technicien.

— *YOU KNOW WHAT? DIMITRI CAN MANAGE WITHOUT YOU!*

Joignant le geste à la parole, le propriétaire du restaurant arracha son module de son chargeur et le catapulta dans une poubelle.

— Quand il parle de lui à la troisième personne…, soupira Brazeau.

— Clou de girofle.

— Là, c'est toi, le poète.

Surprenant restait coi, occupé à traquer ses souvenirs. Il entrevit la maison mauve de Romain Leblanc, aux Îles-de-la-Madeleine, plus précisément la planque où était caché le magot de son père. Une autre image, plus prégnante : le gâteau aux fruits de Noël de sa mère, ces rouleaux compacts, enrobés de papier d'aluminium, qui sentaient le kirsch et, subtilement, le clou de girofle.

— Quelque chose m'a frappé dans ton rapport. Le réseau d'escortes de Desmond Alcindor… On pourrait fouiller de ce côté-là.

— Je m'en occupe. As-tu rejoint Deschamps ?

— Guité avait raison. Deschamps refuse de se rendre à Versailles. Monsieur est trop occupé. On n'a pas de mandat, pas de motif pour le convoquer. J'ai rendez-vous avec lui à 17 heures, au centre-ville.

Encore rouge de colère, Dimitri s'approcha.

— Tout se passe bien ici ?

— Très bien, affirma Brazeau.

Le propriétaire aperçut l'assiette à demi pleine de Surprenant.

— Vous n'aimez pas mon kokkinisto ?

— Je sors d'une gastro.

— Gastro, mon œil ! C'est ce *butcher* qui vous met à l'envers ! Vous devriez surveiller les Russes. Ils contrôlent le casino, les femmes, la dope. Bientôt, vous vous ennuierez des Italiens !

Surprenant observait, à moins d'un mètre de distance et surmontée en arrière-plan par une banderole des Bruins, la tronche vitupératrice du Grec. Avait-il oublié de prendre ses médicaments ? Son épouse, que l'on disait découragée par ses accès d'angoisse et de colère, l'avait-elle quitté ? Quelque chose ne tournait pas rond dans ce cerveau.

— Nous nous occupons du *butcher*, assura Brazeau. Je prendrais bien un allongé et un baklava.

— Un allongé et un baklava, répéta mécaniquement le patron. Et vous, je vous sers quoi ? De la tisane ?

Le cellulaire de Surprenant sonna. Le numéro ne lui dit rien.

— Surprenant.

— Vinny Palizzolo. Je dois te parler, ça ne peut pas attendre.

22
LA GUEULE DU LOUP

Le Soleil de minuit était un café situé dans un entresol de la rue Milton. La clientèle était résolument jeune et étudiante, à majorité anglophone, le menu, végé-poisson, le décor, éclaté scandinave. Au fond de la salle, face à la porte, Vinny Palizzolo buvait un café et lisait le journal avec la mine revêche d'un chauffeur d'autobus attendant la fin d'un match atome dans un aréna de province.

— Vous ne pourrez pas fumer, observa Surprenant en s'assoyant.

— Ici, je n'ai aucune chance de croiser une connaissance. Ça ne devrait pas être trop long.

Le serveur du Stromboli avait toujours son visage de bivalve, mais, dans la lumière orange que répandaient d'étranges abat-jour en verre soufflé, n'en paraissait pas moins inquiet.

— Ça dépend de ce que vous avez à dire.

— Tu as vu ça?

Le serveur montra à Surprenant la page 7 du *Journal de Montréal*: « Nouvelle guerre des gangs? » Surprenant avait déjà parcouru l'article de Michel Vandal. Le chroniqueur judiciaire du groupe Québecor y faisait, d'une façon si vague qu'elle en était réjouissante, des liens entre «l'amputeur des ruelles» et la disparition de Billy Lavalette.

— C'est la salade habituelle, dit Surprenant. Quand deux règlements de comptes sont rapprochés, la presse reprend le thème de la guerre des gangs. Ça fait vendre.

— Ne ris pas de moi, veux-tu? Tu sais que cette fois ce n'est pas pareil. Il y a un comique, quelque part, qui met la merde.

— Et qui coupe des mains droites. C'est embêtant.

La dextre de Palizzolo, interpellée, se tendit vers la poche de sa chemise, d'où dépassait son paquet de Players.

— Je sais que vous avez des choses à nous dire, continua Surprenant. Après avoir découvert le corps de votre patron, vous avez escamoté le contenu du coffre. Vrai?

Imperturbable, Palizzolo leva un doigt et désigna la jouvencelle aux mèches roses et aux yeux écarquillés qui s'amenait avec le menu.

— Cappuccino, commanda Surprenant.

Quand elle fut repartie, il reprit:

— Si vous nous disiez ce qui se passait réellement au restaurant, ça nous donnerait un coup de main.

— Tu ne m'écoutes pas, Surprenant, dit Palizzolo en pointant son oreille. Je voudrais voir grandir mes petits-enfants et crever dans un lit, comme un honnête homme. Dans la vie, il y a des combines. Tout va bien quand chacun fait sa petite affaire et se ferme la gueule. Là, il y a quelqu'un qui met la merde.

— Vous parlez de l'amputeur?

Palizzolo regarda Surprenant d'un air presque méprisant.

— Ce tueur, il n'a pas d'honneur.

— Si vous me parliez des combines, ça m'aiderait peut-être à l'arrêter, ce tueur sans honneur.

— Je viens de te dire que je voulais mourir dans mon lit, comme un honnête homme.

Surprenant songea qu'il commençait à apprécier la compagnie du serveur.

— J'ai dit la même chose à Deschamps, lundi, reprit Palizzolo en regardant par la fenêtre.

— Tu as parlé avec Deschamps ? Qu'est-ce qu'il voulait savoir ?

— La même chose que toi. Il en connaît pas mal à propos de Luca. Il sait que sa femme est la cousine du *padrone*. Il m'a posé des questions à propos des Rouges, comme toi. Ce que je me demande, c'est pourquoi le tueur lui a envoyé la photo de la main sur l'église ? C'est bizarre, non ?

Même s'il parlait toujours à voix basse, le ton de Palizzolo se faisait plus pressant : il semblait aux aguets.

— Vous croyez que c'est Deschamps qui met la merde ?

— Je ne sais pas. Ce que je sais, c'est que d'autres personnes me posent des questions. Sonny Leggio m'a fait venir au Stella ce matin. Nous étions seuls tous les deux. Il m'a dit que la mort de Luca Brancato était un événement très malheureux, que quand des choses comme ça se passaient dans le quartier, quand elles touchaient quelqu'un de la famille et qu'il n'était pas au courant, ça le rendait *accorato*.

— *Accorato ?*

— Triste. Quelqu'un lui avait raconté quelque chose, je ne sais pas quoi. Sonny attendait que je lui parle à mon tour. Au bout d'un moment, il a ouvert le journal et a commencé à lire les petites annonces. Au bout d'un autre moment, il a demandé, sans me regarder : « Toujours content de ta Corolla, Vinny ? »

Surprenant songea que les Italiens n'avaient pas seulement inventé l'opéra, mais aussi le suspense et le coup de théâtre.

— Et ?

— Il m'a dit qu'il y avait une Mustang à vendre à Montréal-Nord, pour cause de décès.

Jacques Surprenant s'exprimait d'une voix feutrée, douce, comme s'il s'excusait d'exister. La même disposition le portant à user d'euphémismes, il était difficile de distinguer, dans ses propos, ce qui relevait de l'humour ou de la timidité. Aussi, quand il appela son frère aîné, fait rarissime, à 14 h 05, pour lui apprendre que leur père était hospitalisé parce qu'il avait « un rhume », André Surprenant, au sortir de son entrevue avec Palizzolo, coupa deux files de voitures, tourna sur Papineau à partir de René-Lévesque et lança le Fantasme à l'assaut du pont Jacques-Cartier.

L'usine de Molson à sa droite, la Ronde à sa gauche, il fonça vers la Rive-Sud, pestant contre le psychopathe qui l'avait privé de la compagnie de son père. Mais était-ce bien la faute de l'amputeur ? Il aurait pu être plus présent, ne pas laisser un vieillard fraîchement opéré sous la garde d'un frère encore plus âgé qui de surcroît ne s'était jamais occupé que de lui-même. Marcel et Maurice, quelle équipe ! Au sommet de la structure d'acier rouillé, dont la hauteur l'avait tant impressionné quand il l'avait empruntée une première fois pour aller à l'Expo 67, il entrevit au loin, sous les nuages qui encombraient l'horizon, les silhouettes familières des Montérégiennes, plus particulièrement le mamelon du mont Saint-Grégoire, au sud-est, qui signalait Iberville. Il roulait à la limite du raisonnable, zigzaguant entre camions et voitures, se questionnant sur le meilleur chemin à prendre. *Un rhume*. Son père n'allait tout de même pas lui échapper au moment même où il revenait au pays !

Trente-cinq minutes plus tard, après un trajet épique, il sortait de l'ascenseur qui menait à l'unité de soins intensifs de l'hôpital du Haut-Richelieu. Dans la salle d'attente, une petite salle carrée, vitrée, mélancolique avec ses chaises de plastique, ses revues défraîchies et sa machine à café, il tomba sur sa mère.

— Qu'est-ce que tu fais ici ? demanda-t-il, pris d'effroi, comme si la présence de celle-ci, à moins de cinquante mètres de son père, était la preuve que ce dernier se mourait.

— Ben, c'est encore mon mari, après tout !

Nicole Goyette, si fière et indépendante deux jours plus tôt, semblait avoir échappé de peu à la foudre. Les yeux injectés, les traits bouleversés, les cheveux dépeignés, elle tournait et retournait, entre ses doigts déformés par l'arthrite, un foulard de soie cramoisi.

— Qu'est-ce qu'il a ? demanda Surprenant.

— Il n'avait plus de pression, il tremblait comme un damné. Le docteur a dit qu'il s'est infecté ou de quoi de même.

— Marcel n'a pas allumé ?

— La chasse au canard, mon gars. C'est Maurice lui-même qui a trouvé la force d'appeler Jacques.

— On peut le voir ?

Il franchit une large porte d'acier, pour être immédiatement repoussé par un cerbère de quarante kilos, une menue infirmière charriant des sacs de soluté qui lui asséna :

— Monsieur Supernant n'est pas *voyable.* On n'est pas dans un moulin, avez-vous lu la pancarte ?

Il avait pu entrevoir, entre trois soignants en pyjama vert, dans un cubicule de verre, le corps nu de son père, maigre, le sexe ratatiné dans un buisson de poils gris, le ventre curieusement distendu. Un moniteur affichait des chiffres, verts eux aussi, 131, 82/51. Une ligne d'électrocardiogramme palpitait, rapide, rassurante, régulière, chaque explosion de la ligne de base signalant que le cœur du vieux *roadie* tenait la mesure, comme un batteur fidèle.

— Revenez dans une demi-heure. Inquiétez-vous pas, le pire est passé, reprit l'infirmière en le rabattant vers la sortie.

Surprenant se retrouva face à sa mère qui, assise dans la salle d'attente, pleurait silencieusement. Il s'assit à sa droite et prit sa main, en partie pour la consoler, en partie pour qu'elle cesse de tortiller son foulard.

— Il est correct, dit-il. L'infirmière me l'a dit.

— J'aurais jamais cru, j'aurais jamais cru.

Il ne dit rien, surpris de sentir les larmes couler sur ses joues. Il tenait toujours la main droite de sa mère, ce morceau de chair sèche semée de taches brunes, reliquat de la main parfumée, troublante, qui calmait son angoisse quand enfant il s'éveillait en criant dans la nuit.

Ils pleuraient tous deux, adultes, finalement unis dans la peur de perdre – pour toujours, cette fois – l'homme dont le départ avait bouleversé leur vie.

— Tu sais, j'ai jamais cessé de l'aimer, reprit la mère, souriant tristement. Je croyais qu'il était mort, mais je savais comment il était tricoté. Je pouvais pas m'empêcher de garder un petit espoir. J'avais jamais vu le corps, j'avais jamais eu la preuve qu'il était mort.

Un voyant rouge s'alluma en Surprenant. Il lâcha la main de sa mère. Le charme était rompu. Il avait perçu, dans le ton de sa voix, qu'elle ne disait pas toute la vérité. Elle ne pleurait pas seulement sur son beau Maurice, mais sur elle-même, à cause de cette circonstance inconnue, de cette chose non dite qui avait empoisonné son enfance.

Un homme en pyjama vert sortit de l'unité des soins intensifs, un dossier d'acier sous le bras, et les repéra.

— Vous connaissez M. Supernant ?

— C'est mon père.

Court, entre deux âges, les avant-bras poilus et musculeux, le docteur Akkad affichait la mine courtoise mais lasse d'un intensiviste achevant son quart de travail.

— À quel hôpital votre père a-t-il été opéré ? Il ne veut rien nous dire.

— Il peut parler ? demanda la mère.

— S'il le voulait, oui.

En quelques mots, Surprenant lui communiqua ce qu'il savait de l'hospitalisation au Cedars-Sinai.

— Nous croyons qu'il a fait une septicémie sur une rétention urinaire. Avec ce que vous me racontez, il faut envisager d'autres possibilités. Il peut avoir des abcès intra-abdominaux ou des métastases. Donc, pas de carte d'assurance maladie ?

— Officiellement, il est citoyen américain, dit Surprenant.

— Il est assuré ?

— Non, mais nous pouvons...

— J'ai ceci..., commença la mère.

De son grand sac noir, d'un âge immémorial, elle tira une feuille de papier jauni, pliée en quatre.

— Son baptistaire. J'imagine que ça peut servir. À part ça, il a une cicatrice de deux pouces de long à l'intérieur de la cuisse gauche. Vous pouvez vérifier.

La porte du chalet, témoignant d'un départ précipité ou d'une confiance illimitée dans l'honnêteté des voisins, n'était pas verrouillée. Surprenant entra et alluma. Il retrouva, presque intact, le chalet qu'il avait fréquenté pendant son enfance. Le grand séjour, qui servait aussi de salle à manger et de cuisine, s'ouvrait sur la rivière par des fenêtres carrelées en enfilade. À l'arrière, la salle de bain et les chambres, deux rallonges à ce qui n'était à l'origine qu'un camp de pêche. L'odeur, dans son souvenir un mélange de vase, de cèdre, de bière et de viande rôtie sur le barbecue, avait cependant changé. Le chalet de l'oncle Marcel, en pleine nature, sentait maintenant le vieux, la poussière, le renfermé, peut-être l'urine. Devant les fenêtres, au lieu du vieux fauteuil brun, profond comme un tombeau, dans lequel son grand-père Armand aimait s'asseoir pour regarder les Expos à Télé-Métropole, se trouvait une table surmontée d'un ordinateur portable, d'une imprimante, d'un cendrier plein de mégots et d'une bouteille vide de Budweiser. Marcel étant notoirement résistant à tout progrès technologique, il se trouvait, sans nul doute, devant le poste d'écrivain de son père.

Il tapa sur une touche. L'accès était protégé par un mot de passe. Il tira une Budweiser du frigidaire, éteignit le plafonnier pour apprécier le coucher du soleil, s'assit dans une berçante et attendit.

Marcel se pointa, une heure plus tard, à la nuit tombée. Alerté par la présence de la BMW dans la cour, il cria depuis le tambour :

— Qu'est-ce que vous fabriquez dans le noir ?

Surprenant ne répondit pas. Marcel entra, silhouette fantomatique, et alluma. À la vue du visage de son neveu, il devina qu'il s'était passé quelque chose.

— Où est Maurice ?

— À l'hôpital. Crains pas, il va s'en sortir.

— C'est sa grippe ?

— C'était pas une grippe. Il était en train de s'empoisonner avec sa pisse, si j'ai bien compris.

Furieux, Surprenant eut envie d'ajouter « sous tes yeux » ou « Tu ne trouves pas que ça pue, ici ? » Il se contint, conscient qu'il n'aurait que projeté sa propre culpabilité. Lui-même n'avait pas été d'un grand secours depuis le retour du père prodigue. Absorbé par son enquête, il n'avait même pas cherché à l'emmener chez le médecin. Il ne s'était pas demandé non plus si sa condition nécessitait une médication, ce qui avait d'ailleurs intrigué le docteur Akkad. Fier ou inconscient, le beau Maurice avait continué, sans béquille chimique, à jouer à l'adolescent.

— Tu es sûr qu'il est correct ? insista Marcel.

— Ils vont le passer au scanneur demain matin pour s'assurer que ce n'est pas son cancer ou une complication de son opération.

— Son cancer ? Il m'a dit qu'il avait fait une torsion de l'intestin !

Marcel s'avança, sans prendre la peine d'enlever ses bottes de chasse, tira une bière du frigo et s'affala dans ce qui semblait être son *lazy-boy* favori.

— Avez-vous *parlé*, Maurice et toi ? demanda Surprenant après une pause réprobatrice.

— Ton père, tu sais…

— C'est un peu facile de dire « Ton père, tu sais » ! Mon père n'est pas déficient intellectuel, ni toi d'ailleurs. J'ai quarante-sept ans. J'ai l'âge de connaître la vérité.

— La vérité à propos de quoi ?

— Fais pas l'innocent. Quand j'ai débarqué ici avec lui dimanche soir, t'avais pas l'air plus surpris que s'il revenait de s'acheter un *six-pack* au dépanneur.

— Normal. Il m'avait appelé la veille de Los Angeles.

Marcel s'exprimait calmement, avec trop de précaution pour être crédible.

— C'est toi, justement, qui m'as dit qu'on avait vu Maurice en Californie.

— J'ai juste répété ce que Roland Audette m'avait dit.

— Ben commode, ton chum Audette. Surtout mort au cimetière.

L'oncle prit une gorgée de bière, les yeux fixés sur son visiteur.

— Qu'est-ce que tu veux ?

— La vérité sur la disparition de mon père. La vérité sur mes parents.

— Tu m'as dit que Maurice est tiré d'affaire ? Tu lui demanderas.

Le Hibou se leva et se dirigea vers la porte.

— J'ai des canards à arranger.

Surprenant le regarda disparaître, réfléchit quelques instants avant de sortir lui aussi. L'air du soir était frais, humide. Les têtes des deux pins qui gardaient l'entrée se balançaient sous un vent annonciateur de pluie. De la lumière brillait dans la remise, à l'extrémité du terrain. Il y trouva son oncle en train de plumer un canard. Encore flasques, trois autres oiseaux, leur robe chatoyante ternie de boue et de sang, gisaient sur le plancher en contreplaqué. Marcel travaillait de façon méthodique, mais ses mouvements précis, répétitifs, exprimaient une colère contenue. Depuis son plus jeune âge, la chasse et la pêche lui servaient à la fois d'exutoire et de métaphore. Le monde appartenait aux plus forts. La vie était injuste et cruelle. Lui, le vieux garçon, l'ouvrier retraité de la Pirelli, ne pesait pas lourd dans la balance, mais demeurait néanmoins, dans son modeste chalet, en face de son ruisseau boueux, maître de son destin. Dans l'étroit sillon qui était le sien, il ne nuisait à personne mais refusait, juste contrepartie, de se faire embêter par le premier passant, serait-ce son neveu.

Surprenant s'assit derrière lui, sur une chaise tachée de peinture. Son oncle lui tournait le dos. À bien y penser, cela faciliterait peut-être le dialogue.

— Comment se sont-ils rencontrés ?

— Tu connais l'histoire. Nicole aidait son père à la quincaillerie, sur la 9e. Ton oncle Jos et moi, on était tout le temps rendus là, pour un outil ou une pièce. C'était une belle fille. Un moment donné, Jos l'a invitée aux vues.

— Jos ? Il devait avoir cinq ans de plus qu'elle !

— À dix-sept ans, ta mère avait toute sa tête. Sans parler du reste. Pour faire une histoire courte, ça n'a pas marché avec Jos, mais Nicole est restée proche de la famille. Elle a eu d'autres cavaliers, c'était pas ça qui manquait. À la fin, c'est Maurice qui a emporté le lot.

— Le lot, tu parles ! Ils se sont mariés obligés.

Marcel interrompit sa tâche et tendit la main vers sa bouteille.

— Ils avaient entamé leur capital. Tu peux me croire, c'était pas les premiers.

— Maurice m'a dit : « C'est parti croche, c'est resté croche. »

— C'est pas à moi à te dire ce qui s'est passé entre ta mère et ton père. Tu lui poseras tes questions en pleine face.

— S'il ne veut pas me parler ?

— C'est votre problème.

— Tu le couvres. Tu savais qu'il n'était pas mort.

Marcel Surprenant soupira, déposa brutalement le canard sur le comptoir et se tourna vers son neveu.

— Sais-tu ce que je savais ? C'est qu'on avait trouvé son camion, la portière ouverte, dans une rue de Saint-Jean. C'est tout. Plus le temps passait, plus c'était louche. C'était l'un ou l'autre : ou on l'avait tué, ou il s'était sauvé comme un lâche.

— Il m'a dit qu'il faisait des petites jobs pour la mafia de Longueuil. C'est vrai ?

Marcel parut pris de court.

— Probablement. Maurice n'avait pas son pareil pour se mettre les pieds dans les plats.

— Roger était au courant ?

— Roger ? Monsieur l'architecte était à Outremont. Il se foutait de nous comme de l'an quarante.

Une nouvelle fois, Surprenant mesurait la profondeur du fossé qui séparait son oncle Roger, le seul instruit, de ses trois frères.

— Cherche pas de midi à quatorze heures, André. Si j'avais eu la preuve que Maurice était vivant, je te l'aurais dit. Il est peut-être sur ses derniers milles. S'il a quelque chose à t'avouer, il faut que ça vienne de lui.

Pierre-Antoine Deschamps avait accepté de retarder leur rendez-vous avec ce qui ressemblait presque à de la bonne humeur :

— 20 heures ? Ça me donnera le temps de terminer mon prochain article. J'ai hâte que vous lisiez ça, sergent !

— Qui sait ? J'apprendrai peut-être quelque chose.

— 20 heures en bas de l'édifice de *La Presse*. Gardez-vous un trou, je connais un bon italien sur Saint-Paul. Ça ne dérangera pas trop vos habitudes.

Surprenant raccrocha sans répliquer. Après avoir mis Geneviève au courant des derniers développements, il se pointa au rendez-vous avec cinq minutes d'avance, ce qui lui permit de revisiter la cabine téléphonique d'où l'amputeur, trois jours plus tôt, avait contacté le journaliste pour lui signaler l'apparition de la main de Brancato sur la porte de la basilique. La cabine, débarrassée de ses rubans, ressemblait à toutes ses semblables. Surprenant y chercha sans succès un nouveau message de l'assassin avant de s'attarder une deuxième fois sur sa localisation. On avait téléphoné à Deschamps d'une cabine située à moins de cent mètres de son lieu de travail. Était-ce un hasard ? Partageait-il ses informations avec un collaborateur ? Ses données pouvaient-elles être piratées par un employé du journal ? Surprenant retourna, pensif, dans le hall d'entrée, où un gardien l'examina d'un œil soupçonneux. Deschamps apparut sur ces entrefaites dans son imper Casablanca.

— À la soupe ! J'ai une faim de tous les diables.

Le ton, trop jovial, trahissait une grande tension. Le journaliste entraîna Surprenant sur Saint-Jacques en direction ouest. Un vent hargneux, se faufilant entre les immeubles, le fit frissonner. Ils marchèrent quelque temps en silence. Deschamps, menton tendu vers l'avant, affichait la pâleur d'un duelliste.

— Je suis content de vous voir, Surprenant. J'ai des choses à vous dire.

— Comme quoi ?

— Tantôt. Vous en êtes où ? Je parie que vous farfouillez dans la vie secrète de Luca Brancato.

— C'est moi qui pose les questions ce soir. Rappelez-vous, cet entretien devait avoir lieu à Versailles.

— Pensiez-vous vraiment que je me jetterais dans la gueule du loup ? Un fou dans une poche ! Au moins, je vais souper ce soir sur le bras du bon peuple !

Le journaliste, qui marchait à la gauche de Surprenant, se tournait vers lui pour le narguer lorsque Surprenant perçut, derrière lui, un claquement sec qui lui rappela la salle de tir de Versailles. Le visage de Deschamps se crispa, incrédule. Deux autres détonations : sa tête éclata. Surprenant sentit une brûlure dans son dos, se jeta par terre. Alors qu'il cherchait à tirer son arme de son holster, il aperçut, cinq mètres derrière lui, une Mercedes noire, stationnée le long du trottoir, qui démarrait en trombe. Au volant, il entrevit, l'espace d'une seconde, un petit homme cagoulé.

La Mercedes était à plus de quinze mètres quand il dégagea son pistolet. Inutile et dangereux de tirer. Il se tourna vers sa gauche. Pierre-Antoine Deschamps, le crâne fracassé, l'imperméable percé de deux trous, se vidait de son sang et de sa cervelle sur le trottoir mouillé.

23

ABCD

— Vous êtes droitier ?

— Gaucher.

— Vous faites des sports de raquette ?

— Non.

— Parfait. Vous avez perdu une partie de votre sous-épineux. Rien de grave. Avec un peu de physio, vous allez récupérer. Si vous aviez à exécuter des revers brossés, par contre…

Le résident en chirurgie de l'hôpital Saint-Luc n'avait couru aucune chance avec ce sergent des crimes majeurs qui atterrissait dans son urgence. Il avait appelé l'orthopédiste de garde qui avait interrompu son match de double pour évaluer l'omoplate du policier.

— Je pourrai travailler ? demanda Surprenant.

— Gratter du papier, peut-être. Aucun mouvement du bras de grande amplitude avant trois semaines. Vous avez une chance du diable : cinq centimètres à droite, c'était votre poumon et votre humérus qui y passaient. Quinze centimètres et vous étiez bon pour le fauteuil roulant ou pour la morgue, comme votre copain.

— J'ai une faveur à vous demander. Appelez mon patron, à ce numéro, et dites-lui que je suis tout à fait apte à reprendre le service.

— Le service ? C'est encore pire que le revers brossé. Je vais voir ce que je peux faire.

Dix minutes plus tard, sa blessure proprement pansée, Surprenant retrouvait Geneviève dans le corridor. Elle tenta de sourire, de faire la brave, sans succès : il vit, à ses yeux rougis, qu'elle avait pleuré. Elle se leva, s'approcha, posa ses deux mains sur sa poitrine, comme pour s'assurer qu'il était là.

— Tu es content, là ? demanda-t-elle, comme à un enfant qui se serait blessé en jouant à un jeu défendu.

— Pas vraiment. Sortons d'ici. Deux hôpitaux dans la même journée, c'est suffisant. As-tu récupéré ma BM ?

Elle lui tendit les clefs et marcha résolument vers la sortie, tête baissée.

— Qu'est-ce qu'il y a ? demanda-t-il.

— Tu retournes sur le terrain ?

— J'ai à peine une égratignure.

Elle soupira d'un air excédé.

— Brazeau veut que tu le rappelles. Excuse-moi, c'est la tension qui se relâche. À part ça, vas-tu te promener avec ta veste trouée ?

Brazeau était au domicile de Deschamps, rue Fullum.

— Ton dos ?

— Quelques points de suture, c'est tout. Et une veste *scrappée.*

— Tu devrais rappliquer ici, c'est pas le matériel qui manque.

— J'arrive.

Geneviève le regardait. Elle reprenait son aplomb, soulagée de le découvrir indemne ou presque. Il la prit par l'épaule et la guida, à travers soignants, malades et civières, vers les portes vitrées.

— Sortons d'ici, je me répète.

— Nicole a appelé. Ton père est hors de danger. Il a même mangé un peu en soirée.

— C'est demain qu'on saura vraiment ce qui se passe.

— Nicole semblait contente de le retrouver, c'est à n'y rien comprendre.

— Le cœur a ses raisons…

— Que la raison ignore.

— Ne connaît point. C'est de Pascal.

— Tu es un puits de connaissances, sergent Surprenant.

— On nous drillait comme il faut, au collège.

— Allez, va!

Ils s'embrassèrent sous l'œil d'un travesti en béquilles qui fumait une cigarette en compagnie d'une préposée. Surprenant fit démarrer le moteur de la Z3 avec le sentiment d'être le plus chanceux des hommes.

Le ciel s'était éclairci, le vent était tombé, le concert du jeudi s'achevait sur la Sérénade de Schubert, le boulevard René-Lévesque étalait ses feux jusqu'à la silhouette du pont Jacques-Cartier. Il passa sur un feu jaune foncé, pencha son torse vers l'avant pour éviter que sa blessure ne touche le dossier de son siège. La vague de bonheur et de gratitude qui l'avait soulevé se retirait. Seul, il pouvait admettre qu'il avait eu la peur de sa vie. Il avait bien reçu un éclat de verre au visage, trois ans plus tôt en Haute-Mauricie, mais ce n'était pas la même sensation que d'être touché par une balle. En surface, il affichait, machisme oblige, une indestructibilité adolescente. Sous cette attitude de bravache, son moi rationnel ramenait l'attentat à ses circonstances objectives : son travail d'enquêteur dans une grande ville nord-américaine le plaçait dans des situations dangereuses, dont la dernière, extrême, avait été une fusillade. Plus profondément encore, il avait, cinq ou six secondes, affronté l'horreur. Il avait d'abord éprouvé la peur de mourir avant de découvrir, à un mètre de lui, le cadavre de Deschamps, ce crâne éclaté surtout, d'où s'échappaient des morceaux de cerveau. La vie, la conscience, finalement, ce n'était que ça, de la matière grise dans laquelle circulaient des influx électriques. Il devait aussi admettre qu'il avait ressenti, en tant que policier, une frustration égoïste : les connaissances de Deschamps, le résultat de décennies d'enquêtes, peut-être la clef de la série de meurtres, lui échappaient pour de bon.

Qui était derrière cet assassinat ? Chose certaine, le journaliste n'avait pas été tué à l'aide d'un calibre 22. Par son audace, par son efficacité, le meurtre portait la signature du crime organisé. Surprenant ne croyait pas aux coïncidences. A, B, C, D. Il fallait aussi envisager que l'exécution de Deschamps soit liée à celles d'Alcindor, de Brancato et de Crevier.

Le 1953 Fullum était le premier étage d'un triplex situé à côté du théâtre Espace Libre. La façade était en pierre grise, les portes, de chêne massif, les fenêtres, garnies de vitraux. Par un escalier tournant, Surprenant accéda à un balcon occupé par une table ronde, deux chaises en osier et deux boîtes où flageolaient des cadavres de géraniums. La porte, ornée du logo d'une agence de sécurité, n'était pas verrouillée. Il tomba, dès la sortie du vestibule, sur Sasseville qui fouillait la bibliothèque du grand salon double.

— Et puis ? s'informa Surprenant.

Sasseville le regarda comme s'il était déguisé en fée des étoiles.

— Qu'est-ce que tu fais ici ? Brazeau m'a dit que tu étais blessé.

— Une éraflure.

— Ce n'est pas conforme aux procédures. Normalement, tu devrais être débriefé et retiré du terrain.

— Personne ne m'a mis sur la touche et l'enquête continue. Qu'est-ce que tu as ici ?

— Des romans, des DVD, des albums de photos, des livres d'histoire, rien d'extraordinaire.

— Ramasse les photos, c'est toujours instructif.

Il reconnaissait déjà les lieux. Partout, aux angles des murs et aux fenêtres, des détecteurs de mouvement. L'appartement de Deschamps, où régnait un discret désordre, était divisé comme la plupart des vieux appartements du Centre-Sud : à l'avant, deux salons doubles séparés par un corridor, à l'arrière, la cuisine et une chambre attenante. L'un des salons doubles tenait lieu de chambre, l'autre, de salon et de salle à manger, tandis que la pièce arrière, la plus spacieuse et la plus éclairée, avait été transformée en bureau. Surprenant y trouva Brazeau fouillant dans un classeur métallique.

— Tu n'es pas mort ? demanda LP sans se retourner.

— C'était quoi, déjà, le film ? *Heaven can wait ?*

— Ce maudit PAD va nous embêter jusque dans sa tombe. Tout est numéroté.

— Tu veux dire ?

— Il y a des coupures de presse, des références à des livres ou des articles, mais tout est classé par numéro, comme s'il y avait une fiche maîtresse, une sorte de clef de voûte, quelque part.

— Un peu parano, notre PAD. Le système d'alarme était en marche quand vous êtes arrivés ?

— Nous avons dû appeler la centrale.

— Cette pièce ne lui ressemble pas. Pourtant, ça devait être le centre de sa vie…

Le bureau de Deschamps, ordonné, classique avec sa déclinaison de noirs, de gris et de blancs, tranchait avec le laisser-aller bohème du reste de l'appartement. Les lieux correspondaient à ce que Surprenant avait perçu du journaliste : sous l'enveloppe du jouisseur malappris, un esprit vif, analytique, absorbé par son obsession : la drogue et le crime organisé. Entre les classeurs, sur le mur du fond, une photographie en noir et blanc d'une beauté aux traits ibériques. La femme d'une trentaine d'années, cheveux noirs au vent, souriait au photographe. En arrière-plan, flous, un toit de chaume, un coin de ciel, quelques palmiers.

— Julieta, dit Surprenant.

— Pardon ?

— La femme de Deschamps, tuée à Juárez par les hommes d'un cartel. Quand on y pense, il a passé le reste de sa vie à la venger.

— Pour mourir à peu près de la même façon…

— J'ai vérifié hier : Julieta Ruiz Lopez a été exécutée d'une balle dans la nuque.

Les deux policiers se regardèrent.

— A, B, C, D, poursuivit Surprenant. L'assassin connaît l'alphabet...

— Mais il a changé d'arme. Et n'a pas laissé derrière lui de petite branche.

— L'ordinateur ?

— Il est protégé par un mot de passe. Les W s'occuperont de ça.

— Qui a avisé la famille ?

— Bibi. Pas du gâteau. Laurence, sa fille aînée, vit au rez-de-chaussée. Trente-neuf ans, mariée, physiothérapeute, deux enfants. Mathieu, né du deuxième mariage, habite au-dessus. D'après ce que j'ai compris, le triplex appartenait à Deschamps, il a vendu le rez-de-chaussée à sa fille pour conserver l'appartement en sandwich.

— Comment ils ont réagi ?

— La fille est solide. Elle a dit : « Ça devait finir par arriver. » Le premier choc passé, elle a cherché à joindre son frère, qui était sorti. Elle avait peur qu'il apprenne la nouvelle par Internet ou la télé. Ça l'inquiétait beaucoup.

— D'autres enfants ?

— Une autre fille du premier lit, Catherine, qui vit en France.

— Une conjointe ? Une amie de cœur ?

— D'après sa fille, Deschamps avait des amis, féminins, masculins, sans plus.

Une voix familière leur parvint du salon. Guité, qui ne visitait les scènes de crime qu'en des occasions choisies, fit son apparition, en compagnie de Sasseville qui tenait dans ses bras trois albums de photographies.

— L'ami Deschamps a frappé son Waterloo, messieurs ?

Guité avait emprunté, selon son habitude, un ton léger, ironique. Surprenant ne s'y trompa pas : le patron des escouades spécialisées, l'œil aux aguets, le teint pâle, n'était pas enchanté de la tournure des événements.

— « Waterloo ! Waterloo ! Waterloo ! Morne plaine ! », cita Brazeau, toujours penché sur son classeur.

— Qu'est-ce qu'il raconte ? s'informa Sasseville.

— Victor Hugo, dit Surprenant.

— Arrêtez de niaiser ! ordonna Guité. J'arrive de la rue Saint-Jacques. C'est la foire. Le meurtre de Deschamps est *on line*. Mieux que ça, le chef de pupitre de *La Presse* m'a confirmé que son dernier article va paraître à titre posthume demain matin. Dieu sait ce qu'il y a là-dedans. En un mot, on est dans le trouble, messieurs !

— On a comme qui dirait compris ça, convint Brazeau en se dépliant.

— Qu'est-ce que vous avez trouvé jusqu'ici ?

— Un ordinateur barré, des dossiers classés selon un code, un appartement protégé par un système d'alarme, énuméra Brazeau. Le gars était un maniaque du secret.

— Il devait bien avoir un cell ?

— Je l'ai ici. Il est sous scellés, prêt à livrer aux technos.

— Vous avez consulté ses appels ?

— C'est comme l'ordi : le téléphone est protégé par un mot de passe.

Guité inspira profondément.

— Bon, dit-il d'un ton plus détendu. Qu'est-ce que vous pensez du meurtre ? Est-ce que notre motté a changé de *modus* ?

Quelque chose clochait dans ce mouvement de soulagement.

— Je ne suis pas sûr que nous ayons encore affaire à l'amputeur, répondit Surprenant. L'arme n'était pas du même calibre. Le meurtre était risqué, en pleine rue. On a tué Deschamps pour l'empêcher de me parler.

Pendant quelques minutes, les policiers revinrent sur les circonstances de l'assassinat, plus particulièrement les souvenirs de Surprenant : cette impression d'une auto noire qui les aurait dépassés, Deschamps et lui, alors qu'ils marchaient sur le trottoir sud, en direction ouest, rue Saint-Jacques, et qui se serait stationnée à une cinquantaine de mètres devant eux. Les deux marcheurs avaient fatalement passé la Mercedes, mais il ne s'en souvenait pas. Il conversait avec le journaliste, qui lui parlait de la gueule du loup et du bras du bon peuple. Ensuite, les trois coups de feu, le crâne éclaté de Deschamps, la Mercedes noire qui démarrait en trombe, avec une seule silhouette cagoulée derrière la vitre teintée qui se refermait.

— C'est tout ce que tu as comme élément de signalement ? demanda Guité.

— Un homme petit, cagoulé, verres fumés.

— Pourquoi affirmes-tu que c'est un homme ? observa Brazeau. Ça pourrait être une femme, pour ce que tu en as vu.

— J'ai eu l'impression que c'était un homme. C'est tout ce que je peux dire. On pourrait ajouter gaucher et bon tireur. Il a fait mouche trois fois en tirant de la Mercedes.

— Les Siciliens ? s'interrogea Guité.

Surprenant haussa les épaules.

— Le plus simple, c'est de penser qu'il n'y a qu'un assassin et que tout se tient. Par quel bout ? Je ne sais pas.

Surprenant rentra chez lui à 23 h 45. La lumière du porche brillait. La maison était silencieuse. Chat, de son lit, l'observait de ses prunelles insondables. Avec la fatigue et la fin de l'anesthésie locale, la blessure de Surprenant le faisait souffrir. Il enleva ses chaussures, suspendit sa veste trouée et se rendit à la cuisine en quête d'un verre de scotch. Un *post-it* était collé sur le téléphone : « NICOLE », de la main de Geneviève. Il prit le temps d'avaler une généreuse rasade de liquide ambré avant d'appuyer sur le bouton du répondeur.

« Juste un mot pour vous dire que Maurice est tiré d'affaire. La fièvre est tombée, il a pu boire et manger un peu. Il va passer des examens demain. Dites-moi qu'André n'a rien à voir avec le journaliste qui s'est fait descendre à soir. Je vous embrasse. Les p'tits gars de Geneviève aussi. »

Un clac discret. Surprenant vida son verre, s'en versa un autre, fit rejouer le message. La voix était chaude, heureuse. « Je vous embrasse. Les p'tits gars de Geneviève aussi. » Connaissait-il bien sa mère ? Elle semblait transformée par le retour du déserteur. Elle avait peut-être, elle aussi, quelque chose à se faire pardonner.

À l'étage, il entrouvrit les portes des chambres de William et d'Olivier, écouta leur souffle régulier. Ils étaient trop vieux pour qu'il remonte leurs couvertures ou vérifie s'ils ne faisaient pas de fièvre, comme il l'avait fait mille fois pour ses propres enfants.

Pénombre, odeur de lavande, sommeil profond dans la chambre conjugale. Le calme de Geneviève le rassura. Dans son bureau, il s'assit devant son ordi et ouvrit sa messagerie. Ana Tavares, comme il l'espérait, lui avait écrit, de son téléphone, à 23 h 24. *Trois douilles rue Saint-Jacques. Du 9 mm. Pas experte en balistique, mais ça peut provenir d'un P99. Personne ne la trouve drôle ici.*

Le Walther P99 QA était l'arme de service du SPVM.

24

LA GUEULE DE BOIS

Malgré la fatigue, Surprenant dormit mal. Il n'avait qu'une position confortable, couché sur le côté droit, et la douleur variait selon sa respiration. À 3 h 30, il avala deux comprimés de codéine. Quand le réveil le tira d'un sommeil de plomb, à 6 h 30, il se sentait fatigué et empâté. Il se lava à la mitaine, le plus vite qu'il put, refusa que Geneviève jette un œil à son pansement et prit le chemin de Versailles.

À la radio, à la télévision, la nouvelle de l'assassinat de Deschamps prenait le pas sur l'élection du président Obama. Il rejoignit Brazeau au Tim Hortons à 7 h 30. D'entrée de jeu, il le mit au courant du courriel d'Ana Tavares.

— Elle est fiable, ta Portugaise ? demanda LP, la bouche pleine.

— Elle ne m'a jamais mené en bateau.

— Une fille gentille en pas pour rire ! Tu sais pourquoi elle te file des tuyaux comme ça ?

— C'est une question de charme, affirma Surprenant en terminant un premier café.

— Tu es naïf.

— Tu ne trouves pas ça bizarre, un assassin qui laisse des douilles derrière lui ?

— Si le gars avait le bras sorti de la portière, qu'est-ce que tu voulais qu'il fasse ? Si ce n'est pas une arme fichée, il s'en fout, de toute façon.

— Peux-tu demander au beau-frère de ton cousin de regarder les douilles ?

— Pour commencer, Kevin est le cousin de mon beau-frère. Je vais l'appeler, mais ça se peut qu'il ne puisse même pas en approcher. Cette histoire-là, c'est de la dynamite. Imagine le dégât si un journaliste apprenait que Deschamps a été tué avec une arme de service.

— N'importe qui peut acheter un P99 sur Internet.

— Je le sais, mais ce qui compte, ce sont les apparences. Tu as lu *La Presse* ce matin ?

« PIERRE-ANTOINE DESCHAMPS ASSASSINÉ
AUX CÔTÉS D'UN ENQUÊTEUR DU SPVM »

La une de *La Presse* montrait, sur une demi-page, une photo couleur de la scène de crime, rue Saint-Jacques, les ambulanciers s'affairant encore autour du corps du journaliste.

— C'est pas fini, ricana Brazeau. Regarde la page trois.

Dans un encadré intitulé « Son dernier article », le rédacteur en chef soulignait d'une plume pleine de sous-entendus les états de service de Deschamps et les circonstances nébuleuses de son assassinat, se permettant même de terminer sur un insidieux « Pierre-Antoine Deschamps en savait-il trop au gré de certains ? » À côté s'étalait, sur trois colonnes et surmonté de sa bouille de séducteur, l'ultime coup de gueule du chroniqueur. « Le SPVM infiltré par le clan Scifo ? » L'article s'appuyait, en remontant aussi loin que la période du *red light* des années 40, sur une stratégie classique du crime organisé, nommément de la filière italienne : neutraliser les pouvoirs judiciaire et politique en les soudoyant ou en les infiltrant. Après avoir rappelé les dérives des chantiers des Olympiques de 1976, le scandale de la viande avariée révélé par la CECO, la proximité du clan Cuntrera-

Caruana avec le Parti libéral du Canada et le scandale des commandites, les liens de plus en plus troublants entre les entreprises de construction, les centrales syndicales et le pouvoir municipal, Deschamps tapait une dernière fois sur son clou : le SPVM, sous sa façade d'intégrité, était infiltré par la mafia. Ses escouades spécialisées, qui devraient être son fer de lance dans la lutte au crime organisé, ne savaient plus à qui se fier. Des informations vitales, notamment le nom de leurs contacts dans le milieu, étaient divulguées à l'ennemi. À l'inverse, les policiers étaient en proie à des manœuvres de désinformation. De précieuses sources avaient été liquidées par la mafia. L'article se terminait sur ce paragraphe :

« À la vue de ce gâchis, faut-il se surprendre devant des actes aussi violents que ceux attribués au célèbre (et commode) Amputeur de Montréal ? Le crime et le trafic de drogue n'ont jamais été aussi florissants dans notre communauté. Pendant ce temps, le SPVM recrute, sous l'influence de décideurs occultes, des enquêteurs dont les antécédents personnels et familiaux n'ont rien de rassurant. Pouvons-nous encore faire confiance aux autorités, en particulier au SPVM, pour nous protéger ? L'avenir le dira. »

— Hostie ! jura Surprenant. L'article a été retouché, ça ne se peut pas !

— Ça se peut, mon cher. Attends-toi à ce que ton mariage avec Maria et tes démêlés avec la SQ soient dans le journal demain matin. Je ne sais pas ce qui se passe, mais Deschamps t'avait dans sa ligne de mire. Et ça s'adonne qu'il est mort à cinq pieds de toi, tué par des balles de Walther P99.

Surprenant, plutôt abattu, réfléchissait. Brazeau lui allongea un coup de poing affectueux sur l'épaule gauche.

— Ouch ! fit Surprenant.

— Excuse. Relaxe, tu n'es pas suspect *pour l'instant*. Pour te changer les idées, j'ai peut-être quelque chose au sujet de l'agence d'escortes d'Alcindor.

Le 20 juin, Amélie Caron, vingt-deux ans, originaire de Trois-Rivières, avait été trouvée sans vie dans un quatre et demie de Parc-Extension. Garrot, aiguilles, cuiller, sachets, appartement en désordre, la scène était trop familière. L'overdose était-elle accidentelle ou volontaire ? La jeune femme habitait seule depuis que sa coloc avait terminé sa session à l'université. Elle-même avait abandonné ses cours six mois plus tôt. Sur les lieux, des accessoires sexuels, des médicaments psychiatriques, des condoms, un cell mauve avec des contacts douteux. Le jour même, les enquêteurs du 33 la reliaient à un réseau d'escortes contrôlé par les Rouges, plus précisément Desmond Alcindor.

— Une universitaire dans un réseau de prostitution ? s'étonna Surprenant.

— Arrive en ville. La fille était paumée, n'avait pas d'argent, plus de famille. La carence affective, la dépendance, ça ne respecte pas les classes sociales ou l'éducation.

— Mettons. Qu'est-ce qui s'est passé avec Alcindor ?

— L'affaire a fait un peu de bruit dans le secteur, une fille a voulu porter plainte, puis a eu la trouille et s'est rétractée. J'ai parlé à Christian Thouin, l'enquêteur du 33. Il a serré un peu Alcindor, mais il a été obligé de le laisser aller sans accusation. Alcindor a quand même dû déménager sa business, changer ses annonces, son *front*, ses numéros. Ç'a dû lui causer des problèmes parce que sa veuve m'en a parlé.

— Il y avait aussi une histoire de dette, si je me souviens bien.

— Ces gars-là ont toujours des dettes. Les filles, on n'en parle pas.

— Bon, nous savons maintenant que cette fille a travaillé pour Alcindor, qui est probablement la première victime du tueur. Ensuite ?

— Moi, j'irais jaser avec la coloc.

— C'est une idée. On va être en retard pour la réunion.

Le lieutenant Stéphane Guité, cravaté, rasé de près, raide comme un piquet dans son uniforme, les attendait dans la salle de réunion. Selon la rumeur, Lorraine était toujours « indisposée ». Guité consulta sa montre-bracelet, amorça la réunion à 8 heures pile, en l'absence de Hudon, Rossi et Guzman.

— Si je suis sur mon trente-six, messieurs, c'est qu'il y a une conférence de presse à 10 heures. Avez-vous lu *La Presse* ce matin ?

Surprenant, Brazeau, Sasseville, de même que les deux recrues, Alice Verreau et Simon Boulet-Larose, hochèrent la tête. Sandrine Vadeboncœur, assise seule face aux membres de l'escouade des crimes majeurs, fixait par la fenêtre la masse grise de Louis-H, comme si le contenu des médias n'était à ses yeux qu'un épiphénomène sans intérêt.

— Je n'ai pas besoin de vous faire un dessin, poursuivit Guité. La mort de Deschamps et son dernier article mettent le SPVM, et André ici présent, sur la sellette. Comme si nous n'avions pas assez de l'amputeur, nous devrions maintenant faire face à un ennemi interne.

Il y eut un silence, que Surprenant brisa.

— Vous avez employé le conditionnel. Est-ce que nous devons en conclure que le SPVM n'est pas infiltré ?

Guité regarda Surprenant avec attention, sans qu'il soit possible de savoir s'il considérait que sa question était pertinente ou malhabile.

— L'article de Deschamps dévoile ce que nous savons tous : il y a toujours eu un jeu de *give and take* entre la pègre et la police. Espionnage, contre-espionnage, agents doubles, tous les coups sont permis. C'est mon travail de voir à ce que nous gardions une longueur d'avance. Cette guerre reste au niveau de l'état-major, pas des troupes.

— Je fais partie de la troupe, si je comprends bien ?

— Exactement. Si je vous parle de cet article, c'est pour vous rappeler que le SPVM a intérêt à ce que cette vague de meurtres soit élucidée au plus sacrant. Nous avons beaucoup de pain sur la planche.

Hudon et Rossi entrèrent sur ces entrefaites, ce qui causa un certain froid. Guité ne releva pas leur retard, comme s'il en connaissait la cause. Il attendit que les enquêteurs de l'antigang aient pris place puis annonça :

— Avant de parler de Deschamps, nous avons droit à un *antipasto.*

Hudon projeta une photographie sur l'écran : deux gros barils de fer rouges contre un mur de brique, dans la cour de ce qui semblait être une station d'essence désaffectée.

— Boulevard Lacordaire, en plein territoire des Rouges. Le baril de gauche, c'est Billy. Le droit, c'est Lavalette.

Deuxième cliché, cette fois englobant les deux couvercles grossièrement identifiés « B » et « L ». Bruits de chaise, raclements de gorge, les policiers tentaient de dissimuler leur malaise.

— Je vous épargne le reste, dit froidement Hudon. Les gens du poste 27 pensent que les barils sont arrivés là dans la nuit de mercredi à jeudi. Le propriétaire du terrain a appelé à cause de l'odeur.

Après un silence, Sasseville demanda s'il pouvait préciser.

— L'acide et la chair décomposée, ça ne donne pas tout à fait du *N° 5*. L'agent qui a ouvert le baril est retourné directement chez lui.

— Vous êtes certains que c'est Lavalette ?

— Parthenais devrait confirmer d'ici quelques jours, répondit Rossi d'un ton grave. Scifo a voulu faire un exemple. Ça commence à jouer dur.

Bien qu'il en ait vu d'autres, le vétéran paraissait éprouvé. Lavalette était sa source. Son meurtre, dans des circonstances aussi atroces, n'était plus un accident de parcours ou un dommage collatéral, mais une défaite personnelle.

— *Farewell Billy*, grinça Guité. Revenons au meurtre de Deschamps. Brazeau ?

La blessure de Surprenant avait propulsé LP à l'avant-scène. Avec un plaisir non dissimulé, il fit son rapport. Pierre-Antoine Deschamps, soixante-deux ans, avait été tué de trois projectiles de calibre 9 mm la veille, rue Saint-Jacques, à 20 h 09. Surprenant avait identifié une Mercedes noire. Un passant marchant plus à l'ouest, alerté par les coups de feu, avait confirmé la marque en plus de spécifier que la berline, vraisemblablement une 300, avait tourné à gauche sur la place d'Armes.

— Devant la basilique, souligna Surprenant. En fait, Deschamps a été tué à moins de cent mètres de la cabine téléphonique d'où on l'a appelé lundi matin.

— C'est un élément à considérer, reconnut Guité. Continue, LP.

— La scène de la rue Saint-Jacques ne révèle pas grand-chose. Deschamps ne transportait pas de documents, pas même de clef USB. Son appartement est protégé par un système d'alarme, son ordinateur et son téléphone, par des mots de passe. Guzman est actuellement à *La Presse*. L'ordinateur et les documents de Deschamps ont été saisis, on a dû obtenir un mandat. Laurence, la fille aînée, croit que son père a été descendu par le crime organisé. Le fils, Mathieu, qui occupe l'appartement au-dessus, a finalement été contacté à minuit et quart, par le téléphone d'un ami. Il est sous le choc.

— C'est trop facile de mettre le meurtre sur le dos du crime organisé, intervint Hudon. Ils n'ont pas l'habitude de descendre les journalistes.

— Vous oubliez Michel Auger, rétorqua Guité.

— J'ai peut-être un élément de réponse, intervint Surprenant.

Il relata sa rencontre de la veille avec Vinny Palizzolo, notamment ses contacts avec Deschamps et les questions pressantes de celui-ci concernant les relations entre Brancato et les Haïtiens.

— Deschamps faisait son travail, dit Hudon. Il questionnait un proche d'une victime dans l'espoir d'obtenir un *scoop*.

— Palizzolo a répété que, selon ses mots, « quelqu'un parlait et mettait la merde ». C'était qui, sinon Deschamps ?

— Palizzolo invente cette histoire pour sauver sa peau, objecta dédaigneusement Rossi. Leggio est un *capo* des Scifo. Il n'est pas enchanté d'apprendre que Brancato trafiquait peut-être en cachette dans son territoire. Palizzolo aurait dû le signaler ou essayer de le raisonner.

— Justement, vous avez appris où Brancato prenait sa coke ? demanda Guité.

— On soupçonne qu'il s'approvisionnait du côté de la gang de l'Ouest, dit Hudon.

— Vous *soupçonnez*?

— Qu'est-ce que tu veux qu'on trouve, Stéphane? tempêta Hudon. Des contrats signés chez le notaire? Des conversations enregistrées?

Guité blêmit. Hudon avait beau avoir plus d'ancienneté que lui au SPVM, il ne pouvait l'appeler par son prénom en pleine réunion.

— Des conversations enregistrées, ou quelque chose pour soutenir une accusation devant un tribunal, ça ferait mon bonheur, justement! Et je prendrais ça plutôt *sooner* que *later*, Charrrrles!

Surprenant, enchanté, reprit l'hypothèse que Deschamps avait été tué parce qu'il était devenu une menace pour la mafia.

— Une menace pourquoi? s'enquit Guité.

— Deschamps savait des choses ou parlait trop. Je pense qu'on ne peut pas balayer du revers de la main ce que Palizzolo m'a conté hier. Quelqu'un a pensé que Deschamps, vivant, était dangereux.

— Je suis d'accord.

La pythie avait commencé son oracle.

— Explique, ordonna Guité.

— Palizzolo est un personnage secondaire dans cette histoire. Il est vieux, il s'est montré loyal envers son patron, même si ça pouvait lui attirer des ennuis. À mon avis, il dit la vérité. Quelqu'un a parlé à Leggio. L'amputeur, n'oublions pas, cherche à communiquer. Il se sert des médias, des courriels, du téléphone. Il se pose en justicier, comme Deschamps. Deschamps a pu être tué par erreur. Il n'y aura pas d'autres meurtres du genre. Par contre, l'amputeur peut tuer de nouveau. Ça ne devrait pas tarder. Je propose que nous détournions les yeux de Deschamps pour nous concentrer sur l'amputeur.

— C'est ce que je pense aussi, approuva Surprenant. Deschamps, c'est une diversion.

Guité fit la moue, réfléchit, se tourna vers Sasseville.

— Ton *no name*?

Les traits tirés, ses cheveux exhibant une discrète repousse, l'enquêteuse appuya sur une touche de son ordinateur portable.

Stéphane Crevier apparut sur l'écran, de face et de profil, orné d'un numéro matricule et d'une date, le 21 avril 2006.

— Hier, j'ai passé l'après-midi en compagnie de Peter Pan.

— Peter Pan ? s'étonna Hudon.

— C'était son surnom au poste 22.

— Les petits gars ? demanda Surprenant.

— Les grands, les petits, tout ce qui bougeait et avait moins de seize ans. Il ne se contentait pas de vendre aux enfants près des écoles. Il voulait être leur ami. Stephie Crevier n'était pas un homme sympathique. Juste un petit bum, un pauvre gai qui s'est sauvé de Ham-Nord à dix-huit ans pour tenter sa chance à Montréal et qui s'est retrouvé à vendre son cul dans Hochelaga. À des galaxies des Italiens et des Rouges. Un pusher sans envergure qui achetait à la livre à Bill Mercier et qui revendait dans la rue ou près des écoles. La question qui m'est venue, c'est : « Pourquoi lui, Stéphane Crevier ? »

Une carte de Montréal, celle-là même qui était épinglée sur le panneau derrière le bureau de Surprenant, apparut sur l'écran, hérissée de punaises de couleur.

— Quand on ne sait pas où on s'en va, on sort la carte. Les événements reliés aux Italiens ou aux Rouges sont concentrés dans le nord, dans l'axe Petite-Italie, Ahuntsic, Rivière-des-Prairies. Les autres se retrouvent au sud, Sainte-Marie, Vieux-Montréal.

Un gros plan de Sainte-Marie apparut, constellé d'une dizaine de flèches noires.

— J'ai relevé les lieux associés aux infractions commises par Crevier au fil des quinze dernières années, interpellations, signalements, adresses des plaignants. On est toujours dans le quartier Sainte-Marie, autour du village gai ou de l'autre bord du pont Jacques-Cartier. Crevier a toujours habité là, sauf depuis trois ans. Il semblerait qu'il ait migré dans le Plateau parce qu'il avait mangé une couple de volées dans le quartier.

— Où veux-tu en venir ? demanda Guité.

— Trois hommes ont été tués avec le même 22 : Alcindor, Brancato et Crevier. Les deux premiers, d'après ce que nous savons, faisaient des affaires ensemble. Crevier, à mon avis, est en rapport direct, personnel, avec le tueur. Quel rapport ? Je ne sais pas.

— Coïncidence ou pas, Deschamps habitait dans Sainte-Marie, dit Surprenant.

— J'y ai pensé, dit Sasseville. Je n'ai découvert aucun lien entre les deux noms.

— Parlant de Deschamps, nous avons quelque chose, annonça Simon Boulet-Larose.

Les regards convergèrent vers les deux recrues, qui, par timidité ou solidarité, s'étaient installées l'un à côté de l'autre au bout de la table. Boulet-Larose, au début de la trentaine, était surtout remarquable par ses cheveux noirs en brosse et un tatouage HARDCORE sur son avant-bras gauche.

— Allez-y, dit Guité.

— Nous avons tenté de *matcher* les 168 propriétaires de 22 long rifle avec des éléments de l'affaire. Rien. Nous avons commencé à les appeler un à un, systématiquement. C'était lent. J'ai eu l'idée de faire l'opération inverse. Le registre des armes à feu permet de faire des recherches par noms. J'ai entré ceux des principaux acteurs de l'affaire.

— On est tombés sur Deschamps, dit Alice Verreau. En septembre 1999, il a remis un pistolet 22 à la police. C'est dans le registre.

— Un M-41 ? demanda Brazeau.

— Un Winchester, dit Boulet-Larose. Ça reste le même calibre.

Le pistolet de Deschamps alimenta les discussions pendant cinq minutes. Pourquoi cet homme qui s'était fait le champion de la lutte au crime organisé après l'assassinat de sa femme possédait-il une arme à feu ? Pourquoi s'en était-il départi ? Pourquoi l'avoir remise à la police et ne pas l'avoir revendue à un particulier ou à un armurier ?

— Vous avez les détails de la remise ?

— Juste une date. Le 19 septembre 1999, avec la mention « récupéré par le SPVM ».

— On revient toujours à ce maudit Deschamps, maugréa Brazeau. Et là, il est mort.

Le téléphone de Surprenant vibra. L'afficheur indiquait « Confidentiel ». Il hésita, répondit.

— Sergent Louis Hallé, du 21. On a votre main. Au pied de la tour de l'Horloge.

25
SON DERNIER APPEL

Deh, vieni alla finestra, o mio tesoro

Nul ne pouvait le nier : Brazeau avait du coffre. Pour ce qui était de la justesse, c'était plus difficile à juger. Ils roulaient sur Notre-Dame, entre deux camions-remorques, en fin d'heure de pointe.

— Qui va à la fenêtre ? demanda Surprenant.

— Mozart, *Don Giovanni*, deuxième acte, le séducteur chante la pomme à Zerlina.

Deh, vieni a consolar il pianto mio

Le téléphone de Surprenant le délivra. C'était Ivan Dukic.

— *Hands of Montreal II* est sur YouTube. On travaille à localiser l'ordinateur émetteur, mais ça semble être quelque part dans le centre-ville.

— Qu'est-ce qu'on voit ?

— La même chose que la première fois, sauf que le gars a vissé la main au lieu de la clouer. Avec une *drill*.

— Plus spectaculaire.

— La vidéo est très sombre. Probable qu'elle a été tournée la nuit. À part ça, on a réussi à entrer dans l'ordinateur de Deschamps. On commence l'inventaire.

— Appelez-moi dès que vous aurez quelque chose.

Surprenant raccrocha.

— La deuxième main ? demanda Brazeau.

— Sur YouTube.

— Ce qu'il y a de bien avec les tueurs en série, c'est qu'ils ont de la suite dans les idées.

Il était 9 h 15. Sous un ciel bas, gris, la circulation demeurait dense en direction ouest. Brazeau tambourinait de ses gros doigts sur le volant de la Chevrolet banalisée.

— Ce maudit-là nous fait perdre notre temps.

— La tour de l'Horloge…, réfléchit Surprenant à voix haute. Le port, la drogue. Le spectacle continue.

Quinze minutes plus tard, ils se glissaient sous les rubans qui barraient l'accès à la pointe du quai de l'Horloge. Les techniciens de l'identité judiciaire étaient sur place. Un gaillard chauve, cigarette au bec, s'avança vers eux.

— Salut, Louis, dit Brazeau.

Les présentations faites, l'enquêteur du poste 21 leur fit un bref topo. La tour était fermée au public depuis la fin septembre. Les « restes humains », d'après une expression qui semblait procurer une sorte de plaisir à Hallé, avaient été signalés à un retraité malvoyant par son chien, un labrador nommé Goliath.

La dextre de Stéphane Crevier était vissée dans la brique de la face est de la tour de l'Horloge, non loin de la plaque qui dédie le bâtiment aux marins décédés pendant la Première Guerre mondiale. Comme celle de Brancato, les doigts étaient dressés vers le ciel. Surprenant mit des gants et tâta la paume : la main n'était pas gelée. À un mètre à gauche, comme sur la porte de la basilique, des trous frais dans le mortier où un support avait pu être vissé.

— Pareil, conclut-il.

— C'est quand même un peu enfantin comme façon d'opérer, maugréa Hallé. On dirait des jeunes qui s'amusent à tuer et à découper du monde.

— Un jeune, corrigea Surprenant.

— Qu'est-ce que tu en sais ? demanda Brazeau.

— Une intuition, comme ça.

Surprenant se détourna, comme pour protéger l'impression qui se précisait en lui. À sa droite, au bas du quai, le fleuve, gonflé par les pluies d'automne, comprimé par l'île Sainte-Hélène, coulait, froid, gris, rapide, vers les îles de Boucherville. Devant lui, au-delà de la plage incongrue sous le ciel de novembre, le pont Jacques-Cartier et le port de Montréal. Hallé avait raison : l'amputeur des ruelles faisait preuve d'une ingénuité juvénile. Qu'espérait-il avec ces meurtres de trafiquants, ces mains droites exhibées sur des monuments publics ? Croyait-il, follement, que le flot des drogues qui jour après jour envahissait Montréal et l'Amérique se tarirait ? Il songea au roman de Ferron. Tinamer vivait, à l'arrière de la maison familiale, dans un bois enchanté, « le bon côté des choses ». L'amputeur voulait passionnément retrouver quelque chose, son enfance peut-être, libérer la société des marchands de rêve.

Il se tourna vers Hallé.

— Fouillez les alentours, vous devriez trouver une branche d'amélanchier.

— Veux-tu rire de moi ? demanda Hallé.

— On est sérieux, absolument, dit Brazeau en sortant son cellulaire pour montrer une photographie de la branche trouvée derrière le Stromboli.

Surprenant attendit que l'information soit transmise avant de s'adresser à Brazeau, qui avait frileusement remonté son col.

— Tu avais raison : ce maudit-là nous fait perdre notre temps. Retournons à Versailles.

Le panneau derrière le bureau de Surprenant s'était enrichi de plusieurs nouveaux éléments. La photographie de Deschamps gisant dans son sang rue Saint-Jacques avait été épinglée, à gauche, à la suite de celles des victimes. Une nouvelle punaise bleue était plantée au sud, face à l'île Sainte-Hélène, à l'emplacement de la tour de l'Horloge. Une quinzaine de points verts, amalgamés dans le quartier Sainte-Marie, signalaient les lieux associés à Stéphane Crevier.

— Alcindor, Brancato, Crevier, Deschamps, murmura Sébastien Guzman. Est-ce qu'on va se rendre à 26 ?

— Deschamps n'a pas été tué avec la même arme, dit Surprenant. À l'origine, il ne faisait peut-être pas partie de la liste.

— Autrement dit, le D est un adon ? conclut Alice Verreau.

Surprenant haussa les épaules en guise de réponse. 11 h 15. Après avoir visionné à trois reprises *Hands of Montreal II*, les six enquêteurs de l'équipe, espresso, cappuccino ou macchiato à la main, discutaient de la suite des événements.

— Où restait la petite Caron, LP ? demanda Surprenant.

— Jarry Ouest, entre Champagneur et Bloomfield.

Surprenant s'avança et, de sa main gauche, planta une punaise jaune quelques centimètres à l'ouest de la ruelle où on avait retrouvé le corps de Luca Brancato.

— On peut savoir qui est la petite Caron ? demanda Sasseville.

— Une escorte qui travaillait pour Alcindor. Retrouvée morte à côté d'une seringue en juin. Selon la femme d'Alcindor, c'est à ce moment que ses problèmes ont commencé.

— Je ne vois pas très bien le lien avec les meurtres, dit Guzman.

— Nous avons affaire à un fou qui ampute des trafiquants et qui cloue des mains sur des édifices publics. À mon avis, les trafiquants sont au nord et le fou est au sud. Il faut trouver ce qui les relie.

— Deschamps, suggéra Brazeau.

— Deschamps et Crevier, renchérit Sasseville.

Ils se séparèrent les tâches. Brazeau reprendrait la piste d'Amélie Caron, Sasseville éplucherait tout ce qui concernait Crevier, Surprenant retournerait rue Fullum et Guzman ferait le suivi à la tour de l'Horloge.

— Et nous autres ? demanda Verreau.

— *Follow the gun and the money.*

— Il a passé son examen. On attend le docteur pour les résultats.

— Tu es sûre que ça va bien, maman ? On dirait que tu es essoufflée.

— C'est que je marche dans le corridor. Je ne veux pas le déranger ou l'inquiéter. Il est mieux, mais il n'est pas fort.

Seul à son bureau, les yeux rivés sur une photographie de Geneviève radieuse sur un voilier au large de l'île d'Entrée, Surprenant retrouvait un sentiment ancien : il craignait que son père ne fasse du mal à sa mère.

— Donne-moi des nouvelles. Et essaie de te reposer.

Il raccrocha, tira des analgésiques d'un tiroir. Sa blessure le faisait de plus en plus souffrir. Était-ce normal ? « Vous faites des sports de raquette ? » Cet orthopédiste accouru d'un court de tennis avait-il bien fait son travail ? Il composa le numéro d'Ana Tavares.

— Tu es sur quelque chose ?

— Je suis toujours sur quelque chose, sergent Surprenant.

— Tu peux passer au domicile de Deschamps ?

— Ce n'est pas une scène de crime, il faudrait que j'aie le OK de mon patron.

— Invoque une crise nationale. C'est pas mal ça de toute façon. Je serai au 1953 Fullum dans une vingtaine de minutes.

Au volant de la Z3, il reprit Notre-Dame en direction ouest. Au-dessus de la Rive-Sud, le soleil perça les nuages, baignant Hochelaga-Maisonneuve d'une lumière dorée qui fit surgir dans l'esprit de Surprenant un souvenir du Grand Canal de Venise, cette balade en gondole avec Maria qui avait été ternie par la vue d'une traînée de déchets. « *Ce la vita*, avait philosophé le gondolier. *La merda nella splendore.* »

Quinze minutes plus tard, il se garait devant le triplex abritant la famille Deschamps. Au pied de l'escalier tournant qui menait à l'appartement du journaliste, une tache de couleurs attirait l'œil : des fleurs, isolées ou en gerbes, accompagnées de cartons, même d'un ourson en peluche. Sur le trottoir, une journaliste de TVA fumait nerveusement en révisant le texte de son clip. Devant la façade grise, les perrons bourgogne luisaient presque au soleil. Surprenant débarqua de sa Z3 en se demandant pourquoi il était devenu policier plutôt que musicien. Refusant de répondre aux questions de la journaliste, il s'attarda un instant aux messages qui accompagnaient les fleurs. *Qui paiera pour toi ? Merci pour tout. Les salauds sont vainqueurs. RIP PAD.* L'ourson, à qui il manquait un œil, tenait dans la patte un pathétique *J'ai perdu mon grand-papa.*

Surprenant grimpa lourdement l'escalier, entrevit la table et les chaises sur le balcon et imagina Deschamps prenant l'apéro un soir de juillet, répondant peut-être aux salutations des passants dans la rue. Il tira de sa poche la clef obtenue la veille de la fille qui habitait au rez-de-chaussée, une vieille Yale qui portait simplement le mot « PAPA », brisa les scellés et pénétra dans l'appartement du journaliste.

Le système d'alarme n'était pas enclenché. Il parcourut les pièces une à une, lentement, pour s'imprégner de l'esprit des lieux. L'atmosphère était différente de la veille. Il faisait jour, les vitraux projetaient des ombres vertes et jaunes sur le chêne patiné des planchers, il était seul. Il emprunta le couloir, regarda cette fois les photographies sur les murs. Enfants, petits-enfants, Deschamps était un homme de famille. Les photographies des deux filles, Laurence et Catherine, étaient plus anciennes. Yeux bleus, cheveux pâles, comme Deschamps. Le fils, yeux d'un vert troublant, beau visage ovale au front bombé, teint bistré, tenait de sa mère mexicaine.

Dans le bureau, l'absence de l'ordinateur créait une impression de vide. Les classeurs avaient été dépouillés de leur contenu. La photographie de Julieta, noir et blanc sur le mur gris, accentuait l'aura tragique de la pièce. Deschamps avait été assassiné, comme sa femme. Pour ses enfants, pour le fils surtout, il s'agissait d'un lourd héritage.

La cuisine était un espace agréable, éclairé par une large fenêtre et une porte vitrée. Surprenant nota le poêle à gaz, la batterie de cuivre, le cellier sous le comptoir, l'armoire à épices bien garnie. Deschamps aimait boire et cuisiner. La cour du rez-de-chaussée était occupée par une balançoire et un petit potager aménagé dans ce qui semblait avoir été un carré de sable. Une remise, un lilas, un prunier. Cet arbrisseau efflanqué dans un coin pouvait-il être un amélanchier ? Surprenant allait sortir quand la porte avant s'ouvrit sur Ana Tavares.

La jeune femme, cette fois, ne portait pas sa combinaison de travail, mais un jeans et une veste légère doublée en mouton. Elle s'avança vers Surprenant, souriante, avec ce qui lui parut une attitude non professionnelle.

— Pourquoi m'as-tu fait venir ici, André ?

— Je veux que tu voies ce que je ne vois pas.

— C'est mon travail.

Elle était maintenant à deux pas de lui.

— Je veux aussi que tu me dises, une fois pour toutes, pourquoi tu m'aides de la sorte.

Le beau visage de la technicienne exprima la surprise, puis un certain soulagement.

— Commençons par ce qui est simple : tu me plais.

— Ça adonne mal, je suis heureux en ménage.

Elle cligna des yeux, esquissa une moue de déception, vite réprimée.

— Sur la scène du Stromboli, ça ne paraissait pas. Pas d'alliance, une attitude charmeuse, tu ressemblais à un homme libre.

— Dans ce cas, je prends le blâme.

Elle sourit.

— Oublions ça. Est-ce que je dois vous appeler sergent, maintenant ?

— En public, oui.

— Si je t'aide, c'est aussi parce que tu es en train de te faire *framer*. Ce qui se passe, ce n'est pas normal. Ces mains coupées, ces mises en scène, ce qui sort dans les journaux… Il y a une affaire derrière l'affaire.

— Qu'est-ce que tu en sais ? Tu ne travailles pas aux crimes majeurs.

— Crois-tu que c'est un hasard si Deschamps s'est fait descendre à côté de toi ? Tu ne connais personne au SPVM, tu es parachuté de l'extérieur, quelqu'un veut te faire porter le chapeau. Deschamps est mort parce qu'il avait flairé quelque chose.

— En bonne fille, tu m'aides gentiment. Qui me dit que tu ne travailles pas avec eux ?

— Moi. Juste moi. Tu dois me faire confiance.

Après quelques secondes de réflexion, Surprenant lui tendit la main.

— On repart à zéro, proposa-t-il.

— D'accord. Qu'est-ce qu'on fait ici maintenant ?

— Considère la maison comme une scène de crime. Deschamps n'a pas été tué par l'amputeur, mais c'était son porte-parole. Il doit y avoir un lien, quelque chose. Pour commencer, vérifions s'il n'y a pas un amélanchier aux alentours.

— Un amélanchier ?

— Je t'expliquerai.

Le téléphone de Surprenant sonna. L'afficheur indiquait « Ivan Dukic ». Il s'éloigna d'Ana et répondit.

— J'ai craqué le téléphone de Deschamps. Je peux t'envoyer la liste des appels si ça t'intéresse.

— Si ça m'intéresse ? Quand tu veux.

— Certains numéros sont reliés à des cells jetables. Ce ne sera pas facile à remonter.

— Je te fais confiance.

Le technicien parut hésiter.

— Il y a un truc bizarre…

— C'est pour ça que tu m'appelles de ton cell personnel ?

— Plusieurs appels, entrants et sortants, d'une Lorraine Gendron.

Un frisson parcourut Surprenant.

— La secrétaire de Guité ?

— C'est sa ligne dure, chez elle. 5048 Chabot. Je t'envoie ça par courriel. Le dernier appel remonte à hier soir, 19 h 37.

— Le dernier appel de Deschamps ?

— Sur son cell, en tout cas.

26

UNE RELATION INEXACTE

La femme qui ouvrit sa porte à Surprenant vingt minutes plus tard était, en apparence, la même que celle qui veillait à la bonne marche des réunions du service. Chandail de cachemire rouille, pantalon noir, maquillage impeccable, attitude à la fois chaleureuse et distante, la secrétaire de direction ne semblait ni malade ni surprise par sa visite.

— Je vous attendais, sergent.

— Vraiment ?

— Nous vivons à l'ère numérique. Dès que j'ai appris que Pierre-Antoine avait été tué, j'ai su que je devrais répondre à… quelques questions.

L'appartement, un petit quatre et demie, était décoré avec goût. Surprenant nota des reproductions de Klimt, des estampes japonaises, une statuette maya, aucune photographie d'enfant. Deux couverts étaient mis à l'arrière, où la galerie avait été transformée en véranda.

— Je m'apprêtais à manger. Vous avez faim ?

— Non, mentit Surprenant.

— Café ? Thé ?

— Je prendrais un verre d'eau.

Chez elle, comme à Versailles, Lorraine Gendron était une hôtesse parfaite. Elle revint de la cuisine avec un grand verre d'eau minérale, agrémenté de glaçons, d'un quartier de lime et d'un carré de chocolat belge.

— Allez-y, dit-elle en s'assoyant.

— Vous ne mangez pas ?

— Ça attendra.

Il l'observa de plus près. Le visage semblait impassible, mais les yeux étaient striés de rouge. Pire, son contrôle d'elle-même, sa politesse avenante recouvraient le désarroi.

— Votre appartement est charmant.

— Merci. J'en profite chaque jour, croyez-moi. Si je ne l'avais pas acheté il y a vingt ans, je ne pourrais pas me le payer aujourd'hui. Ne me demandez pas si je vis seule, tout le monde le sait à Versailles.

— Selon la version officielle, vous êtes « indisposée ».

— Vous avez sans doute compris que je suis devenue *persona non grata*.

— Vous voulez dire que le lieutenant Guité a appris récemment que vous étiez en… lien avec Deschamps ?

Lorraine Gendron sourit avec lucidité.

— Notre patron a déjà été un homme de terrain. Quand Pierre-Antoine a été associé à l'amputeur, il s'est intéressé à son cas.

— Sans nous en parler ?

— Les patrons ont tous les droits, n'est-ce pas ? C'est comme ça que ça se passe au SPVM.

Surprenant se taisait. Si Guité s'était renseigné sur lui avant son arrivée aux crimes majeurs, il n'était pas étonnant qu'il mène ses propres investigations sans en aviser ses hommes, et ce, d'autant plus que son équipe semblait infiltrée par une taupe.

— Vous me pardonnerez d'être surpris, reprit-il. Depuis combien de temps êtes-vous secrétaire de direction aux escouades spécialisées ?

— Onze ans. Je suis, ou plutôt j'étais la mémoire du service.

— Quelles étaient vos relations exactes avec Deschamps ? Vous saviez que vous vous placiez dans une situation intenable.

Cette fois, la secrétaire sourit avec plus de chaleur, comme si la question de Surprenant dénotait une certaine candeur.

— Comment vous dire ? J'entretenais avec Pierre-Antoine une relation *inexacte*. Cela faisait partie de son charme. Pour commencer, nous nous connaissions depuis le secondaire.

— Vraiment ?

— Nous étions tous deux au collège de Joliette. Vous pouvez vérifier, c'est facile. Nous n'avions aucun atome crochu à cette époque. À seize ans, Pierre-Antoine plaisait déjà aux filles. J'étais une première de classe imbécile, un an plus jeune que lui. Nous nous sommes perdus de vue complètement jusqu'en 2006.

— Il y a deux ans. Vous pouvez être plus précise ?

— Mars 2006. Nous nous sommes croisés au théâtre, à l'Espace Libre, à côté de chez lui. Pierre-Antoine s'est intéressé à moi, tout d'un coup. Normal : je travaillais au SPVM.

— Vous étiez une source d'information potentielle.

— Pour Pierre-Antoine, tout le monde était une source d'information potentielle. C'était un jeu entre nous. Nous avons continué à nous voir après qu'il a compris que je ne lui révélerais rien de ce qui se passait à Versailles.

— Vous étiez vraiment… étanche ?

— Ça vous surprend, évidemment. J'étais intéressante tant que je ne lui disais rien. De toute façon, si je lui avais filé quelque chose, il n'aurait pas pu le publier.

— Pourquoi ?

— Je l'aurais quitté aussitôt et il tenait à moi. Je sais, vous croyez que je m'illusionne sur ses véritables sentiments, à mon âge. À soixante-deux ans, Pierre-Antoine était un homme seul qui avait besoin d'une complice qui ne lui demandait rien, comme moi.

Surprenant croqua son chocolat, prit une gorgée d'eau. Contrairement à l'idée reçue, il n'était pas convaincu que l'équilibre entre le cœur et la raison devenait plus facile en vieillissant. Ce qu'il connaissait de Deschamps, notamment sa dévotion envers le souvenir de sa Julieta, s'accommodait mal avec la relation inexacte qu'il entretenait avec Lorraine Gendron.

— Vous étiez donc amants ?

— Je ne suis pas faite en bois. Il ne l'était pas non plus.

— Deschamps possédait des informations détaillées à mon sujet. Vous me dites qu'il ne les tenait pas de vous ?

— Je vous le jure ! Pierre-Antoine était un recherchiste passionné. Votre histoire personnelle et professionnelle est facile à déterrer, contrairement à ce que vous croyez.

— Vous a-t-il confié des choses qui pourraient m'être utiles ?

Lorraine Gendron prit le temps de réfléchir et répondit :

— Cela faisait aussi partie du jeu : il était une tombe, une sorte d'avare qui couvait ses *scoops* comme Séraphin son argent. Ce que je peux vous dire, c'est que cette histoire d'amputeur le troublait profondément. Il était flatté de servir de relais, mais il était aussi très nerveux. Il avait peur.

— De quoi ?

— Je ne sais pas. Il se sentait menacé depuis que la main était apparue sur la basilique.

— À votre connaissance, a-t-il déjà possédé une arme ?

— Pierre-Antoine ? Ça me surprendrait beaucoup. Il croyait fermement au contrôle des armes à feu. En même temps, il était parano, il craignait pour sa propre sécurité.

— On ne peut pas dire qu'il avait tort. Nous avons découvert qu'il a rendu un pistolet de calibre 22 à la police en 1999.

— Première nouvelle. C'est le genre de détails qu'il ne m'aurait jamais confiés.

Le ton de Lorraine Gendron, cette fois, exposait sa tristesse. Après avoir dévoilé sa relation avec Deschamps, elle n'avait plus besoin de jouer un rôle.

— Parlez-moi de sa famille.

— De ses familles, vous voulez dire. Il y a eu la période Francine, la mère des deux filles. Mariés au début de la vingtaine. Leur vie semblait sans histoire. En 1979, à trente-trois ans, il a rencontré Julieta à Mexico, dans un congrès de journalistes. Coup de foudre, il a abandonné femme et enfants - Catherine avait à peine un an - et rejoint Julieta à Juárez. Le divorce expédié, ils se sont mariés trois mois plus tard et se sont installés à Montréal. Mathieu est né en 1982, je crois. Bonheur parfait jusqu'à l'assassinat de Julieta en 1992. *Crash*, dépression, il a délaissé la politique et s'est réinventé en chroniqueur judiciaire. Deux ou trois ans plus tard, il s'est mis en ménage avec une Marielle qui avait deux enfants du même âge que Mathieu. Gros problèmes de cohabitation, Mathieu ne s'adaptait pas du tout. Cet enfant-là a toujours été à cheval sur les deux cultures. La période Marielle s'est terminée il y a cinq ou six ans. Pierre-Antoine a juré qu'il n'habiterait plus avec personne. C'est là-dedans que je suis arrivée.

— Il était très proche de ses enfants.

— Pendant qu'il était avec Marielle, il y a eu un froid avec les enfants du premier lit. Ensuite, Pierre-Antoine a voulu se rapprocher d'eux. Il a acheté le triplex et l'a transformé en une espèce de maison intergénérationnelle.

— Vous étiez en contact avec ses enfants ?

— Non. J'étais cloisonnée à l'extérieur. Il craignait que notre liaison s'ébruite. Il disait que c'était pour ma sécurité auprès de mon employeur.

Ou pour conserver son antenne au SPVM, songea Surprenant. L'atmosphère devenait plus lourde. Il faisait face à un iceberg dont la majeure partie était immergée. Avant Deschamps, quelle avait été la vie amoureuse de Lorraine Gendron, la première de classe imbécile ? Cette relation inexacte serait-elle son dernier amour ? Guité la contraindrait-il, plus ou moins subtilement, à partir à la retraite? Dans ce cas, elle aurait tout perdu, travail et amant.

— Je m'en fichais, de ma sécurité d'emploi, reprit-elle, les larmes aux yeux. J'aurais pu quitter le SPVM avec 70 % de mon salaire l'an dernier.

— Il vous a appelée hier soir à 19 h 37.

— Il m'a dit qu'il avait rendez-vous avec vous. J'ai appris sa mort aux nouvelles de 21 heures.

— Désolé. Sincèrement.

Lorraine Gendron leva la main, comme pour couper court aux effusions.

— Selon vous, qui l'a tué? demanda Surprenant.

— Pas l'amputeur, en tout cas. Pierre-Antoine avait des contacts avec le crime organisé. Top secret, évidemment. Quelque chose a mal tourné.

— Et la taupe? Vous devez avoir une idée?

Elle haussa les épaules.

— Je ne sais pas. Je vous dirais presque que je m'en fous. Ce qui est certain, c'est que les hommes qui gèrent les sources et les délateurs sont à risque. Ils sont sur la ligne de feu. Ils peuvent se retourner, faire l'objet de chantage, n'importe quand.

Au sortir de l'appartement de Lorraine Gendron, Surprenant, tenaillé par la faim, se rendit dans un bistro de la rue Laurier, où il commanda des *spaghetti alle vongole* et une demi-bouteille de vin blanc. Il avait besoin de faire à la fois le plein et le vide. Un écran diffusait en boucle les images de la tour de l'Horloge et de la rue Saint-Jacques. Il se retourna et s'assit face à la rue, regrettant de ne pas disposer d'écouteurs pour se couper du bruit ambiant. Son entretien avec la secrétaire disgraciée le laissait perplexe. Quelque chose ne collait pas.

À 13 heures, un numéro inconnu s'afficha sur son téléphone.

— Doux Jésus ! commença sa mère.

— Des mauvaises nouvelles ?

— C'est la prostate.

— Le reste est beau ?

Les résultats de la tomodensitométrie étaient globalement rassurants. Le patient Maurice Surprenant ne présentait pas de signes d'extension de son cancer de l'intestin, ni d'abcès intra-abdominal. La septicémie et l'insuffisance rénale étaient dues à l'hypertrophie de la prostate, mystérieux organe, qui, selon le docteur Akkad, était grosse comme « une petite pomme ».

— Ça fait qu'il est pris avec une sonde et qu'ils parlent de l'opérer dans quelques semaines. Maurice est un peu découragé.

— On a vu pire, maman.

— Tu sais comment c'est, un homme. En tout cas ! Ils l'ont transféré dans une chambre ordinaire. On sait pas comment on va payer tout ça, par exemple. Le baptistaire passe pas dans la castonguette.

Tout en songeant qu'il n'avait pas vu sa mère aussi en forme depuis cinq ans, Surprenant lui assura qu'il passerait à l'hôpital le lendemain et qu'il s'arrangerait avec les questions d'identité.

— Pour une fois, ça va servir que tu sois dans la police. J'ai plus de vingt-cinq cennes, là. Bye !

Il versa les dernières gouttes de grigio dans sa coupe, la vida. L'alcool le détendait, calmait la douleur dans son épaule. Il résista à la tentation d'un verre de grappa et demanda l'addition.

Le ciel s'était couvert, brusquement. Un vent du nord fouillait les rues du Plateau. Il se réfugia dans sa Z3 et composa le numéro d'Ana Tavares. La technicienne répondit au bout de six sonneries.

— J'allais t'appeler, dit-elle d'une voix un peu haletante. Je crois que quelqu'un est venu ici la nuit dernière.

— Brazeau et Sasseville étaient sur place jusqu'à 1 heure.

— Ils ne sont quand même pas passés par la fenêtre de la cuisine ! Le loquet n'était pas poussé. Il y a des traces sur le plancher. La moustiquaire est facile à enlever. J'aimerais voir tout l'immeuble et la remise. Il n'y a personne. Je n'ai pas de clefs et pas de mandat.

— J'arrive.

En chemin, il contacta Vinny Palizzolo, qui lui dit précipitamment « Vous avez le mauvais numéro » et raccrocha.

Deux reporters, l'un de Radio-Canada, l'autre de *The Gazette*, peut-être attirés par la présence d'une camionnette de l'identité judiciaire, faisaient le pied de grue devant le triplex de la rue Fullum. Surprenant s'esquiva en promettant un point de presse en fin d'après-midi. À l'intérieur, il tomba sur l'un des techniciens à cheveux longs entrevus au Stromboli.

— J'ai pris sur moi d'appeler Pedro, expliqua Ana, qui avait enfilé sa combinaison de travail.

Le Pedro en question, avec son teint rubicond et ses cheveux blonds, ressemblait davantage à un Viking qu'à un matador.

— Pedro ?

— Simard, précisa le Viking. Demandez-moi pas l'histoire, on en a pour une demi-heure.

— Il a la bosse de l'électronique, dit Ana.

Elle entraîna les deux hommes dans la cuisine, plus précisément devant la fenêtre qui surmontait un calorifère de fonte peint en vert. La fenêtre à guillotine, probablement d'origine, était sécurisée par un loquet impossible à atteindre de l'extérieur.

— Pour commencer, le loquet n'était pas tourné. Les deux crochets de la moustiquaire n'étaient pas dans les œillets. Pour finir, deux incisions dans la moustiquaire elle-même, pour pouvoir soulever les crochets de l'extérieur. C'est grossier. Vous avez quand même inspecté l'appartement hier soir ?

— J'étais dans les vapes. Je me suis fié à mes coéquipiers. Il y a des détecteurs sur chaque fenêtre. Est-ce que le gars pouvait savoir, de l'extérieur, si le système d'alarme était en fonction ?

— Non, répondit Pedro. Les voyants des détecteurs de mouvement sont toujours allumés, sauf en cas de panne prolongée. Les détecteurs des portes et des fenêtres n'affichent rien.

— Autrement dit, le gars a tenté sa chance…

— Ou il savait que le système était désactivé, compléta Ana. Le plancher a été essuyé, juste en face du calorifère.

Surprenant grogna et appela Brazeau. Ce dernier n'était pas certain d'avoir vérifié toutes les fenêtres en arrivant sur les lieux.

— Et vous n'avez pas remis le système en marche en partant ?

— Il était 1 heure du matin et on n'avait pas le code. Qu'est-ce qui se passe ?

— Quelqu'un est entré chez Deschamps après votre départ.

— Une autre affaire ! En passant, j'ai retrouvé la coloc de la petite Caron. J'ai rendez-vous avec elle à 14 h 30.

Surprenant dit « Parfait ! » et raccrocha.

— Pourquoi est-on venu ici cette nuit ? C'était évident que nous allions nous en apercevoir.

— Il est venu récupérer quelque chose, je ne sais pas. De sa part, ce n'était pas prudent.

— La fille de Deschamps n'est pas au rez-de-chaussée ?

— Elle n'y était pas il y a une demi-heure.

— En haut ?

— Personne. Par la fenêtre, ça semble presque inhabité.

Surprenant sortit par la porte arrière et descendit dans la cour du rez-de-chaussée. Il aperçut une femme dans la quarantaine, blonde, son manteau encore sur le dos, qui posait deux sacs d'épicerie sur l'îlot de la cuisine. Il allait cogner à la porte-fenêtre lorsque son téléphone sonna.

— C'est Vinny, annonça sombrement le serveur du Stromboli. Je t'ai dit qu'un comique s'amusait à mettre la merde ? Maintenant, la merde a frappé la *fan*. Appelle-moi plus. Visite-moi plus. Sinon, je suis un homme mort.

Il raccrocha. Surprenant leva les yeux. Dans la cuisine, Laurence Deschamps le fixait d'un regard chargé de haine.

27

SONNY LEGGIO

La fille aînée de Deschamps ressemblait à son père. Front haut, yeux bleus, cheveux blonds, embonpoint naissant, elle évoquait quelque reine saxonne importée à la cour d'Angleterre. Elle reçut Surprenant dans la cuisine, de part et d'autre d'un îlot dont le dessus de céramique était craquelé.

— Je ne sais pas ce que vous cherchez ici. Papa est une victime, pas un criminel.

— Nous croyons qu'il a pu être utilisé. L'amputeur, excusez l'expression, le tueur semble avoir eu accès à de l'information privilégiée, possiblement par le biais de votre père.

— C'est très peu probable. Papa ne laissait traîner aucun document, aucune note. Tout était dans ses ordinateurs, ici ou au journal. Tout était protégé par des codes d'accès.

— Nous avons remarqué. On s'est introduit chez lui pendant la nuit.

Le visage de la femme exprima l'inquiétude.

— Vous êtes certain ?

— Vous comprenez que nous avons besoin de fouiller toute la maison. C'est la routine.

Laurence Deschamps se leva, ouvrit une porte d'armoire et en tira deux clefs, qu'elle remit à Surprenant. L'une était marquée « LAU », l'autre, « MAT ».

— Vous avez des doubles des clefs des trois appartements, constata-t-il.

— Papa m'avait laissé la gérance du triplex.

— Votre frère Mathieu, ou plutôt votre demi-frère, possède-t-il aussi des doubles de tous les appartements ?

— Non.

La réponse avait été fournie d'un ton assuré, comme si elle était évidente.

— Votre père ?

— Je crois qu'il avait encore des doubles, mais je n'en suis pas certaine. Il se désintéressait de la maison depuis quelques mois. Le plan était de revendre les deux appartements du dessus si le marché devenait favorable.

— Mathieu vit seul ?

— Oui.

— Que fait-il ?

— Il est retourné à l'université. En communication, comme tout le monde.

— Où est-il, cet après-midi ?

— À l'université, probablement.

— Le lendemain du meurtre de son père ?

Laurence Deschamps soupira, se leva et entreprit de ranger ses sacs d'épicerie, dos tourné à Surprenant.

— Comment vous dire ? La mort est entrée tôt dans l'univers de mon frère.

— Quand sa mère a été assassinée au Mexique en 1992 ?

— Vous êtes bien renseigné.

— Ça lui procure une sorte d'immunité ?

La femme se retourna vers Surprenant et pointa un litre de lait en sa direction.

— Restez poli, s'il vous plaît ! Mathieu a perdu sa mère à dix ans. Il est métis, il a toujours eu de la difficulté à se faire accepter. Il a vécu seul avec mon père, puis dans l'enfer de la famille recomposée.

— Comment a-t-il pris la nouvelle ? J'ai cru comprendre que vous avez eu de la difficulté à le contacter hier soir. Il n'a pas de cell ?

— Oui, mais il ne répond pas tout le temps. Il va, il vient. Il a ses petits boulots, il mène une vie très indépendante.

— Vous avez essayé de lui envoyer un texto ?

— Je l'ai finalement joint, passé minuit, par le téléphone de son ami Manu. Ils étaient dans un bar sur Saint-Laurent. Il est passé me voir. J'ai essayé de le garder ici le plus longtemps possible. Au bout de quinze minutes, il m'a dit qu'il préférait être seul et il est monté chez lui.

— Vous avez parlé de petits boulots ?

— Il a conduit des calèches, fait le coursier, été serveur. Il se débrouille comme il peut.

Surprenant nota les coordonnées de Mathieu ainsi que celles de son ami.

— Nous aimerions aussi voir la cave et la remise dans la cour.

Laurence Deschamps retourna à son armoire, en tira une clef marquée « REM » et la posa sur l'îlot.

— Nous n'avons rien à cacher. Soyez gentil avec Mathieu, il est plus fragile qu'il n'en a l'air. Il a été hospitalisé à Louis-H au printemps.

— Pour quelle raison ?

— Psychose toxique, c'est ce qu'on nous a donné comme diagnostic. À cause des cochonneries qu'il prenait. C'était la deuxième fois. Il s'est repris en main, il s'entraîne, son rêve, c'est de faire un triathlon.

— Il a un suivi ?

— Docteur Johane Durocher, à Louis-H. Vous n'aurez pas de difficulté à la trouver.

— Merci.

Équipé des clefs, Surprenant laissa son numéro de portable à Laurence Deschamps, sortit et réemprunta l'escalier tournant. La porte d'entrée du 1957 donnait directement sur le balcon, à droite de celle du 1955. Il sonna sans succès. Un prospectus d'une compagnie de téléphonie dépassait de la boîte à lettres, adressé à Mathieu Lopez. Il composa le numéro du fils de Deschamps et laissa un message. Joint à son travail, son ami Manu, ou Emmanuel Longtin, ne savait pas où il se trouvait.

— Vous êtes sûr qu'il n'est pas chez lui ? demanda-t-il après une pause.

— Il ne répond pas. Je devrais m'inquiéter ?

— Mathieu était démoli quand il a appris la nouvelle hier soir. Avec l'histoire de sa mère… J'ai voulu le raccompagner chez lui, mais il est parti seul, à moto. Je n'ai pas eu de nouvelles depuis. Vous avez essayé chez Presto ? C'est sa compagnie de courrier. Il peut être à la piscine ou en train de courir.

— C'est vrai qu'il s'entraîne pour faire le triathlon ?

— Ce n'est plus le même Mathieu. Pas de dope, pas d'alcool. On ne le reconnaît plus.

Surprenant laissa ses coordonnées au jeune homme. Il téléphona à Sasseville et lui demanda d'abandonner la piste Crevier pour lui sortir tout ce qu'elle pouvait trouver sur Mathieu Lopez, né vers 1982.

Ana l'avait rejoint sur le balcon.

— Alors ?

— Alors vous montez avec moi, tous les deux.

Quarante-cinq minutes plus tard, le policier et les deux techniciens firent le point dans la cuisine du deuxième. Mathieu Lopez demeurait introuvable, autant à son travail qu'à l'université. Son appartement n'offrait rien de remarquable. Une photo de sa mère, la même que celle qui ornait le bureau de son père mais plus petite, était posée sur sa table de travail, face à la fenêtre arrière. Une bibliothèque IKEA contenait des livres de référence, quelques romans de science-fiction, des livres d'histoire centrés sur l'Amérique latine. L'appartement possédait son propre routeur, mais l'ordinateur portable était manquant. La salle de bain révélait que quelqu'un s'était lavé dans les dernières vingt-quatre heures, le lit était à moitié fait, le frigo, à peu près vide. Des céréales, des vitamines, des oméga-3, des suppléments protéiques étaient rangés dans les armoires. Pas de cendriers, pas de bouteilles d'alcool, pas de médicaments. Pas de condoms, aucun signe d'occupation féminine. Un tiroir recelait quelques factures, des manuels d'instructions. Aucun journal, aucun message.

— C'est l'appartement d'un jeune homme sage, conclut Tavares. On dirait presque qu'il n'est ici que de passage. À part les cheveux sur la brosse, je n'ai même pas de quoi faire un ADN.

Aucun amélanchier ne poussait dans la cour. La remise ne présentait rien de particulier, sinon que la motocyclette, une Kawasaki 650 selon sa sœur, n'y était pas.

— Une chose m'intrigue : il ne possédait pas la clef de l'appartement de son père, dit Surprenant. Leurs relations n'étaient peut-être pas si harmonieuses que ça.

— Pourquoi se serait-il introduit chez son père ? demanda Ana.

— Tu vas trop vite. Rien ne prouve que c'est lui qui est entré au deuxième la nuit passée.

Pedro, qui, depuis son arrivée, vaquait silencieusement à sa tâche, sortit de sa réserve :

— Votre journaliste, au premier, avait un ordinateur branché sur un routeur. Pour un maniaque de la sécurité, ce n'est pas prudent.

— Tout était protégé par des mots de passe, dit Surprenant.

— Un mot de passe, ça se trouve.

Surprenant appela Guité pour le mettre au courant des développements. Son patron ne sembla pas impressionné par l'absence de réponse du fils Deschamps. Il réapparaîtrait probablement dans les heures suivantes. Chose certaine, il ne fallait pas ébruiter l'histoire. Les choses étaient suffisamment compliquées avec la fureur médiatique déclenchée par l'article posthume du journaliste.

— Parlant d'eux autres, commença prudemment Surprenant, je leur ai promis un point de presse en fin d'après-midi.

— De quel droit ? tonna Guité. C'est moi qui décide de la stratégie avec les médias ! Réunion à 16 heures à Versailles ! Tout le monde !

À sept kilomètres de distance, Surprenant crut entendre le bruit que fit le récepteur téléphonique de son patron lorsqu'il s'abattit sur le socle de l'appareil multifonction qui ornait son bureau. Il soupira et appela Dukic à Versailles.

— Ce dont tu m'as parlé à propos de Lorraine Gendron, as-tu fait monter ça plus haut ?

Surprenant perçut une hésitation dans la réponse du technicien.

— Je t'ai transmis l'information. Ce sera dans mon rapport officiel, par contre.

— Prends ton temps.

14 h 35. Brazeau devait être en train de rencontrer la coloc d'Amélie Caron. Surprenant lui envoya ce texto : *RV à 15 h devant le Café Stella.*

Les fenêtres du café étaient garnies de magnifiques stores de bois sombre, d'inspiration plus californienne que sicilienne. Les dorures des plafonniers s'harmonisaient avec les cadres des photographies de sportifs qui ornaient les murs peints d'un ocre subtil, conférant à l'ensemble le charme cossu d'un club privé. Une dizaine d'habitués, dont deux malabars qui semblaient sortir du vestiaire des Alouettes, feignaient de s'intéresser, sur des écrans dernier cri, à la retransmission d'un match de Série A. Salvatore « Sonny » Leggio reçut les deux policiers à ce qui semblait être sa table de prédilection, dans une alcôve surélevée de laquelle il pouvait surveiller à la fois la rue et le travail de ses serveurs.

— Sergent Surprenant ! Tabarnak ! Je reçois une vedette !

Au physique, l'homme présentait l'aspect d'une petite frappe qui avait réussi à s'élever dans la hiérarchie : trapu, les traits durs, un torse musclé sous une chemise de bonne coupe. Les yeux étaient d'un brun très pâle, presque jaune. Au mur, derrière lui, une photographie du *Cavaliere* Berlusconi prononçant un discours achevait de le rendre antipathique.

— Bière ? Vin ? Café ?

— Non merci, dit Surprenant.

— Nous n'en avons que pour une minute, précisa Brazeau, qui n'avait pas caché à son coéquipier le peu d'enthousiasme que lui inspirait cette rencontre.

— Trois morts dans la semaine ! J'imagine que vous n'avez pas de temps à perdre. Qu'est-ce que je peux faire pour vous ?

— Tout d'abord, commença Surprenant, nous comprenons très bien que le meurtre de Luca Brancato a profondément touché la... communauté italienne.

Leggio, les yeux attentifs, acquiesça d'un discret signe de tête.

— Il est survenu des incidents malheureux, poursuivit Surprenant. Certaines personnes sont disparues, d'autres ont été assassinées. Des informations ont circulé. Nous croyons que cette situation est sur le point de se régler.

— Je ne vois pas où tu veux en venir. Je n'ai rien à faire dans cette histoire.

— Évidemment. Vous tenez quand même un commerce dans le quartier. Vous êtes proche de la famille de Mme Brancato. Nous sommes venus vous dire que vous n'avez rien à craindre.

Leggio, décontenancé, fixait Surprenant.

— Ton ex-beau-père, Guiseppe, il me l'a dit. Tu es *un poco pazzo*, Surprenant.

Il se retourna, fit un signe de la main au serveur qui les surveillait du coin de l'œil.

— Nous avons certains problèmes au sein des escouades spécialisées, continua Surprenant. Vous avez peut-être lu l'article de Deschamps ce matin ? Ces fuites, c'était embêtant. Cette situation est réglée, elle aussi.

Un espresso, accompagné d'un cube de sucre et d'un petit verre d'eau, atterrit devant Sonny Leggio. L'homme prit une gorgée, avec une lenteur étudiée, puis dévisagea Surprenant.

— Pour résumer, tu es venu me donner de bonnes nouvelles ?

— C'est la police de proximité. Il n'y a rien de mieux que de pouvoir dormir en paix le soir.

— Tu es nouveau au SPVM, Surprenant. Je ne sais pas si tu vas y rester longtemps. En attendant, je suis heureux d'avoir fait ta connaissance. Vous êtes sûrs que vous ne prendriez pas quelque chose ?

Surprenant et Brazeau quittèrent l'établissement sous les regards appuyés des clients. De légers flocons virevoltaient au-dessus de Jean-Talon, soufflés par les autobus et les camions de livraison.

— Tu t'en vas où avec tes skis ? grogna Brazeau alors qu'ils attendaient le feu vert pour traverser le boulevard. Tu aurais pu cirer ses souliers, tant qu'à y être.

— Lavalette, Deschamps, faut arrêter l'hécatombe. J'en ai profité pour leur annoncer que leur source est brûlée.

— Ah oui ? C'est qui ?

Ils étaient à la hauteur de la voiture de Brazeau.

— Aucune idée. Mais j'ai semé le doute. Parfois, ça peut être utile.

— Enfarge-toi pas dans tes combines. Tu ne me demandes pas ce que j'ai appris cet après-midi ? Monte. On gèle.

Surprenant contourna la Ford banalisée et s'assit à la place du passager. Brazeau fit démarrer le moteur. La voix d'un animateur de ligne ouverte surgit des haut-parleurs: *Et voilà qu'on apprend que l'enquêteur du SPVM, celui qui était en compagnie de Pierre-Antoine Deschamps quand il a été abattu, entretiendrait des contacts avec la mafia. Quoi de plus «surprenant»? Il est même de la famille!*

— Tu écoutes cette merde-là? demanda Surprenant.

— Parlant de caca, tu es dedans. Demain, ce soir, on nous verra peut-être sur Internet - deux épais! - en train d'entrer au Café Stella. À moins qu'on reçoive un courriel discret, avec la photo attachée, genre «On a ça sur toi, bonhomme»!

— Relaxe, dit Surprenant d'un ton tendu. La réunion à Versailles est dans trente minutes. Cette coloc?

LP avait rencontré Rose Roy-Bélanger dans un café près de l'Université de Montréal. L'étudiante en architecture avait partagé un appartement avec Amélie Caron, qu'elle avait connue à Trois-Rivières, de juillet 2007 à mars 2008, date à laquelle elle avait abandonné l'appartement de la rue Jarry et était allée terminer son année en résidence. Elle en avait assez: Amélie, selon son expression, «n'était plus du monde». Elle n'avait pas terminé sa session d'automne à l'université, se tenait avec des gens louches, consommait tout ce qui lui tombait sous la main, pot, alcool, coke, amphétamines, mais surtout s'était mise à l'héroïne. Rose avait découvert des médicaments puissants dans des tiroirs, antidépresseurs, antipsychotiques, même du lithium. En un mot, Amélie Caron, la première de classe qui écrivait des poèmes, était devenue, après deux ans à Montréal, «une toxico bipolaire».

— Donc, ta Rose s'est sauvée en mars et a abandonné son amie à ses troubles?

— Elles n'étaient pas des amies, juste des colocs. La Rose est une fille *straight*, ambitieuse, elle n'en pouvait plus du désordre dans la maison. Elle avait des remords, c'est sûr, à cause de ce qui est arrivé après son départ. En avril, Amélie a été hospitalisée en psychiatrie à Louis-H. Tentative de suicide, psychose, désintoxication. Un mois en tout. Contre l'avis de ses médecins, qui lui conseillaient de quitter Montréal pour se rapprocher de sa famille à Trois-Rivières, elle est retournée vivre seule en appartement. Elle devait en assumer tous les coûts. Un mois après, elle était morte. Une tante est venue récupérer ses affaires et les a rapportées à Trois-Rivières.

— Et la prostitution ?

— Le plus que la fille m'a dit, c'est qu'elle se demandait où Amélie trouvait son argent. Elle ne connaît pas Desmond Alcindor. Pour elle, les Rouges et les Bleus sont des équipes de la Ligue nationale d'impro. Elle ne connaît pas personnellement le fils de Deschamps, mais elle se souvient par contre qu'un Mathieu a assisté aux funérailles.

— Dans ce groupe d'âge, ce ne sont pas les Mathieu qui manquent. Lopez. C'est drôle, ce changement de nom. Tu as les coordonnées de la tante ?

— Matante Ginette, c'est tout ce que je sais.

Surprenant regagna sa BMW en se massant le trapèze. Loin de se calmer, sa douleur avait empiré pendant la journée. La triste histoire d'Amélie Caron lui avait communiqué une impression de déjà-vu. Amélie Caron et Mathieu Lopez avaient tous deux été hospitalisés en psychiatrie à Louis-H au printemps.

Le puzzle commençait à tomber en place.

28

UN ENDROIT SÛR

La réunion s'amorça dans une atmosphère tendue. Guité, qui avait retrouvé ses vêtements civils, exhibait la mine grave d'un général qui s'apprête à livrer la bataille qui assoira ou détruira sa place dans l'histoire. En jeans et chemisier bleu, Vadeboncœur, immobile, silencieuse, droite comme une borne dans son fauteuil, recevait des ondes. Hudon et Rossi, les bras chargés de dossiers, paraissaient toujours aussi ennuyés de perdre leur temps en compagnie d'amateurs. Guzman, peut-être exténué par les courtes nuits de son nouveau-né, tapait hâtivement un mémo en terminant un café et un sandwich. Chacun de leur côté, les deux recrues et Sasseville avaient apporté d'impressionnantes piles de documentation.

— Messieurs, commença Guité.

— Et mesdames, ajouta Alice Verreau.

L'intervention de la jeune policière, qui n'avait jusque-là jamais fait preuve d'humour, détendit l'atmosphère.

— Messieurs et mesdames, corrigea Guité. Nous avons suffisamment de problèmes comme ça, nous n'allons pas nous attirer les foudres de la moitié de la planète. Il y a plusieurs développements, alors, allons-y par ordre. Pour commencer, la deuxième main à la tour de l'Horloge.

Guzman fit un bref rapport. Le quai de l'Horloge, en novembre, était un lieu relativement peu fréquenté. Néanmoins, il apparaissait peu probable que la main de Stéphane Crevier – le rapport préliminaire de Parthenais suggérait qu'il s'agissait bien de celle-ci – ait séjourné sur la façade de la tour plus que quelques heures sans attirer l'attention des promeneurs ou des gardiens, qui y effectuaient une ronde deux fois par jour. Une caméra de surveillance y était installée, mais elle ne couvrait pas le quai et le côté est. Par ailleurs, une branche d'amélanchier avait été découverte à trois cents mètres de la tour, encore une fois sur le plancher d'une cabine téléphonique. L'examen de la deuxième vidéo YouTube révélait des similitudes avec la première : les gants de cuir semblaient identiques, le scénario, similaire, si ce n'était l'emploi d'un outil à pile plutôt que d'un marteau. La vidéo avait été envoyée de la même adresse anonimail, cette fois d'un café Internet sur Mont-Royal.

Sandrine Vadeboncœur observa avec satisfaction que l'amputeur suivait son plan et employa à ce sujet l'adverbe « rigidement », ce qui fit sourciller, pour une raison mystérieuse, Charles Hudon.

Brazeau enchaîna sur l'enquête relative au meurtre de Deschamps. Une Mercedes 300 noire dont l'habitacle avait été incendié avait été retrouvée derrière une usine abandonnée à Verdun.

Le véhicule apparut à l'écran.

— Ça correspond à l'auto du tueur de Deschamps, affirma Surprenant.

La Mercedes avait été déclarée volée, la veille, à 17 heures, par un dénommé Louis Battaglia, sur de Bellechasse, près de la 8e Avenue.

— Quand le vol serait-il survenu ? demanda Guité.

— Entre 15 et 17 heures, c'est ce qu'on peut dire. Battaglia, encore un Italien, si je peux me permettre, était, selon ses dires, en visite chez une cliente. Je ne sais pas s'il fait du service à domicile. Il est propriétaire d'une boutique de vêtements au Centre Rockland. Casier vierge. Je n'ai pas eu le temps de fouiller davantage à son sujet.

— Les jeunes s'en chargeront, dit Guité. Ensuite ?

Brazeau hésita.

— On a retrouvé trois douilles rue Saint-Jacques. Calibre 9 mm. Selon le rapport préliminaire de Parthenais, l'arme probable est un Walther 99.

La nouvelle provoqua un malaise chez les enquêteurs. Surprenant observait ses collègues de l'antigang. Teint terreux, sourcils levés, Rossi semblait étonné. Hudon était absorbé par le nettoyage de ses lunettes.

— L'information n'a pas filtré dans les médias ? s'inquiéta Guité.

— Non, mais ça ne devrait pas tarder, lâcha LP.

— Arrête de faire des insinuations, *Brazzo*. N'importe qui peut se procurer un Walther 99. Mary-Ann ?

Sasseville, qui attendait patiemment son tour, prit sa pile de notes.

— J'ai passé l'après-midi aux archives. J'ai lu dans les plus petits détails tout ce qui se rapporte à Crevier. Surprise : le nom de Deschamps est apparu ! Le 24 avril 1996, il a porté plainte, formellement, contre Crevier. Selon lui, et il avait raison si l'on en juge par le reste du dossier, Crevier vendait aux jeunes de l'école…

— On l'a ! triompha Surprenant, qui massait son épaule.

— Le lien entre Deschamps et les victimes ? demanda Hudon.

— Exact. Le lien entre le haut et le bas de la ville, le lien entre Crevier d'une part, et Alcindor et Brancato d'autre part.

— Le lien, c'est la dope, dit Hudon. Et Deschamps a été assassiné hier soir, à peu près au moment où l'amputeur faisait son cinéma au quai de l'Horloge.

Surprenant fixait son collègue de l'antigang, comme s'il essayait de comprendre le pourquoi de sa mauvaise foi.

— Je n'ai pas fini, reprit Sasseville. À 14 heures, André m'a demandé de lancer une recherche sur Mathieu Lopez.

— Qui c'est, celui-là ? demanda Rossi.

— Le fils de Deschamps et de Julieta Ruiz Lopez, assassinée à Juárez en 1992.

— Je vous vois venir, dit Hudon. Le fils qui venge la mort de sa mère.

— Mathieu Lopez a abandonné ses études après le secondaire, a repris un an plus tard un DEC qu'il a terminé en quatre ans, dans trois programmes différents, s'est inscrit en communication à Concordia en septembre avec un cursus allégé. Il travaille vingt heures par semaine comme courrier chez Presto. Il est décrit comme un *weirdo* solitaire, discret, constamment branché sur Internet. Aucune entrée sur sa page Facebook depuis septembre. Pas de relations amoureuses évidentes, sa patronne pense qu'il est dans le placard. J'ai retrouvé la trace du policier du poste 22 qui a enregistré le retrait de l'arme de Deschamps en 1999. Le gars est à la retraite, en Arizona. Le registre des armes à feu ne disait évidemment rien des circonstances. Notre retraité a de l'arthrite, mais aussi de la mémoire. Il se souvient du cas parce que Deschamps était déjà un journaliste connu à l'époque. Deschamps a rendu le 22 en disant qu'il ne voulait plus avoir d'arme chez lui. Ce n'était plus nécessaire, son fils avait abandonné le tir de compétition…

Sasseville, le rouge aux joues, semblait partagée entre deux sentiments : la fierté d'avoir recueilli toutes ces données et le trouble provoqué par l'évocation d'un drame personnel.

— Beau travail, la félicita Hudon.

Boulet-Larose prit le relais.

— Mathieu Lopez a été membre de la Fédération québécoise de tir de compétition de 1995 à 1999. Excellents résultats. En 1998, à l'âge de seize ans, il était deuxième chez les juniors. Si on ne l'a pas repéré plus tôt, c'est que l'arme était à son nom, même s'il était mineur.

— Ici, il y a quelque chose de pas clair, ajouta Verreau. À l'état civil, il est né Mathieu Deschamps-Lopez, le 18 juillet 1982. Il semble avoir laissé tomber le Deschamps avant même d'être majeur. Ses sœurs pourront sans doute nous dire pourquoi.

— J'ai la cerise sur le *sundae*, reprit Sasseville. J'ai creusé l'histoire de la plainte de Deschamps contre Crevier, en 1996. L'enquêteur qui lui a donné suite n'était pas un homme de beaucoup de mots, mais son rapport laisse entendre que ce n'était pas pour rien que Crevier vendait aux jeunes. C'était une façon de les attirer chez lui.

— En un mot, c'était un crisse de pédophile ? s'indigna Brazeau.

— En tout cas, le jeune Lopez avait peut-être une bonne raison de lui tirer une balle dans la tête et de lui couper une main.

Un silence plana sur l'assemblée, chacun vérifiant mentalement si les nouvelles données s'articulaient avec les anciennes.

— Quelles étaient les relations de Mathieu avec son père ? demanda Vadeboncœur.

— Mathieu ne possède pas les clefs de l'appartement de son père, répondit Surprenant. Deschamps a rapporté l'arme à la police, peut-être parce qu'il redoutait que son fils fasse une folie. Après la mort de sa mère, il semble que ça se soit mal passé pour lui.

Ses yeux de poisson fixés sur l'une des photographies en noir et blanc qui ornaient les murs de la salle de conférence, la pythie restait dubitative.

— Admettons que Mathieu Lopez ait voulu venger sa mère en se transformant en tueur en série. Quelque chose cloche et c'est majeur. Pourquoi aurait-il attiré l'attention sur lui en envoyant ses vidéos à son père ?

Surprenant parut hésiter.

— Il voulait peut-être le punir, l'embarrasser… Qu'est-ce qui se passe dans le cerveau d'un tueur en série ? Il y a un autre élément important, à mon avis. La sœur de Mathieu m'a dit qu'il a été hospitalisé à Louis-H au printemps. Psychose toxique. Son parcours laisse entendre qu'il a probablement commencé à consommer dès l'adolescence. Le jeune n'a peut-être pas toute sa tête.

— C'est pour ça qu'il fout des balles dans la tête du monde, conclut Brazeau.

Guité, qui avait suivi l'échange avec impassibilité, rappela ses troupes à l'ordre.

— Le fils de Deschamps constitue une piste intéressante. Rien ne le relie physiquement aux crimes ?

— Jusqu'ici non, dit Surprenant. En plus, il semble avoir disparu. Son appart est à peu près vide. Il ne répond pas au téléphone. Par contre, il est possible que quelqu'un se soit introduit chez Deschamps cette nuit, après le départ de LP et de Mary-Ann.

La révélation suscita une ronde de commentaires, mais aucune conclusion ferme. Les anomalies relevées par Ana Tavares pouvaient être antérieures au crime.

— En ce qui concerne le jeune Lopez, on reste dans le circonstanciel, résuma Guité. Ça ne nous aide pas vraiment à résoudre le meurtre de son père. Par-dessus l'affaire de l'amputeur, ça commence à faire du stock. Nous avons la planète aux trousses, France-Presse, CNN, Reuters, *name it*. Le brigadier général s'est senti le besoin de participer au point de presse que je donnerai tantôt. On va noyer le poisson, comme d'habitude, mais il faut accoucher de quelque chose, et vite à part ça.

— On a fait une percée, quand même, protesta Rossi.

Sans lui accorder d'attention, Guité continua à parler, les yeux tournés vers Surprenant.

— Trouvez le jeune. Pas de signalement tout de suite, ça serait le délire. Pour ce qui est du meurtre de Deschamps, on a la Mercedes, les douilles. Alice et Simon, lâchez Lopez et mettez-vous là-dessus. On a le téléphone et les ordis de Deschamps. Le rapport des W ?

— Ça devrait sortir bientôt, dit Surprenant. Je vais leur mettre de la pression.

— Alors, demain matin 8 heures ici, tout le monde, conclut Guité.

Bruissement de papiers, roulement des fauteuils sur le tapis, les policiers s'apprêtèrent à quitter la salle.

— Un instant ! intervint Surprenant. Cet après-midi, LP et moi avons rencontré Sonny Leggio au Café Stella.

Chacun se rassit.

— À quel sujet ? demanda Rossi.

Surprenant attendit quelques secondes, comme s'il voulait que chacun perçoive le sarcasme dans le ton du vétéran de l'antigang.

— Lavalette a été découpé et plongé dans l'acide, continua-t-il. Deschamps s'est fait descendre hier et ça ne semble pas être l'œuvre de notre amputeur. Alors nous avons dit à Leggio de modérer ses transports.

— Sonny a dû bien s'amuser, persifla Hudon.

— Mon impression est que la visite a été utile, répliqua Surprenant.

— La mafia, c'est nos affaires.

— Les meurtres d'Alcindor, de Brancato et de Crevier, c'est la nôtre.

Guité leva les bras une autre fois.

— Messieurs ! Et mesdames !

Hudon et Surprenant, rouges comme des coqs, cessèrent leurs échanges.

Guité se tourna vers Surprenant.

— André, tu as certainement le droit d'aller interroger qui tu veux dans le cadre de tes enquêtes, même Vito Scifo si ça te tente. La prochaine fois, par contre, parles-en avec Charles *avant*. C'est toi qui es dans le journal aujourd'hui. On connaît ton passé. Attache tes amarres de capine, il peut faire mauvais.

Derrière la fenêtre, de gros flocons masquaient presque la masse grise de Louis-H et les feux de l'autoroute 25.

— On peut savoir pourquoi tu n'as pas parlé de la petite Caron ?

— J'ai mis Guité au courant cet après-midi. Ça n'a pas eu l'air de l'impressionner.

Soufflant et suant, Brazeau avait suivi Surprenant jusqu'à son cubicule.

— Mais les autres ? On est censés travailler en équipe.

Surprenant délaissa un instant la liste de ses courriels pour lever les yeux vers son coéquipier. Après plus de trois mois de compagnonnage, il était arrivé à la conclusion que jouer à l'idiot faisait partie de ses stratégies de communication.

— J'ai oublié.

— Ah oui, la fameuse taupe !

— Peux-tu appeler Dukic ? Il a peut-être quelque chose sur l'ordi de Deschamps.

Maussade, Brazeau regagna son bureau de l'autre côté de la cloison. Trois minutes plus tard, la liste des appels entrants et sortants du téléphone de Deschamps s'affichait sur l'écran de Surprenant. Du beau travail : tous les numéros, même les confidentiels, étaient identifiés, sauf quatre provenant de téléphones publics ou de téléphones jetables.

Un nom attira son attention : Deschamps avait appelé Vinny Palizzolo sur le cellulaire de celui-ci le lundi 3 novembre et la veille encore à 15 h 18. Ce dernier appel, survenu après sa rencontre avec le serveur au Soleil de minuit, soulevait de nouvelles questions.

Le téléphone de Surprenant vibra. Un texto de Geneviève : *Tu viens souper ?*

Surprenant composa le numéro de Palizzolo. Le serveur répondit au bout de deux sonneries.

— Surprenant, je t'ai dit de ne plus m'appeler !

— Vous êtes où, maintenant ?

— C'est vendredi après-midi. Je garde Giulia.

— Écoutez-moi bien. Confiez la petite à quelqu'un et rendez-vous immédiatement dans un endroit sûr.

— Quoi ?

— *Go somewhere safe now !* Au premier poste de police, si vous voulez.

— Es-tu fou ?

— Je suis sérieux, Palizzolo. Je ne sais pas ce qui s'est passé entre Deschamps et vous, mais vos amis ne sont peut-être plus vos amis. Rendez-vous dans un endroit sûr et rappelez-moi sur ce téléphone.

Vinny Palizzolo raccrocha.

29

L'ENFANT PRÉFÉRÉ

Surprenant regarda l'heure sur l'écran. 16 h 56. Il répondit à Geneviève : *Pour souper, je ne sais pas. Je t'appelle dans une demi-heure.*

Sa douleur à l'omoplate ne diminuait pas. Il avait l'impression d'avoir quitté la maison depuis des jours. Que ferait Palizzolo ? Lui ferait-il confiance ou se tournerait-il vers Leggio ? Lui, Surprenant, pouvait-il faire davantage ? Quelle était la procédure ? Devrait-il parler à Guité ?

— Non, dit-il à voix haute.

— Tu parles tout seul ? dit Brazeau en surgissant à sa gauche. Ce petit Dukic est un génie. Il a passé au crible les deux ordinateurs de Deschamps, celui de la rue Fullum et celui du journal : aucune trace d'intrusion.

— Comment il peut savoir ça ?

— Fouille-moi. Le routeur de l'appartement semblait étanche. Les paramètres de confidentialité étaient au max. Les ordinateurs du journal et de la maison n'étaient jamais utilisés en même temps. En un mot, il n'y a pas d'évidence que le fils a eu accès au contenu de l'ordinateur du père.

— Remarque qu'ils ont pu se parler, mais ça me surprendrait. C'est clair que Deschamps voulait tenir son fils à l'écart de ses enquêtes. Est-ce qu'il a analysé le contenu des dossiers ?

— Des milliers de notes, de mémos, d'articles, de références à des sites Internet. Il a d'autres chats à fouetter.

— Autrement dit, c'est à nous de nous taper ça ?

— Positif. Je lui ai demandé de faire imprimer ce qui lui semblait le plus important.

Surprenant soupira.

— Je serais dû pour une soirée à la maison, mais je sens que ça n'arrivera pas.

Il montra à Brazeau le relevé des appels de Deschamps et lui fit part de sa conversation avec Palizzolo. Bâillant, se tâtant la mâchoire comme pour l'empêcher de se décrocher, Brazeau émit des marmonnements désapprobateurs. Surprenant, « comme un veau du printemps », sautait trop vite aux conclusions. Le lundi 3 novembre, Deschamps avait contacté Palizzolo dans l'espoir d'obtenir un *scoop*. Probable que le journaliste avait rappelé, quelques heures avant sa mort, pour tenter de nouveau sa chance. Quant aux appels reçus des cabines téléphoniques, ça pouvait être n'importe qui.

— J'aurais dû convoquer Palizzolo ici, regretta Surprenant. Il ne nous a jamais dit ce qui se passait vraiment au Stromboli.

Brazeau, invoquant la survie de son ménage, annonça qu'il rentrait chez lui.

— Tu devrais faire pareil, tu ressembles à un déterré.

Demeuré seul, Surprenant appela Sasseville. Elle tentait d'obtenir le rapport préliminaire de balistique concernant les douilles trouvées rue Saint-Jacques. Guzman était parti retrouver sa femme et son rejeton.

— Ils vont l'appeler Liam, ajouta Sasseville.

— Liam ? s'étonna Surprenant.

— Comme dans « Liam Neeson ». C'est irlandais, c'est à la mode.

Surprenant demanda à Sasseville de lui prêter sa documentation à propos de Crevier et de Deschamps.

— Tout le lot ?

— J'aime lire avant de me coucher.

Son téléphone vibra de nouveau. Alors qu'il espérait voir s'afficher le numéro de Palizzolo, il eut droit à celui de Laurence Deschamps.

— J'ai une bonne nouvelle, sergent. Mathieu est chez moi. Il est prêt à vous rencontrer.

Il faisait déjà noir. Une neige lourde, compacte, la première de la saison, compliquait l'évasion des banlieusards. La Z3, encore munie de ses pneus quatre-saisons, patinait. Le pare-brise était embué. Le joint avec la capote n'était pas parfaitement étanche. Surprenant comprit que l'existence d'un propriétaire de cabriolet, entre novembre et avril, au Québec, était une suite de désagréments. Ses pensées dérivant vers l'argent, il se souvint subitement de la facture du Cedars-Sinai. Où l'avait-il mise ?

On était vendredi soir ? Au diable ! Il monta le volume de la radio. *Don't know why there's no sun up in the sky, stormy weather.* Son téléphone afficha un numéro inconnu. La voix de son père, éteinte, enrouée, se mêla à celle de Billie Holiday :

— Salut, c'est moi.

— Content de te parler, dit Surprenant en baissant le volume.

— C'est rien à comparer de moi. Tu sais, le tunnel de la mort ? Ben, j'ai fait du repérage.

— C'est passé. Tes tests étaient bons aujourd'hui.

— *God !* T'es drôle, toi : ils veulent me *chopper* la prostate !

— Ce n'est pas la fin du monde.

— *Well, you should try it.* J'ai pas encore donné mon OK. Il doit y avoir des moyens naturels de parer à ça. Quand est-ce que tu viens me voir ?

— Je suis allé hier, papa. Au travail, disons que ça brasse un peu.

— On a passé quelques heures ensemble, à L.A., mais on n'a pas eu le temps de se parler. J'aimerais te voir avant qu'il m'arrive une autre avarie.

Surprenant sentit son cœur se serrer. Son père qui voulait lui parler ? C'était nouveau.

— Demain, sans faute.

— Nicole doit venir vers 11 heures.

Coups de klaxon. Surprenant, se demandant si son père préférait le voir avant ou après l'arrivée de sa mère, venait de passer sur un feu rouge au coin de Frontenac.

— Je serai là à 10 heures.

Quand il serra la main de Mathieu Lopez, dans le salon de l'appartement du rez-de-chaussée de la rue Fullum, Surprenant s'étonna du changement de sa physionomie. L'adolescent tourmenté des photographies était devenu un jeune homme sec, musclé, aux traits accusés. Les yeux verts donnaient une impression de fixité. Conjonctives injectées, teint brouillé, il semblait avoir peu dormi.

— Vous permettez que je reste ? demanda anxieusement Laurence.

— Évidemment.

Mathieu s'assit, très droit, sur une chaise de style canadien, reliquat des années 60, probablement héritée du paternel. Surprenant posa ses fesses sur le divan et demeura penché vers l'avant, à la fois pour adopter une attitude amicale et pour protéger son épaule.

— Pour commencer, je veux te présenter mes condoléances. C'est un dur coup, pour toi, de perdre ton père de cette façon.

Mathieu acquiesça d'un signe de tête puis, devant le silence de Surprenant :

— Vous êtes au courant de ce qui est arrivé à ma mère, j'imagine ? Vous ne savez pas de quoi vous parlez. Arrêtez de niaiser, s'il vous plaît.

— Selon toi, qui est responsable de la mort de ton père ?

— Les gens qu'il dérangeait. Ça fait pas mal de monde.

— Plus précisément ?

— La mafia. Ou la police, c'est pareil.

— Tu n'as pas beaucoup confiance en nous.

Le jeune homme cligna des yeux, croisa les jambes. Il portait un jeans étroit, d'un bleu qui tirait sur le mauve, des souliers de suède, hauts sur la cheville, hors de mode, qui dénotaient un certain souci d'élégance.

— À ma place, auriez-vous confiance ?

— Où étais-tu depuis hier soir ?

— Chez un ami, Robert Stein. Je vous donnerai son numéro de téléphone. Vous pourrez vérifier.

Surprenant se tourna vers Laurence. Elle fit non de la tête.

— J'ai parlé à ton copain Manu. D'après lui, tu as quitté le Globe vers minuit et demi.

— Je suis rentré ici. Laurence m'a mis au courant des détails et je suis monté chez moi. Je trouvais qu'elle en avait assez comme ça, avec sa famille.

— Et ensuite ?

— J'ai ramassé mes affaires, mon ordi, et je suis allé chez Robert. J'avais besoin de parler à quelqu'un.

— Ta demi-sœur, ce n'est pas quelqu'un ?

Mathieu prit une grande inspiration :

— Robert, actuellement, est la personne qui est la plus proche de moi. Qu'est-ce que vous me voulez ? Vous ne pensez quand même pas que j'ai tué mon père ?

— Amélie Caron. Le nom te dit quelque chose ?

Le visage de Mathieu exprima la surprise, puis la douleur.

— Je l'ai connue à Louis-H, au printemps. On était hospitalisés dans la même unité, le cerveau en compote. On avait fait un pacte. On arrêtait, tous les deux. Si l'un avait le goût de flancher, il appelait l'autre.

— Tu as tenu, elle a rechuté.

— On s'est revus trois ou quatre fois. On allait au cinéma, on s'entraidait. Elle est même venue souper une fois chez papa. Il s'est beaucoup intéressé à elle, évidemment.

Le ton trahissait un certain ressentiment.

— Évidemment?

— L'occasion était belle: il a ressorti son cours de lettres, il lui a fait le coup d'Aix-en-Provence, la bohème des années 60 et tout le tralala.

— Il s'est peut-être intéressé, aussi, à son vécu de toxicomane? Après tout, la drogue, c'était son dada.

— Non.

— Vraiment?

— Amélie et moi, on était *clean*. On s'inventait une autre vie, on ne voulait plus en parler. Papa l'a senti et a évité le sujet. Il a quand même trouvé le moyen d'obtenir son adresse courriel.

— Qu'est-ce qui s'est passé ensuite avec Amélie?

— Une couple de semaines plus tard, elle a cessé de répondre à mes appels. Ils avaient remis le grappin dessus.

— *Ils*, c'est qui?

— Ceux qui profitaient d'elle.

— Tu as des noms?

— Tout ce que j'ai pu savoir, c'est qu'un Haïtien l'appelait souvent à l'hôpital. Elle n'en parlait pas, elle en avait peur, je crois. Elle n'aurait pas dû retourner vivre seule en appartement. J'ai appris sa mort sur Facebook. Je suis allé à l'enterrement. Sa mort m'a donné un coup, peut-être celui qu'il me fallait.

— Desmond Alcindor, ça te dit quelque chose?

— C'est pas un gars qui s'est fait descendre cet été ?

— Tu as une bonne mémoire.

— J'ai déjà eu une bonne mémoire. Maintenant, j'ai des flashs de temps en temps.

— Tu vois toujours le docteur Durocher ?

Mathieu eut un mouvement de recul.

— *Fuck !* Est-ce que j'ai encore une vie, moi ?

— Nous enquêtons sur des homicides. Nous prenons les moyens pour avancer.

— J'ai manqué une couple de rendez-vous. C'est mon droit, je ne suis pas dangereux, je ne suis pas sous ordonnance de traitement.

— Tu prends tes médicaments ? s'inquiéta Laurence Deschamps.

— C'est pas de tes affaires ! Les cochonneries que je me mets ou pas dans le corps, ça me regarde !

Il se leva et se mit à arpenter la pièce.

— Où étais-tu jeudi soir dernier ? demanda Surprenant.

Mathieu s'immobilisa.

— Vous ne me prenez quand même pas pour – comment on l'appelle déjà ? – l'amputeur des ruelles ? Jeudi soir, j'étais chez moi. Je m'entraîne tous les matins. Je me couche de bonne heure. Mardi soir, c'était pareil.

— Mais pas hier soir.

— Des fois, je sors, j'ai le droit.

— Qu'est-ce qui s'est passé mardi soir ? Pourquoi as-tu parlé de ce soir-là en particulier ?

— Je lis les nouvelles, comme tout le monde. C'est le soir du deuxième meurtre.

Le jeune homme avait repris ses déambulations.

— Qu'est-ce qui s'est passé entre Stéphane Crevier et toi en avril 1996 ?

Mathieu Lopez se rassit, très pâle, et, se tournant vers sa demi-sœur :

— Penses-tu qu'on devrait appeler un avocat ?

— Le sergent ne te veut pas de mal, dit doucement Laurence. Tu peux lui faire confiance.

Mathieu sembla réfléchir quelques instants et répondit, yeux baissés, avec effort :

— Crevier vendait à l'école. Je ne sais pas trop ce qui s'est passé en 1996. J'avais quatorze ans et je prenais n'importe quoi, des *speeds*, du pot, des pilules écrasées. Peut-être qu'il a disparu de la circulation pendant quelques semaines, je ne m'en souviens plus.

Surprenant décida de ne pas pousser, ce jour-là du moins, du côté de l'abus sexuel.

— Le 24 avril 1996, ton père a porté plainte contre Crevier, officiellement, au poste 22.

Mathieu hocha la tête.

— Première nouvelle. Papa s'occupait de moi, quand même…

— Il était au courant de tout ce que tu consommais ?

— Il savait que je prenais autre chose que du pot. Ça lui faisait peur, il m'en parlait souvent.

— Mais il ne t'empêchait pas de faire du tir de compétition ?

— C'est toi qui leur as dit ça ? demanda Mathieu à Laurence.

— Ta sœur ne nous a rien dit, Mathieu, intervint calmement Surprenant. C'est dans le registre des armes à feu. Ton père a remis à la police un pistolet Winchester 22 en 1999.

— Vous savez tout sur moi ! Posez vos questions et qu'on en finisse !

Après quelques secondes, Surprenant lui demanda si son père le tenait au courant des dossiers sur lesquels il travaillait.

— Papa n'avait pas confiance en moi, dit Mathieu d'un ton dépité. Je l'avais déçu. Il m'a retiré mon arme parce qu'il me croyait paranoïaque. Il était avec Marielle, avec ses deux fils parfaits, j'étais une nuisance !

— Ce n'est pas vrai, dit fermement Laurence. Tu as toujours été l'enfant préféré de papa. S'il a fait quelque chose de mal, c'est te surprotéger.

Mathieu, recroquevillé sur sa chaise, posa ses mains tremblantes sur ses oreilles. Sa demi-sœur, du regard, implora Surprenant.

— J'ai bientôt fini, Mathieu. Est-ce qu'Amélie t'a déjà parlé de Luca Brancato ?

— Jamais. Mais je sais que c'est la première victime de l'amputeur.

Surprenant se leva.

— Une branche d'amélanchier, ça te dit quelque chose ?

Le jeune homme parut stupéfait.

— Qu'est-ce que ça vient faire là-dedans ?

— Réponds simplement à la question, s'il te plaît.

Mathieu hocha la tête en signe d'incrédulité.

— Amélie lisait beaucoup. Elle était un peu mythomane, elle se créait des personnages. À Louis-H, elle disait qu'elle était Tinamer, la petite fille de *L'Amélanchier*.

— Tinamer de Portanqueu.

— C'est ça. Elle voulait faire sa maîtrise sur Ferron. Ça tenait plus du rêve que d'autre chose, elle était incapable de se concentrer, elle n'allait même plus à l'université.

Tête basse, avant-bras appuyés sur les genoux, Mathieu Lopez n'était plus un triathlète, mais un orphelin.

Surprenant se leva et s'adressa à Laurence :

— Je pars, mais il doit rester à notre disposition. J'aimerais vous revoir demain, tous les deux, en début d'après-midi. Si je peux me permettre un conseil, ne parlez pas aux médias.

Laurence Deschamps, la main sur l'épaule de son frère, acquiesça silencieusement. Surprenant sortit par la porte arrière.

30
LA CORDE POUR SE PENDRE

Il neigeait toujours. Surprenant dut dégager le pare-brise et la capote de sa BMW sous les yeux de trois équipes de télévision. Un cameraman quinquagénaire de Radio-Can, que l'imminence de la retraite mettait peut-être à l'abri des sanctions disciplinaires, se permit un: « Ouais, on se promène pas à pied au SPVM ! » Sur le trottoir, une vieille dame engoncée dans un parka rouge marmonna à son voisin, un gros homme qui mâchonnait un cigare, une phrase indistincte dans laquelle Surprenant perçut, prononcé avec mépris, le mot « mafia ». Il éteignit la radio, arracha la Z3 de son aire de stationnement, heureux de ne pas être obligé de pelleter sous l'œil de la populace, et s'éloigna en direction nord.

Il rappela Geneviève.

— Où es-tu ? demanda-t-elle.

— Hochelaga et Fullum.

— Les enfants ont mangé. J'ai une surprise pour toi.

— De l'agneau ?

— Mieux que ça. J'ai hâte de te voir.

À la hauteur de Saint-Joseph, il appela Brazeau et lui demanda s'il avait les coordonnées de la tante d'Amélie Caron, à Trois-Rivières.

— Je mets un homme là-dessus, déclara un LP qui semblait avoir déjà entamé sa fin de semaine. Je n'osais pas te déranger, mais j'ai trouvé le site de l'agence d'escortes. Je ne me lance pas là-dedans ce soir, mais demain…

Les deux hommes convinrent de faire le point le lendemain à 8 heures.

Surprenant composa ensuite le numéro de Vinny Palizzolo. Cinq sonneries le menèrent à un message standard en anglais. Le silence du serveur l'inquiéta davantage qu'il ne le surprit. S'il avait lui-même trempé dans un trafic de coke, pire, s'il s'était trouvé à jouer les agents doubles entre la mafia et la police, il se serait évaporé *subito*. Mais où fuit-on, à plus de soixante ans ? Surprenant s'immobilisa au coin de Hutchison et Saint-Joseph. 19 heures. Il eut pitié de Sasseville et se rabattit sur Boulet-Larose, encore plein du feu de la jeunesse. Il le joignit alors qu'il s'apprêtait à sortir avec sa blonde.

— Peux-tu me rendre service ? Vincente Palizzolo, le serveur du Stromboli. Il ne doit pas y en avoir des tonnes à Montréal. Il est mort ou parti se cacher quelque part. Téléphone, cartes de crédit, de débit, véhicule : mets en marche la procédure pour le suivre à la trace.

— C'est comme si c'était fait. Je dépose Olga au cinéma et je me mets là-dessus.

Olga ? songea Surprenant en reprenant son chemin. Dimitri avait raison, les Russes allaient bientôt occuper tout le terrain.

Avenue de l'Épée, la maison baignait dans d'agréables effluves de viande et de romarin.

— C'est ma surprise ? demanda-t-il à Geneviève.

— En partie. La surprise, c'est toi, moi, ici, tranquilles pendant toute une soirée.

— Ça remonte presque aux croisades.

— J'ai pris congé cet après-midi. Avec les médias, les questions des gens, ça devenait infernal. Courtemanche m'a donné sa bénédiction.

Il trouva sur la cuisinière la marmite responsable de l'odeur. *Veau au vin blanc et au romarin*, se réjouit-il. Il souleva le lourd couvercle, et l'observation de l'orthopédiste au sujet de son sous-épineux remonta brutalement à son souvenir. Cinq minutes plus tard, dans la salle de bain de l'étage, Geneviève déclara que sa blessure était en voie de s'infecter.

— Voyons donc!

— Sens!

Elle lui mit son pansement sous le nez. La chose, imbibée d'un liquide verdâtre, répandait une puanteur miasmatique qu'il associa à l'enquête en cours. Il regarda sa blessure dans le miroir – une couture de dix centimètres, gonflée, noirâtre – et déclara:

— Ce n'est rien. Il faut que ça sèche.

— Heureusement, tu es en congé cette fin de semaine, décréta-t-elle.

Elle n'avait pas encore vu la masse de dossiers qu'il avait déposée sur le banc de l'entrée. Pour ne pas gâcher le souper, il lui laissa ses illusions quant à ce qu'il comptait faire de son week-end. Il accepta même, une fois dûment lavé et désinfecté, qu'elle sacrifie son vieux t-shirt «I love L.A.» en y taillant, dans le dos, une fenêtre.

— Bon, on mange! suggéra-t-il en finissant son verre de dolcetto.

— Tu devrais parler aux enfants tantôt. Ils se posent des questions.

Le veau et le risotto étaient délicieux, les choux de Bruxelles avaient perdu un peu de leur croquant. Il lui raconta sa journée dans les plus petits détails, s'attardant sur sa rencontre avec Mathieu Lopez.

— Tu n'es pas certain que c'est lui, conclut Geneviève. Je le vois dans ta face.

— Il n'a pas d'alibi. Il a un peu le profil du tueur en série, solitaire, un peu bizarre, mais…

— Il est psychotique, pas psychopathe.

— C'est à peu près ça. Remarque que je le trouve pas mal organisé pour un gars qui a fait deux psychoses.

— S'il a arrêté de consommer… Alors quoi, une mise en scène, un *set-up* ?

— Comme *set-up*, ça serait extrêmement ambitieux.

— Pourquoi tu ne l'as pas embarqué ?

— Il ne se sauvera pas. Guité a raison : rien ne le relie jusqu'à maintenant aux scènes de crime. Cessons d'en parler, veux-tu ?

— D'accord.

Il allongea la main, saisit celle de Geneviève. Une main chaude, vivante, en continuité avec cette femme qui, avec sa patience et sa force tranquille, était devenue le centre de sa vie. Elle avait défait sa tresse, souligné ses yeux, mis ses bijoux viennois, relevé ses cheveux dans une toque qui lui donnait, malgré son jeans et un chemisier bleu tout simple, une allure aristocratique.

— Tu es superbe ce soir, dit-il.

— J'ai pensé qu'il fallait célébrer. Tu aurais pu mourir hier.

La voix de l'amazone avait tremblé. Ses yeux brillaient.

— J'aurais manqué le veau.

— Nono.

— C'est toi que j'aurais manquée. Alors, j'ai vu venir la balle et je me suis tassé.

Elle ne disait rien, sa main et ses yeux parlaient. Il avait vécu avec Maria une relation orageuse, passionnée, semée de retraits stratégiques. Geneviève ne se retirait jamais. Elle était là, amazone ou Saint-Bernard, et tolérait qu'il aille, qu'il vienne, dans les rues de Montréal ou dans sa tête.

— Mon père m'a appelé tantôt. Il veut me voir demain.

— J'y vais avec toi. Je veux le rencontrer, après tout ce temps…

Une larme solitaire coulait sur la joue gauche de Geneviève. D'une pression des doigts, il acquiesça, ajouta « La BM est une deux places » pour alléger l'atmosphère. Elle sourit, des yeux lui désigna la porte du sous-sol où Olivier et William, s'il fallait en juger par les bruits de tir et d'explosion, jouaient à quelque jeu vidéo.

— Va les voir un peu. Ils s'inquiètent de ce qui se passe. Je m'occupe de la cuisine.

La douleur le réveilla vers 5 heures du matin. Dans son sommeil, il avait quitté sa seule position confortable, couché sur le côté droit, et s'était tourné sur le dos. Mêlés à son dernier rêve – il se promenait dans un cocktail de financement politique, vêtu d'une chemise à fleurs qui ne recouvrait pas son membre magnifiquement érigé – des souvenirs de ses ébats avec Geneviève, plutôt sages en raison de sa condition, remontèrent à sa conscience. Son sexe était d'ailleurs toujours dans un état intéressant, ce qui l'obligea à uriner assis.

Assoiffé, il but un grand verre d'eau et se découvrit débandé, éveillé, muni de cette lucidité particulière aux petits matins. En catimini, il rapatria ses pantoufles, son pyjama des Canadiens, son ordinateur portable et descendit à la cuisine. Il mit les concertos de piano de Mozart en boucle, se prépara du café, engouffra deux rôties, dont l'une au Nutella, et ouvrit sa messagerie.

Il trouva d'abord un message d'Ana. À part les possibles traces d'effraction dans l'appartement de Deschamps, la fouille méthodique du triplex de la rue Fullum n'avait rien apporté de très excitant. Elle avait visité l'appartement avec la fille du journaliste. Selon celle-ci, rien n'avait disparu. L'assassin était-il à la recherche d'un objet précis ? Rien ne permettait de le supposer. Enfin, elle n'avait découvert aucun amélanchier aux environs. *Bonne chance. J'ai confiance en vous, sergent Surprenant. Ana*

Ce vouvoiement était-il ironique ? Masquait-il un reproche ? *Basta !*

Boulet-Larose lui avait envoyé un rapport à 22 h 14. Palizzolo avait effectué deux retraits vers 18 heures, d'un total de 1500 $, sur ses cartes de débit et de crédit. Dans les deux cas, il s'agissait des montants quotidiens maximaux. D'après les coordonnées GPS, son téléphone portable était toujours dans la Petite-Italie, ce qui ne prouvait pas que son propriétaire s'y trouvait. Il avait surveillé son appartement, avenue De Gaspé, pendant plus d'une heure. Aucune trace d'activité. L'automobile, une Toyota Corolla, n'était pas dans le stationnement situé dans la ruelle. Il était possible que Palizzolo ait quitté Montréal.

Après s'être demandé comment Olga avait réagi au forfait de Boulet-Larose, Surprenant s'attaqua aux dossiers de Sasseville. Une heure plus tard, il avait acquis la conviction que le carrefour de l'affaire se situait dans le duo Alcindor-Brancato. Amélie Caron, l'amie de Mathieu Lopez rencontrée à Louis-H, travaillait pour Alcindor. Billy Lavalette, probablement liquidé par les Italiens en guise de représailles, était lié lui aussi aux Rouges d'Alcindor, mais n'avait peut-être rien à faire avec Brancato. Le seul lien de Stéphane Crevier avec la cellule Alcindor-Brancato était son association, lointaine, avec Lopez. Enfin, la dernière victime, Pierre-Antoine Deschamps, n'avait pas été tuée selon le *modus operandi* lié aux meurtres d'Alcindor, de Brancato et de Crevier. Il avait été abattu en pleine rue à l'aide d'un Walther 99 semblable à ceux qu'utilisait le SPVM. Par contre, son fils Mathieu lui avait présenté Amélie Caron, à qui il avait « fait le coup d'Aix-en-Provence ».

Surprenant prit une feuille vierge et nota :

1) Robert Stein ? Vérifier alibi de Lopez. Qui est entré la nuit chez Deschamps ?
2) Douilles du Walther 99. Expertise ?
3) La Mercedes de Battaglia ? Un hasard, un lien ? Demander aux jeunes.
4) Tante Ginette. L'amélanchier ? Rapport d'enquête sur la mort d'Amélie Caron. Lien entre Deschamps et Tinamer de Portanqueu ?
5) Que faisait Brancato avec son argent ?
6) Où est Palizzolo ?

Les points 5 et 6 étaient probablement liés. Un nuage recouvrait le tout : ces rumeurs d'infiltration, les relations entre Deschamps et Lorraine Gendron, la secrétaire de Guité, le climat de paranoïa à Versailles, enfin son propre statut, lui, Surprenant, jeté en pâture aux médias à la suite du dernier article du journaliste.

Par la fenêtre, une lumière grisâtre annonçait l'aube. Un crachin froid, obstiné, faisait fondre la neige de la veille. L'érable de la cour, quelques feuilles rouges encore accrochées à ses branches, frémissait sous un vent d'est. Surprenant monta à l'étage et trouva son exemplaire écorné de *L'Amélanchier*, le mot de l'inaccessible Ginette Daneau servant de signet, sur sa table de chevet. Il l'ouvrit, au hasard.

« Tous les contes ramenaient le voyageur chez lui, sauvaient l'enfant perdu et l'animal abandonné en leur faisant retrouver leur maison. »

L'amputeur avait quatre fois laissé des branches d'amélanchier derrière lui. Pourquoi ? Mathieu Lopez, en tireur psychopathe voulant venger la mort de son amie Amélie, aurait pu le faire. Mais si Mathieu n'était pas l'amputeur, qui aurait eu en même temps accès à l'histoire de la jeune toxicomane et le mobile pour l'utiliser, au risque de s'exposer ?

Il sentit un frisson familier : il tenait peut-être quelque chose. Il passa à la salle de bain de l'étage et examina son épaule dans le miroir : la situation paraissait stable. Geneviève dormait de son sommeil du samedi matin. Il prit une douche en protégeant la zone sensible, piqua un comprimé d'antibiotiques dans la réserve de Geneviève, l'avala, s'habilla en pigeant des vêtements dans le panier de linge propre déposé au haut de l'escalier.

À 6 h 30, son téléphone vibra. D'une voix qui se voulait calme mais qui trahissait un certain énervement, Guité le convoqua dans son bureau à 7 heures.

— Quelque chose en particulier ? demanda Surprenant.

— Je veux tes infos et ta stratégie. À tantôt.

En chemin, Surprenant appela les archives et tomba sur le gros Lavallée.

— Surprenant à l'appareil.

— J'ai un afficheur.

— Qu'est-ce que tu fais au travail ? À ton âge, me semble que tu devrais dormir le samedi matin.

— Ils appellent ça « l'harmonisation de la tâche ». J'ai le même horaire que le dernier petit crosseur qui rentre ici. Une autre façon de nous pousser vers la retraite.

— À te regarder, on ne dirait jamais que tu as été harmonisé. J'ai besoin du dossier d'Amélie Caron, rue Jarry, décédée par overdose en juin. Je voudrais que tu me ressortes aussi ceux de Brancato et d'Alcindor.

— Les Rouges et les Italiens, je te l'avais dit…

— C'est un classique. Si je t'apprenais que Brancato commerçait pour son compte sans en parler aux Scifo, qu'est-ce que tu dirais ?

— Que les Scifo faisaient semblant de ne pas le savoir. Des fois, ces petits arrangements-là, ça sert à récompenser des amis.

— Quels amis ?

— Des amis qui regardent à côté et qui empochent leurs petits bénéfices.

— Tu ne peux pas être plus précis ?

— Pas vraiment. C'est une impression, comme ça.

Lavallée raccrocha. *Le SPVM est un nid de vipères*, songea Surprenant avec dégoût. Il se revit, quelques mois plus tôt, un matin de juillet, se présentant tout heureux à son entrevue d'embauche. Avant de passer de vie à trépas, l'oncle Roger, l'homme de tous les partis, lui avait laissé un legs empoisonné. Il se prit à regretter son poste à Lac-Beauport, la quiétude des forêts, le murmure des rivières, l'amitié indéfectible de son coéquipier Santerre, sa maison de la rue de la Falaise, à Beauport, d'où il observait le passage des cargos.

Il trouva Guité seul dans l'aile administrative, penché sur ce qui semblait être des relevés bancaires. Guité remarqua le regard inquisiteur de son subordonné et retourna ses documents. En ce samedi matin, il portait une chemise bleu ciel, sans cravate, un veston de velours côtelé d'un brun presque jaune, orné de protège-coudes.

— Du thé ? offrit-il.

— J'ai eu ma dose de caféine, merci.

— D'abord, où en es-tu ?

Surprenant lui fit un résumé des événements de la veille. Guité le questionna sur Mathieu Lopez, la fuite de Palizzolo, et se montra particulièrement intéressé par Amélie Caron.

— C'est le maillon manquant, avança-t-il. Tu ne sembles pas certain que le fils de Lopez soit l'amputeur. Si ce n'est pas lui, pourquoi tant de choses pointent-elles vers lui ou vers Deschamps ?

— J'ai eu la même idée, mais ça peut être un leurre. On s'est fait une idée du tueur à partir des éléments qu'il a fournis. On peut être à côté.

Guité vida sa tasse de thé, yeux baissés, impénétrable.

— J'ai rencontré Lorraine Gendron hier après-midi, reprit Surprenant.

— Le téléphone de Deschamps, je sais.

Surprenant attendit. Guité se taisait.

— Vous l'avez écartée parce qu'elle voyait Deschamps ?

— Parfois, les apparences sont plus importantes que la réalité.

— Pour qui ?

— Pour ceux qui regardent. J'aimais bien Lorraine. Je ne sais pas ce qui lui est passé par la tête.

— Vous croyez qu'elle filait des informations à Deschamps ?

— Coucher avec un homme sans lui filer d'informations, pendant des mois, c'est un art difficile. Lorraine n'est pas Mata Hari. C'est quelque chose que je ne pouvais laisser passer, ne serait-ce que pour les apparences.

Guité appuya sur le mot, une deuxième fois.

— J'aimerais que tous les Walther du SPVM soient expertisés, attaqua Surprenant.

Son supérieur écarquilla les yeux, émit un rire nerveux.

— Rien que ça ? As-tu idée de ce que ça représente ?

— Deschamps n'a peut-être pas été descendu par la mafia.

— C'est impossible. Trop long, trop cher. Sans compter les inévitables fuites dans les médias.

— Alors, testons seulement les armes des membres des escouades spécialisées. Après tout, les fuites semblent provenir d'ici.

Guité se frotta les mains, se lissa la moustache.

— Je vais y penser. Par ailleurs, je suis obligé de te mettre sur la touche. Tu as été blessé et impliqué dans le meurtre de Deschamps. Il circule toutes sortes de choses sur ton compte. Tu seras affecté, *officiellement*, à des fonctions administratives à partir de lundi. Tu restes néanmoins responsable de l'enquête, au moins d'ici là. L'antigang n'est plus dans le coup.

— Vous êtes sérieux ?

— J'ai besoin d'un regard neuf. En un mot, je te donne la corde pour te sauver ou pour te pendre.

31
CÉRÉMONIE DU PARDON

Le vendredi 20 juin, à 9 h 31, un appel 911 avait signalé une jeune femme retrouvée sans vie au 1445, Jarry Ouest, appartement 4. Le propriétaire des lieux avait dû ouvrir à l'aide de son passe pour faire entrer un ouvrier qui devait refaire la céramique de la salle de bain. Les photographies étaient éloquentes : en slip et en camisole, un ventilateur toujours en marche à deux mètres d'elle, Amélie Caron, vingt-deux ans, une grande brune qui arborait un tatouage sur l'épaule gauche, était couchée sur un divan à fleurs vintage, la tête inclinée sur l'épaule. Sous le tatouage, un garrot de plastique défait. Sur un guéridon, à côté d'un livre, *La Rage* de Louis Hamelin, une seringue, une cuiller, un briquet, tout l'attirail d'une junkie.

La mort remontait à plusieurs heures. Les patrouilleurs appliquèrent la procédure, appelèrent leurs supérieurs pour ce qui était, jusqu'à nouvel ordre, une mort suspecte. L'enquête avait été menée par le sergent Christian Thouin, du 33, qui relia bientôt la défunte, d'après son téléphone et son ordinateur, à un réseau de prostitution contrôlé par les Rouges. Une enquête de voisinage, rendue difficile par l'absence de la majorité des locataires de l'immeuble en ce début de congé de la Saint-Jean-Baptiste, avait été négative. L'escouade antigang avait été avisée. Jean Rossi s'était présenté sur les lieux, mais n'avait pas laissé de rapport au dossier. En raison de la possibilité d'un suicide, le cas avait été signalé au coroner Denis Masson et une autopsie avait été demandée.

Le rapport d'autopsie était succinct. La jeune femme était en bonne santé, sinon qu'elle était porteuse du virus de l'hépatite C. Les rapports toxicologiques faisaient état d'une « dose élevée » d'héroïne et de traces d'alcool, de coke, de lorazépam et de quétiapine. La conclusion était « mort par intoxication mixte, avec prédominance d'opiacés ». Des sachets retrouvés sur place contenaient de l'héroïne pure à 30 % alors que la concentration habituelle, pour la drogue de rue, était entre 8 et 12 %. La conclusion de Thouin était une overdose accidentelle.

Surprenant feuilleta le mince dossier. Le rapport du coroner aurait dû y figurer. À moins que ce dernier, régulièrement débordé, ne l'ait pas encore rédigé ?

7 h 45. Il appela Brazeau. Il n'avait pas vu de rapport de coroner lorsqu'il avait parcouru le dossier deux jours plus tôt.

— Je ne vois pas l'utilité, ajouta-t-il. La petite est morte d'une overdose, pas vrai ?

— Y a quand même l'hypothèse du suicide.

— Ces jeunes-là, ils sont suicidaires à temps partiel. Alors, qu'elle l'ait fait exprès ou qu'elle se soit trompée sur la dose... Sais-tu combien de jeunes meurent comme ça chaque année à Montréal ? Quarante. Malheureusement, Amélie Caron fait juste partie du lot.

— Rossi a été avisé et est passé sur les lieux.

— Procédure normale. La petite était liée aux Rouges. Nos amis veulent être au courant de tout ce qui concerne les gangs.

— Et ils ne laissent pas de rapport ?

— Ce sont des prima donna. J'ai rejoint la tante d'Amélie. Une bonne madame. Elle sera à Versailles à 13 heures avec les affaires de sa nièce. Maintenant, laisse-moi me raser en paix.

Surprenant fit pivoter sa chaise et regarda le panneau derrière lui. Il eut l'impression qu'il n'avait pas été mis à jour depuis des lunes. Il scanna une des photographies du rapport, celle où on voyait Amélie

Caron morte, la tête de travers sur son divan fleuri, et l'épingla sur le tableau. Sur la carte, il piqua deux punaises, une jaune, une bleue, au même endroit, sur Jarry, entre Champagneur et Bloomfield. Enfin, il encercla, au stylo bleu, Louis-H.

— Ça avance? demanda Sasseville, qui arrivait avec quatre cafés et une boîte de Timbits.

— Ça bouge, dit Surprenant. Je ne t'attendais pas si tôt ce matin.

Boulet-Larose l'appela.

— Palizzolo vient d'acheter un billet Toronto-Washington-Rome avec sa carte de crédit. Départ à 10 h 05. Qu'est-ce qu'on fait?

— On le ramasse.

— Un mandat d'arrestation? Il est en Ontario.

— Témoin important dans un triple meurtre. Ça devrait pouvoir se négocier. Je m'en occupe.

— D'accord, mais je rentre au travail ce matin. Il se passe trop de choses.

— Olga ne dira rien? risqua Surprenant.

Boulet-Larose rit et raccrocha.

7 h 55. Au bout d'un quart d'heure, après des retards occasionnés, entre autres, par le changement de quart de travail, Surprenant fut mis en communication avec le sergent Dave Lemieux du Toronto Police Service.

— Bonjour! lança Surprenant.

— Euh... bonnejour. *If you don't mind, let's proceed in English.*

Il lui exposa la situation au sujet de Palizzolo. Sa relation avec *the Montreal Butcher* réveilla tout à fait son collègue ontarien, qui avait jusque-là émaillé l'échange de quelques «*I see*» ou «*Go on*» peu encourageants.

— *If you get through the red tape, we'll get your guy.*

Le *red tape* dont il était question consistait en un mandat d'arrestation en bonne et due forme relayé à un juge ontarien quelque part au bout d'un fax. Quand Surprenant termina le tout, à 8 h 45, l'escouade bourdonnait d'activité: Brazeau, Sasseville, Guzman, Boulet-Larose et Verreau fouillaient des écrans, téléphonaient, se consultaient, se caféinisaient sous le regard ennuyé de Francine, la femme de ménage du week-end, qui jouissait habituellement de plus de tranquillité pour travailler.

Surprenant appela Geneviève.

— Veux-tu que je passe te prendre?

— Tu l'as dit: «La Z3 est une deux places.»

Brazeau, se faisant passer pour un client, était au téléphone avec Natasha, une protégée des Rouges. Alice Verreau se penchait sur le passé de Louis Battaglia, le propriétaire de la Mercedes. Le rapport officiel de balistique confirmait ce que chacun soupçonnait: les douilles de Walther 99 n'étaient reliées à aucune arme connue.

Robert Stein, l'ami que Mathieu Lopez avait rejoint après l'assassinat de son père, était né en 1963 à Graz, en Autriche. Il enseignait le cinéma à l'Université Concordia depuis 2004. Dossier vierge. L'homme habitait ce qui semblait être, d'après Google, un condo haut de gamme. Il s'exprimait dans un français convenable, avec un accent allemand.

— J'attendais votre appel, déclara-t-il d'entrée de jeu.

— Mathieu vous a contacté?

— Il m'a envoyé un courriel. Je peux vous confirmer qu'il s'est présenté chez moi dans la nuit de jeudi à vendredi vers 1 h 30.

— *Il s'est présenté*… Est-ce qu'il a dormi chez vous?

— Il est resté à l'appartement jusqu'à 17 heures hier après-midi. Il était très perturbé.

— Excusez-moi, monsieur Stein, mais je dois vous questionner sur la nature de vos relations avec Mathieu Lopez. Le jeune homme aurait appris le meurtre de son père, se serait précipité chez lui rue Fullum puis aurait décidé, sans en aviser personne, d'aller passer la nuit chez vous. C'est un peu bizarre.

— Vous venez de donner la réponse à votre question. Mathieu est un jeune homme fragile. Je suis peut-être une sorte de père pour lui.

Stein avait employé un ton circonspect. Les relations particulières entre étudiant et professeur demeurant un sujet délicat au sein de certaines administrations universitaires, il voulait établir qu'il n'avait enfreint aucune règle.

— Hier, c'était vendredi. Vous n'êtes pas allé travailler ?

— Je n'ai pas cours le vendredi. Je vous certifie que Mathieu est resté chez moi, en ma compagnie, hier, de 1 h 30 à 17 heures.

— Quelqu'un peut corroborer vos dires ? Un voisin, un ami, une femme de ménage ?

— Personne. Je suis un homme solitaire, sergent.

Quand Surprenant et Geneviève se présentèrent au 4e Nord, à l'hôpital du Haut-Richelieu, ils se heurtèrent à des portes verrouillées électroniquement. La raison de la précaution leur apparut dès qu'on leur en permit l'accès. Le tiers des vieillards qui circulaient de l'autre côté, vaille que vaille, en fauteuil roulant, en marchette ou, plus rarement, sur deux jambes, ne semblaient être habités que par une idée : s'échapper. Lenteur, stupeur, tremblements, dans ce monde hors du monde, plus personne, à part le personnel, ne jouissait de toutes ses facultés.

Le patient Maurice Surprenant, rasé de près, presque élégant dans une chemise de coton bleue et son pantalon turc, accueillit les visiteurs en s'excusant.

— Pardonnez le *setting*. En l'espace de deux semaines, je suis passé d'homme normal à patient gériatrique.

Il se tourna vers Geneviève et, au soulagement de son fils, réintégra, par une sorte de miracle, son personnage de séducteur.

— Je suis content de te rencontrer.

Il s'avança et l'embrassa sur les joues, avec affection et naturel. Il fit ensuite un pas en arrière, l'examina en fermant un œil, comme s'il évaluait un tableau.

— *God!* Une vraie beauté!

— Vous êtes gentil, dit Geneviève.

Surprenant scrutait le visage de son père. Il lui parut plus maigre, mais plus serein qu'à Los Angeles.

— Assoyez-vous. Nous avons un peu de temps avant l'arrivée de la Gestapo.

— La Gestapo? s'enquit Surprenant en espérant qu'il ne s'agisse pas de sa mère.

— «Combien de bières, de coupes de vin, d'onces de spiritueux consommez-vous par semaine?» «Où êtes-vous?» «Qui est le premier ministre du Canada?» «Retenez ces trois mots: chemise, bleu, honnêteté.» On m'a fait dessiner des horloges, soustraire à l'envers à partir de 100. *I think I fooled the buggers.*

— *You can ckeck out any time you like*, commença Surprenant.

— *But you can never leave*, compléta son père. *I've got a few brain cells left*. Tu nous comprends, n'est-ce pas, Geneviève?

— Parfaitement.

Maurice Surprenant sourit, toussa, avala sa salive. Il avait pris place dans un fauteuil. Surprenant et Geneviève, assis côte à côte sur des chaises de plastique, étaient en face de lui, penchés vers l'avant.

— La prochaine fois qu'on se verra, je vous jure que ce ne sera pas dans une chambre d'hôpital, reprit le père.

— Justement, parle-nous donc de ta santé.

— Infection urinaire par-dessus une grippe. Les boyaux, le foie, les reins, le cœur, les poumons, tout est bon. Il me reste à obtenir mon *release* et à me débarrasser de la sonde.

S'ensuivit une discussion sur les mérites de la médecine traditionnelle *versus* les thérapies douces. Fouilles Internet à l'appui, le vieux *roadie* n'était pas prêt à sacrifier sa prostate sur l'autel de la longévité.

— Mais je ne vous ai pas demandé de venir ici pour parler de mes bobos. Des fois, la vie est bien faite. Quand tu te réveilles branché de partout aux soins intensifs, tu réfléchis sur un temps rare. Ce qui me rongeait, c'était le remords de vous avoir abandonnés, ta mère, Jacques et toi. Ce que je t'ai conté à L.A., c'est tout vrai. Sauf qu'en octobre 1970, j'avais le choix. J'aurais pu trouver un moyen de rester. Je vous ai laissés tomber pour suivre une chanteuse, caché dans une valise de char.

La voix de Maurice Surprenant, encore enrouée à la suite de l'intubation, tremblait.

— L'important, c'est que tu sois revenu, papa.

Le père secoua la tête.

— Je t'ai fait venir ici ce matin pour te demander pardon. Je ne te demande pas de m'aimer. Tout ce dont j'ai besoin, pour le temps qui me reste, c'est que tu me pardonnes.

— C'est déjà fait.

— Dis-le, d'abord.

— Je te pardonne.

Il y eut un silence. Aucun œil n'était sec. Geneviève prit la main de Surprenant et la serra. Maurice Surprenant leva ses bras décharnés :

— *Ite missa est !*

Surgie des profondeurs de l'ère pré-Vatican II, la boutade latine détendit l'atmosphère. Satisfait, le père renchérit :

— À partir de maintenant, finies les faces de carême ! La vie est trop courte. Parle-moi de ton enquête. À la télé, on voit toujours les mêmes affaires.

Minimisant les menaces qui pesaient sur sa propre personne, Surprenant fit un résumé de la situation. Son père écouta attentivement, sans dissimuler son étonnement ou son scepticisme devant certains développements.

— Ton jeune malade mental, là ?

— Mathieu Lopez.

— C'est quoi son lien avec le vendeur de pizza ?

— Le seul lien, c'est la jeune fille qui est morte d'une overdose. Ou encore son père chroniqueur judiciaire.

Maurice Surprenant pesa le pour et le contre, puis secoua la tête.

— *Bullshit! It's all about the money!* Je connais ce monde-là, André. Enfarge-toi pas dans les fleurs du tapis. Suis l'argent. Leur seul intérêt, c'est l'argent.

— Moi, j'ai pas de problème avec l'argent, j'en ai pas!

Nicole, flamboyante dans un anorak fuchsia, arrivait, les bras chargés de deux gros sacs de plastique.

— Je vois que presque toute la famille est là, ajouta-t-elle sur un ton inquiet.

— Tire-toi une bûche, dit le malade.

— Je t'ai acheté du linge. J'ai jeté un œil sur ce que t'as au chalet. Boswell! Je sais pas si t'as l'intention de passer l'hiver, mais t'es pas gréé pour!

Elle tira d'un de ses sacs un manteau de laine noir, orné d'une étiquette « -50 % ».

— Il commence à être temps que t'arrêtes de t'habiller comme si t'étais à Acapulco.

— Puerto Vallarta, Nicole.

— Tu sais, moi, j'ai jamais dépassé Miami.

Surprenant observait son père. Son visage émacié exprimait l'amusement, peut-être la tendresse.

— Assis-toi, on regardera ça tantôt. André et Geneviève ont pas toute la journée.

Docile, Nicole enleva son manteau, traversa la chambre en claudiquant et prit place à côté de sa bru, comme si elle voulait se mettre sous sa protection.

Geneviève, grave, perplexe, demeurait muette.

— J'ai des questions à vous poser, commença Surprenant. Ça concerne votre… ton frère Roger.

— Ah Roger ! fit le père sur un ton ironique. On a toujours beaucoup parlé de lui dans la famille. C'est celui qui a réussi.

— J'ai entendu des choses moins reluisantes à son sujet.

— Sortons les squelettes.

— Quand tu fricotais avec le gang de Dasti, au Victoria, est-ce que Roger était au courant ?

Maurice Surprenant prit le temps de réfléchir.

— Astheure qu'il est mort… Roger était d'autant plus au courant qu'il veillait au Victoria deux ou trois fois par semaine. C'est en partie comme ça qu'il a payé ses études. Ton oncle était un *gambler* aussi, mon gars. Pire que moi ! Je ne sais pas ce qui s'est passé après mon départ, mais ça m'étonnerait qu'il ait arrêté.

— On m'a dit qu'il avait fait une partie de son argent avec les Italiens, à Montréal.

— Ça me surprendrait pas. Roger a dû gagner et perdre beaucoup d'argent dans sa vie. Quand tu es pris dans cet engrenage-là, t'es pas regardant sur la main qui te nourrit.

— Ça n'a jamais paru. Je veux dire, il a toujours eu l'air respectable.

— Le monde est plein de bandits respectables. Je veux pas parler en mal de Roger, mais je vais te conter une histoire d'enfance. Dans la cour chez nous, il y avait une clôture de bois qui nous séparait des Dépelteau. Un de nos jeux, c'était de marcher dessus, d'un bout à l'autre, quarante pieds sur une clôture d'un pouce de large. À ce jeu-là, Roger était champion. Pas vrai, Nicole ?

La mère acquiesça de la tête, avec une certaine réticence.

— Roger a toujours su se tenir debout sur une clôture, n'importe quelle clôture. *He could walk the line.*

— Est-ce que Marcel savait que tu étais vivant ?

— Ton oncle Marcel a toujours eu deux qualités : il est discret et il ne juge pas. Il m'a pris tel que j'étais. De mes trois frères, c'est le seul.

Après cet aveu qui résumait presque toute une vie, Geneviève, toujours sérieuse, sortit une caméra de son sac.

— Vous êtes là, tous les trois ensemble. Ce serait bien de prendre une photo, non ?

Dans leur dos, le soleil perçait les nuages au-dessus des frontières américaines. Les yeux fixés sur l'autoroute, muette, Geneviève conduisait. Surprenant, allongé sur le siège passager, réfléchissait.

— Tu te rends compte ? Pendant trente-huit ans, Marcel savait et il ne m'a rien dit !

— Il voulait peut-être te protéger. Ou protéger ta mère.

— Qu'est-ce que tu as ? Tu as l'air préoccupée.

— Laisse-moi digérer tout ça.

Ils laissèrent l'autoroute 35 et s'engagèrent sur la 10. Au loin, les gratte-ciel de Montréal se dressaient, comme autant de rappels de l'enquête en cours. Surprenant appela Brazeau à Versailles. Vinny Palizzolo avait été appréhendé par le TPS à l'aéroport Pearson, à 9 h 45, alors qu'il s'apprêtait à s'envoler pour Washington et Rome. Il était actuellement détenu au poste 23 de Finch Avenue et réclamait un avocat.

— Qu'est-ce qu'on fait avec ? demanda Brazeau.

— On le laisse poireauter là jusqu'à lundi, *incommunicado*.

— Tu penses que ça peut se faire ?

— On peut essayer.

Par ailleurs, Brazeau avait pu parler au coroner Masson. Il y avait bel et bien eu un rapport. Le médecin s'en souvenait très bien parce qu'il avait soulevé des questions au sujet de la concentration d'héroïne. Il avait évoqué la possibilité de faire une campagne d'information auprès des toxicomanes, même de mettre à leur disposition des antidotes en cas d'overdose.

— Plein d'allure, le coroner, commenta Surprenant.

— J'ai parlé à Christian Thouin. Il a fait monter le rapport à ses supérieurs, qui ont décidé de ne pas y donner suite. Le coroner Masson est réputé pour « rêver en couleurs ».

Surprenant grogna, regarda sa montre : il était 11 h 15.

— Qui a pris la succession d'Alcindor chez les Rouges ?

— D'après ce que j'ai su, c'est un dénommé Jahmad Duval.

— Jahmad ?

— Fouille-moi.

— Peux-tu arranger un meeting, après la tante Ginette ?

— Positif. Tu reviens à Versailles ?

— Pas tout de suite. Je retourne à la base de l'affaire.

— C'est-à-dire ?

— *Follow the money*. As-tu regardé du côté de Sophia Brancato, la fille qui étudie à New York ?

— Aucun transfert d'un compte de Brancato ou de sa femme vers Sophia.

— C'est bizarre, non ? Faut bien qu'elle vive de quelque chose, à Columbia University. Qu'est-ce que Brancato faisait de son argent ?

— Je m'y mets. Tu retournes chez la veuve, si je comprends bien ?

— On ne peut rien te cacher.

32

ANNA-BELLE

Surprenant dut sonner deux fois avant qu'Eva Brancato, pourtant avertie de sa visite, l'examine à travers son judas, déverrouille la porte, enlève la chaînette de protection et le conduise, sans la moindre salutation, à son salon. La crédence de noyer supportait des bouquets en voie de se faner.

— Qu'est-ce que vous voulez ? demanda-t-elle en lui désignant de ses doigts boudinés une chaise droite.

Eva Brancato s'assit dignement sur le divan damassé. Vêtue de noir, non maquillée, le visage figé en un masque tragique, elle était devenue, en quelques jours, une veuve.

— La situation a évolué depuis notre dernière conversation, madame.

Il laissa traîner sa phrase. Elle ne mordit pas.

— Nous savons maintenant que votre mari était impliqué dans un trafic de cocaïne avec un gang de Rivière-des-Prairies.

— Je vous ai dit que c'était impossible. Avez-vous des preuves ?

— Vinny Palizzolo a été arrêté ce matin à l'aéroport de Toronto.

— Ça confirme ce que je vous ai dit la semaine dernière. Si quelqu'un vendait de la drogue au Stromboli, ce n'était pas Luca, mais un employé.

— Votre mari n'est pas la seule victime dans cette affaire.

— Pour la deuxième fois, qu'est-ce que vous voulez ?

Surprenant observait la veuve de Luca Brancato. Sans doute consciente de son peu de talent pour la comédie, elle s'était rapidement rabattue sur ce qui était probablement sa seule ligne de défense : l'obstruction passive.

— L'argent.

— Quel argent ?

— L'argent de la coke. Comment votre mari le blanchissait-il ?

— Mon mari ne vendait pas de drogue.

Surprenant observa un silence avant de reprendre sur un ton plus menaçant :

— Votre mari est mort, mais vous êtes toujours là, de même que vos filles. Vinny Palizzolo parlera. L'enquête progresse. Il y aura des accusations, un procès. Votre collaboration avec la justice sera prise en compte.

— Je n'ai rien à cacher.

Comme lors de l'entrevue précédente, Surprenant se leva et alla se camper devant les photos de famille.

— Votre fille Sophia vit dans un appartement de 700 pieds carrés dans le Upper West Side. Elle étudie à plein temps à l'Université Columbia. Sa dernière déclaration fiscale fait état de revenus de 14 000 dollars. Où trouve-t-elle l'argent pour vivre ?

— Elle a des bourses, elle emprunte.

— Auprès de quelles institutions, madame ?

— Luca était au courant de ses affaires. Je...

— Je voudrais parler à votre belle-mère, madame.

Les beaux yeux d'Eva Brancato s'agrandirent. Il avait frappé dans le mille.

Il suffisait de poser les yeux sur Ginette Caron pour savoir qu'elle était la tante de la jeune héroïnomane retrouvée morte rue Jarry. Les cheveux bruns, le visage allongé, la taille élancée étaient les mêmes. L'âge, toutefois, les séparait : tante Ginette avait, en ce début de novembre, un teint cireux, des doigts jaunis par la nicotine, des ongles rouge vif écaillé et une toux grasse. Elle portait un jeans trop serré, des bottillons verts tachés de calcium, une veste de ski hors de saison et, à l'annuaire gauche, un petit anneau doré qui ne semblait pas avoir été enlevé depuis le dernier référendum. À ses côtés, posée sur la table de la salle de conférence, une boîte de carton munie d'un couvercle, sur laquelle étaient inscrites, au stylo de feutre rouge, les six lettres AMÉLIE.

— Je vous remercie de vous être déplacée, commença Surprenant. Un samedi surtout.

— Dans ma vie, il n'y a plus de samedis, dit la femme.

— Vous êtes retraitée ? demanda Brazeau.

— J'ai un cancer. Ne vous en faites pas, je devrais passer à travers.

— Désolé, dit Surprenant.

— Ne soyez pas désolé, surtout. Je suis heureuse de pouvoir faire quelque chose pour Amélie. C'est trop tard pour elle, évidemment. Je ne veux pas critiquer, mais le moins qu'on puisse dire, c'est que vous avez mis du temps à réagir.

Surprenant et Brazeau échangèrent un regard. Brazeau haussa les épaules.

— Qu'est-ce que vous voulez dire ? demanda Surprenant.

— Le sergent Thouin m'a téléphoné en juin, dans la semaine qui a suivi la mort d'Amélie. Je lui ai dit qu'il avait dû se passer quelque chose. J'avais parlé avec Amélie une semaine plus tôt. Elle allait bien ! Elle avait des projets, elle voyait son psy, elle s'était inscrite à l'université pour la session d'automne. Je ne comprenais pas pourquoi elle avait rechuté, juste à ce moment-là. Je n'ai jamais eu d'autres nouvelles du Thouin.

La femme ponctua la fin de sa tirade d'un petit « pffff ! », du bout de ses lèvres peintes d'un rouge qui s'harmonisait avec ses ongles. Le soupir, bref et dérisoire, peut-être emprunté à ses tics de fumeuse, se rapportait à tout ce qui dans sa vie, jeunesse, nièce, santé, s'était envolé.

— Parfois, les enquêtes prennent du temps, plaida Surprenant. Le sergent Thouin vous a-t-il dit qu'il s'agissait, selon les évidences, d'une intoxication accidentelle ?

— Il a seulement parlé d'une overdose. Accident, suicide, ça ne change rien au résultat. Pouvez-vous m'expliquer en quoi la mort d'Amélie concerne maintenant les crimes majeurs ?

— Dans un premier temps, je crains que ce ne soit impossible, dit Surprenant.

— Je regarde les nouvelles, vous savez. Ça n'a quand même rien à voir avec le meurtre de ce journaliste ?

— Qu'est-ce qui vous fait penser ça ?

— Amélie était devenue amie avec le fils de Pierre-Antoine Deschamps pendant sa dernière hospitalisation à Louis-H. Il lui a fait rencontrer son père. J'ai vu votre nom dans les journaux. Surprenant, ça ne s'oublie pas. Alors, j'ai fait « un plus un égale deux ».

— Vous en savez plus sur le fils ?

— Pas vraiment. Il a fait le voyage à Trois-Rivières pour assister aux funérailles. Il semblait avoir de la peine, mais il est parti tout de suite après le service. Il n'avait pas l'air d'aller très bien, si vous voulez mon avis.

— Ses relations avec Amélie ?

— Elle m'a simplement dit que c'était un ami. Ce que ça voulait dire pour elle, c'est une autre affaire. La vie d'Amélie, c'était plutôt… compliqué.

Surprenant et Brazeau se regardèrent de nouveau. Tante Ginette savait-elle comment sa nièce arrondissait ses fins de mois ?

— Reprenons au début, voulez-vous ? suggéra doucement Brazeau. Nom, adresse, occupation.

Ginette Caron, cinquante-cinq ans, domiciliée rue Marion à Trois-Rivières, était, avant d'être atteinte d'un lymphome, secrétaire-réceptionniste dans une entreprise spécialisée dans les systèmes de ventilation et de refroidissement. Elle n'avait pas d'enfant. Le mari, dont le statut semblait aussi flottant que la pitoune qui descendait jadis sur le Saint-Maurice, travaillait « dans le Nord, de temps en temps ».

Amélie était fille unique. La mère avait disparu du décor avant qu'elle ait dix ans, d'abord pour suivre un don Juan de banlieue, puis pour s'établir en République dominicaine, où elle était morte dans des circonstances nébuleuses, infection fulminante ou empoisonnement. « Josée disait qu'elle suivait son étoile. Disons que c'était une étoile filante. » Le père, « un gars tranquille, peut-être trop », était mort en 2002, intoxiqué alors qu'il nettoyait un silo. Amélie, à seize ans, était déjà rebelle, consommatrice, « borderline ». À Trois-Rivières, elle traînait déjà une réputation. La ville était trop petite pour elle. Elle s'était inscrite en lettres au Cégep du Vieux-Montréal, refusant l'encadrement que lui offrait sa tante. « En six mois, elle a flambé le peu d'argent que lui avait laissé son père. J'étais tutrice, j'aurais peut-être pu faire mieux, mais j'avais mes propres problèmes. » De petit boulot en petit boulot, Amélie Caron avait quand même réussi à se rendre à l'université. « Mais sa belle tête de p'tite vite était *scrap* » : une hospitalisation, puis une deuxième, des diagnostics, troubles de la personnalité, toxicomanie, psychose toxique. « Là, ça n'allait plus du tout. »

— Voilà, conclut la tante. J'aurais aimé vous raconter une autre histoire, mais j'ai juste celle-là. Un matin de juin, j'ai reçu un appel de la police. Je suis allée identifier le corps de ma petite Amélie à la morgue, seule comme une grande, deux jours après avoir eu mon diagnostic de cancer. Quatre jours plus tard, je suis allée chercher ses affaires. Le propriétaire était pressé. Il voulait refaire les planchers avant le 1er juillet.

— Nous pouvons jeter un œil ? demanda Surprenant en désignant la boîte.

— Allez-y. Ça vient en partie de son appartement, en partie de ce que j'appelais « sa chambre » chez moi. J'ai seulement gardé ce qui avait une valeur sentimentale.

La boîte de carton portait l'inscription « Ventilation Bélair inc. » sur le côté. Surprenant souleva le couvercle. Il perçut une odeur de lavande qui lui rappela Geneviève : tante Ginette avait déposé un sachet de sent-bon au milieu des souvenirs de sa nièce. Le cœur serré, il découvrit, soigneusement rangés, des robes et des jupes un peu tape-à-l'œil, un tutu de ballet, une petite robe blanche sur laquelle étaient épinglés ces mots anachroniques « mai 1993 – première communion », des photos aux couleurs passées montrant une heureuse petite famille de trois, la mère, le père, la belle fillette brune, des médailles de ballet, de natation. Au fond reposaient deux épaisses piles de cahiers Canada. Il en feuilleta un, marqué « Été 2003 » : des pages et des pages d'une grande écriture penchée vers la droite, impétueuse, des dessins dans les marges.

— Elle tenait un journal ?

— Depuis qu'elle était ado. Un cahier par saison, parfois un par mois. Elle écrivait, elle écrivait, c'était étourdissant.

Les cahiers étaient rangés par ordre chronologique. Le dernier portait « Hiver 2008 ».

— Cherchez pas le dernier, dit la tante. Il n'y est pas.

— Elle avait peut-être arrêté d'écrire, suggéra Brazeau.

— Ça me surprendrait.

— Vous avez trouvé un téléphone ? Un ordinateur ?

— J'ai dû appeler la police pour récupérer le téléphone. Il m'est revenu un mois plus tard, sans chargeur. C'était un vieux modèle, je l'ai jeté. La batterie de l'ordinateur était finie, je l'ai envoyé au recyclage.

Surprenant fouillait toujours. Il tomba sur une photo couleur récente, de mauvaise qualité, peut-être tirée d'une imprimante. Trop maquillée, provocante avec un soupçon de dérision, Amélie Caron présentait son corps mince, vêtu d'un string, à un photographe non identifié. À l'arrière, cette inscription entourée d'un cœur enfantin: « Anna-Belle, 13 février 2008 ».

— Anna-Belle ? demanda-t-il.

— Amélie avait beaucoup d'imagination. Elle s'inventait des personnages.

Le sourire de tante Ginette, certainement triste, était aussi une prière : elle avait conservé cette photo troublante, mais ne tenait pas à évoquer la dernière incarnation de sa nièce.

— Pouvez-vous nous confier cette boîte, madame Caron ?

— Vous semblez avoir bon cœur. Je vous la laisse, à la condition que la police me la rende, *cette fois*, sans piger dedans.

Tante Ginette se leva, peut-être impatiente de griller une cigarette.

— Une dernière chose, demanda Surprenant. *L'Amélanchier*, ça vous dit quelque chose ?

— D'où tenez-vous ça ? C'était son livre préféré. La mère de ce docteur écrivain, là...

— Jacques Ferron.

— Bon, c'était une Caron. Je crois qu'il venait de Louiseville. Quoi qu'il en soit, Amélie s'était mis dans la tête qu'elle descendait de ces Caron-là.

— C'est vrai ?

— Aucune idée. J'ai assez des Caron vivants sans m'occuper de leurs ancêtres.

Toujours flanqué de Brazeau, qui se déclarait en manque aigu de nourriture, Surprenant retourna au local des enquêteurs, scella la boîte avec du ruban adhésif et la dissimula sous son bureau.

— Où sont les autres ? demanda-t-il.

— Verreau est allée rencontrer le propriétaire de la Mercedes. Boulet-Larose essaie d'obtenir les relevés bancaires de la fille Brancato,

Guzman analyse les rapports des technos au sujet de l'ordi de Deschamps, Sasseville a mis la main sur la psychiatre de Lopez.

— Tu veux manger chez Dimitri ?

— Pas le temps. On a rendez-vous avec Jahmad à 14 h 30.

— Où ?

— Dans un endroit charmant.

Surprenant s'étira. L'antibiotique ne lui avait fait aucun bien. Guité apparut, les traits tirés, impeccable dans son Burberry.

— Ça avance ? demanda-t-il en examinant le tableau.

— On a résolu le mystère ABC, dit Suprenant. Anna-Belle Caron.

— L'amie de Mathieu Lopez ?

— Qui travaillait pour Desmond Alcindor. Qui trafiquait avec Brancato.

Guité hocha une tête d'enterrement.

— Nous avons aussi découvert que Brancato utilisait le compte de sa mère de quatre-vingt-six ans, dans une banque de Pierrefonds, pour envoyer de l'argent à sa fille à New York.

— De gros montants ?

— Deux mille dollars en octobre, répondit Brazeau. Je n'ai pas réussi à avoir tous les relevés. Chose certaine, il n'y avait pas juste son chèque de pension de vieillesse qui rentrait là-dedans.

— La mère de Brancato, qu'est-ce qu'elle dit de ça ? demanda Guité.

— D'après la veuve, elle est partie passer l'hiver en Sicile. Elle peut aussi bien être enterrée dans le jardin.

Guité demeurait sceptique.

— Cette histoire de cocaïne… Faudrait parler à Hudon ou à Rossi. Je ne comprends pas pourquoi Alcindor s'approvisionnait chez Brancato. Les Rouges ont leurs propres contacts.

— Peut-être que le prix était bon ? suggéra Brazeau. On rencontre justement un copain d'Alcindor tantôt.

— Allez-y à deux et soyez prudents. Tout le monde à 16 heures dans la salle de conférence.

Guité les salua d'un signe de tête et prit congé.

— Qu'est-ce qu'il a ? demanda Brazeau. On avance et il fait la baboune.

— Je ne sais pas. Peut-être qu'il préférerait qu'on n'avance pas.

33
ROUAGES

— Jahmad ! Il est musulman, ton gars ?

— C'est peut-être un surnom. Ça me surprendrait qu'il soit porté sur la religion.

Boulevard Gouin, quelques rues à l'est de Pie-IX, Brazeau gara la Caprice banalisée devant une maison en pierres des champs, ornée d'une pancarte « Maison historique Brignon-dit-Lapierre ».

— C'est là ?

— La maison de mon arrière-grand-père ! dit Brazeau sur un ton emphatique. Il y a un petit parc à l'arrière.

Le long de la rivière des Prairies s'engouffrait un vent d'est qui rendait le froid plus coupant. Les deux hommes contournèrent le bâtiment, une maison de style normand, à deux cheminées, rénovée de façon extensive, et découvrirent une vaste pelouse en pente, semée de tables à pique-nique. D'un geste de la tête, Brazeau désigna, cent mètres plus bas, près d'une piste cyclable, un homme assis sur un banc face à la rivière.

Surprenant fouilla les alentours. Cinquante mètres à leur droite, sur une passerelle de bois qui enjambait la piste, deux jeunes Noirs les suivaient des yeux.

— Il y a foule, observa-t-il.

— Ne t'inquiète pas. Ils n'ont pas intérêt à ce qu'il y ait du grabuge.

Jahmad Duval était un petit Noir d'un âge incertain, entre vingt-cinq et quarante ans, au visage marqué par l'acné. L'arcade sourcilière droite affichait une cicatrice. Il portait une veste de cuir coûteuse, une tuque de laine grise qui laissait voir, à son oreille gauche, un diamant gros comme l'Annapurna.

— Qu'est-ce je peux faire pour vous ?

Le ton était pragmatique, l'accent, québécois.

— Alcindor et Brancato, commença Brazeau. Les deux ont été tués. Pourquoi Alcindor s'approvisionnait-il auprès de Brancato ?

— Aucune idée. Je n'ai rien à voir là-dedans.

— Ça, on s'en doute. Ce qu'on veut savoir, c'est pourquoi Alcindor faisait affaire avec un petit joueur comme Brancato ? C'est difficile à comprendre. On sait que vous achetez chez les gros d'habitude.

Duval regarda la rivière, sembla réfléchir.

— Je ne suis pas un *stooleux*.

Brazeau eut un mouvement d'impatience.

— Écoute, bonhomme, ce qui nous intéresse, c'est le tueur, pas tes petites combines. Alcindor, Lavalette, vous avez perdu deux gars. On sait que tu as repris le territoire d'Alcindor. Alors, tu nous aides un peu ou je te jure qu'on va se pencher sur ton cas.

— Des menaces ?

— Si ce n'est pas nous, intervint Surprenant, ce sera nos amis du Café Stella. Je ne sais pas si ça t'intéresse de finir dans un baril dans une cour de garage.

Duval sourit.

— J'oubliais : tu es un peu de la famille…

Étonnamment vif, Brazeau le saisit par le col, le renversa sur le banc et lui écrasa la poitrine de son genou.

— Petit crisse de baveux ! Tu nous dis ce que tu sais ou je te fais avaler ton diamant !

Les yeux exorbités, le Rouge émit quelques râlements.

— Boomer en bicycle à tribord, signala Surprenant.

Brazeau relâcha sa prise. Jahmad Duval, furieux, reprit son souffle.

— Bonjour ! salua le boomer en passant.

— Gang de…, commença Duval.

Le poing droit de Brazeau s'écrasa sur son visage, provoquant un désagréable craquement. Surprenant jeta un œil sur les deux Noirs sur la passerelle. L'un d'eux tenait ostensiblement un pistolet dans sa main droite.

— Veux-tu finir comme Lavalette ? insista Brazeau.

Duval, le nez de travers, leva la main en guise d'apaisement. Brazeau recula.

— Nous, on fait du commerce ! glapit l'homme comme si cela devait lui assurer une sorte d'immunité. Si Alcindor achetait de Brancato, c'est que le prix était bon, c'est tout !

— Brancato faisait des prix d'ami ?

Duval siffla en signe de dérision. Il saignait de la narine gauche.

— Cibole, vous êtes pas vite ! Si Brancato avait ce prix-là, il y a juste une explication. Quelqu'un chez vous en profitait.

— Chez nous ? demanda Surprenant.

— Allumez ! C'est *full* de pourris au SPVM !

— Tu as un nom ?

— Cibole ! Alcindor et Lavalette avaient un nom, c'est pour ça qu'ils sont morts.

Brazeau prit Pie-IX en direction sud vers la Métropolitaine.

— C'est quoi, ta manie de baisser le siège et de t'allonger en char ?

— Ça m'aide à réfléchir.

— Réfléchis.

— Tu n'y es pas allé avec le dos de la main morte, comme dirait l'autre.

— Ça donne rien d'être poli avec ces petits crosseurs-là. Ils ont l'air inoffensifs, mais ce sont les pires vautours.

— Le cibole, est-ce que tu le crois ?

— C'est facile, dire que le SPVM est plein de pourris. N'empêche que ça commence à s'additionner.

Surprenant ne répondit pas. À son arrivée aux crimes majeurs, il avait cru que le climat de suspicion qui pourrissait l'atmosphère faisait partie de la culture du SPVM. La paranoïa infiltrait probablement la vie de n'importe quel grand service de police. Il commençait à soupçonner que le malaise prenait racine dans une circonstance précise, bien réelle : la présence d'une ou de plusieurs taupes au sein des escouades spécialisées. La main droite de LP, qu'il croyait être un doux, affichait une ecchymose. Que savait-il vraiment de lui ? De Guité ? De Hudon ? De Rossi ? Des agents infiltrés de l'antigang ?

Samedi 8 novembre, 16 heures. Les enquêteurs se réunirent dans un silence tendu. Derrière les vitres sur lesquelles la neige et la pluie avaient laissé des traînées grisâtres, la nuit tombait sur Montréal. Guité officiait à sa place habituelle, au bout de la table, devant la fenêtre. Sandrine Vadeboncœur était absente, de même que Rossi et Hudon.

— Commençons par Lopez, dit Guité, qui semblait avoir retrouvé une certaine sérénité.

Sasseville narra sa rencontre avec la psychiatre de Mathieu Lopez. Tout en assurant qu'il était « excessivement rare » que des psychotiques se transforment en tueurs en série, Johane Durocher s'était alarmée du fait qu'il ne prenne pas ses médicaments. Elle avait bien sûr noté que Mathieu ne s'était pas présenté à son dernier rendez-vous, mais elle n'avait pu le joindre pour le relancer. Selon elle, il pouvait devenir instable dans un contexte de deuil, surtout s'il reprenait sa consommation d'amphétamines.

— Il est en sécurité au moment où on se parle ? demanda Guité.

— J'ai tenté de contacter Mathieu sur son cell. Il ne répondait pas. J'ai communiqué avec sa sœur Laurence. Mathieu est déménagé chez elle jusqu'à nouvel ordre. Il est incapable de retourner dans son appartement. Elle veille sur lui, mais il y aura bientôt des situations stressantes, le salon funéraire, l'enterrement du père.

— On devrait le faire évaluer ou lui offrir une aide psychologique, suggéra Surprenant. S'il arrive quelque chose, on va avoir l'air fin.

Après discussion, il fut décidé de lui proposer de rencontrer un psychologue de l'unité de crise dès le lendemain.

— Il a des alibis pour les meurtres ? demanda Guité.

— Aucun, dit Sasseville. Il mène une vie solitaire, sort peu, sauf au cinéma, se couche tôt pour s'entraîner tous les jours. Une seule exception : le soir du meurtre de son père où il est allé dans un bar avec son ami Manu. Par ailleurs, son travail de courrier s'opère en grande partie dans le quartier des affaires de Montréal, dans le périmètre qui nous intéresse, la basilique, la rue Saint-Jacques, l'édifice de *La Presse*, le quai de l'Horloge. Sur son cell, sur Facebook, pas grand-monde, sa famille, quelques amis, ce monsieur Stein chez qui il a passé la journée d'hier.

— J'ai vérifié, dit Surprenant. C'est un professeur d'université. Il jure que Mathieu a été chez lui de 1 h 30 à 17 heures hier. Encore là, aucun témoin pour corroborer.

— Lopez est gai ? s'informa Boulet-Larose.

— Aucune importance, trancha Guité. Est-ce que Mathieu a contacté son père jeudi ?

— D'après les deux cells, non, dit Sasseville.

— Dans ce cas, intervint Surprenant, comment le meurtrier de Deschamps savait-il qu'il devait souper avec moi ce jour-là ? Ce n'est pas un hasard si la Mercedes est arrivée à ce moment-là. Le tueur était au courant de notre rendez-vous. Comment ?

L'analyse des téléphones de Deschamps, autant son cell personnel, sa ligne terrestre que son poste à *La Presse*, ne permettait pas de résoudre la question. L'hypothèse de Surprenant était que Deschamps avait signé son arrêt de mort en parlant à quelqu'un en qui il avait confiance.

— Qui, par exemple ? s'enquit Guité.

— Nous savons que Palizzolo et lui se sont téléphoné à 15 h 18. Il a pu jaser aussi avec son contact au sein du SPVM.

Guité demeura de marbre. Brazeau raconta leur entretien avec Jahmad Duval. Guité, encore une fois, ne manifesta aucun enthousiasme.

— Ce Duval n'a fourni aucun nom, aucun fait vérifiable, objecta-t-il.

— Rien, sauf que, selon lui, le trafic de Brancato et d'Alcindor ne pouvait se faire qu'avec la bénédiction de l'un d'entre nous.

Après un silence, Guité annonça qu'il demanderait, dès le lendemain, une analyse balistique de toutes les armes de service des membres des escouades spécialisées.

Alice Verreau avait rencontré Louis Battaglio, le propriétaire de la Mercedes.

— Un autre Italien ! commenta Brazeau.

— Blanc comme neige, répliqua Verreau d'un ton désapprobateur. Je ne pense pas qu'il ait quelque chose à faire là-dedans.

Boulet-Larose parut étonné.

— Le gars aurait piqué la Mercedes sur Bellechasse, s'en serait servi pour descendre Deschamps dans le Vieux-Montréal et l'aurait abandonnée à Verdun ?

— C'est courant, dit Guité. Quelqu'un s'est occupé d'enquêter à Verdun ? Il a fallu qu'il revienne de là-bas.

— Je comptais le faire demain, dit Verreau.

— Adjugé, dit Guité. Palizzolo, à Toronto ?

— Aucune nouvelle depuis ce matin. Ce qu'on sait, c'est qu'il ne dit pas un mot et réclame un avocat.

— On ne peut pas le retenir là indéfiniment. On peut l'accuser de quelque chose ?

— Trafic de stupéfiants, dit Surprenant. On a la coke dans le coffre du resto.

— J'ai besoin de quelque chose de plus solide. Des témoins, des transferts bancaires, une arme, de l'argent.

— La mémé et la fille Brancato, suggéra Surprenant. L'argent devait aller quelque part, forcément. On pourrait commencer par vérifier les comptes de la mémé, aussi voir si elle est réellement en Italie. Je peux appeler là-bas demain matin ou plutôt cette nuit. Mais ce sera quand même *domenica*.

L'allusion au dimanche plaça Guité devant une décision. La situation semblait moins dramatique. Depuis le meurtre de Deschamps, l'amputeur ne s'était pas manifesté. Il pouvait évoquer l'arrestation de Palizzolo à Toronto pour apaiser la presse. L'escouade pouvait-elle prendre une journée de repos ?

— Grasse matinée jusqu'à 10 heures, trancha-t-il. Que chacun apporte son arme. Réunion ici à 16 heures.

Avant de quitter Versailles, Surprenant récupéra, sous son bureau, la boîte qui contenait les effets d'Amélie Caron et déverrouilla le tiroir inférieur de son classeur. Il avait envie, ce samedi soir, de laisser son arme à Versailles. Depuis plus de cinq jours, soit depuis le lundi matin, quand, aux aurores, Brazeau lui avait appris l'apparition de la main de Luca Brancato sur la porte de la basilique Notre-Dame, le damné engin était ou sous son aisselle, ou dans le coffre de la maison de l'avenue de l'Épée. Il ouvrit le tiroir. Son verrou de pontet, ce petit cadenas ovale qui bloquait l'action de la gâchette et qu'il rangeait toujours dans une petite boîte de carton, à droite, semblait avoir été déplacé.

Il examina son Walther. À première vue, c'était le sien. Il devenait paranoïaque. Il avait dû fermer le tiroir trop fort ou oublier de remettre le verrou à sa place. À tout hasard, il referma le tiroir, rengaina son pistolet et décida de ne plus s'en séparer.

34
PORTRAITS DE FAMILLE

La Focus de Guiseppe était stationnée devant la maison, derrière une Honda Fit jaune qui semblait neuve. Surprenant jeta un œil sur la banquette arrière. Affiches de spectacle, serviette débordante de paperasse, un ordinateur portable exposé aux voleurs, une lettre adressée à *Over the rainbow*: Bouba et Félix étaient aussi de la partie. Surprenant monta les marches du perron, chargé de sa boîte de carton, envahi par une désagréable impression: quelque chose lui avait échappé.

Dans l'entrée, il fut accueilli par Maude, qui lui planta un bec sur la joue:

— Salut, papa!

Elle s'éloignait de sa nouvelle démarche de femme gravide quand il lui demanda à voix basse:

— Qu'est-ce qui se passe?

— C'est l'anniversaire de Geneviève. Dis-moi pas que tu ne t'en souvenais pas?

Mamma mia! pensa-t-il. Il n'avait pas de fleurs, pas de cadeau, que l'excuse de cette enquête qui avait déréglé le calendrier interne qui l'avertissait chaque année, à l'Halloween, de l'imminence de l'anniversaire de sa blonde. Geneviève n'était pas en vue. Il fit « Chut ! » et ressortit en douce. Il revint dix minutes plus tard, avec une carte d'anniversaire sur laquelle il avait écrit ces seuls mots : *Mille excuses. Je t'aime. New York en décembre, après cette folie.*

Geneviève était assise à l'îlot de la cuisine, à côté de Guiseppe, qui présidait à la distribution des apéritifs. Surprenant déposa un baiser dans le cou de sa blonde.

— Je n'ai rien vu, rien entendu, dit-elle d'un ton désinvolte.

Merveilleux, elle est pompette, pensa-t-il avec soulagement.

— Maintenant, je sais pourquoi tu avais l'air préoccupé ce matin, murmura-t-il à son oreille.

Elle lui décocha un regard équivoque. Une autre chose lui avait peut-être échappé.

— C'est notre fête ! proclama un Guiseppe flottant au-dessus du .08. Alors, j'ai eu l'idée de faire un petit souper de famille.

Surprenant se souvint vaguement que son ex-beau-père était né lui aussi au début de novembre. Giannina, qui formait aux fourneaux un improbable duo avec Bouba, se retourna et menaça son mari d'un économe.

— *Una piccola festa !* Dix à la table !

Geneviève s'alarma, voulut se lever pour aider. Guiseppe posa sa main tavelée sur son bras.

— Giannina est cent pour cent Italienne, mais son sens de l'humour, il est écossais.

Renonçant à percer le sens de la remarque, Surprenant demanda où étaient les autres.

— Julien et Félix jouent au trou-de-cul avec les enfants, répondit Maude d'un ton neutre.

La main de Guiseppe agrippa l'épaule de Surprenant.

— Tu peux dire que Benoît XVI, le pape nazi, il a béni ton cul ! C'est la fête de Geneviève et c'est toi qui as le cadeau. Et le pire, c'est que tu ne le vois pas !

De son pouce déformé par quarante années de travail manuel, il désigna le mur derrière Surprenant. Le policier se retourna. Dans un cadre de bois, à côté de l'étagère qui contenait des accessoires et des livres de cuisine, s'étalait, en grand format, la photographie couleur que Geneviève avait prise le matin même à l'hôpital du Haut-Richelieu.

— Tu n'as pas perdu de temps, lui dit-il les yeux fixés sur la photo.

Elle sourit, mais son visage exprimait une certaine anxiété.

— Merci, dit-il encore.

Geneviève possédait d'indéniables talents de photographe. La composition était parfaite, les visages de Maurice et Nicole dominant, de part et d'autre, celui de leur rejeton. L'ensemble créait une trinité souriante, soulagée par la résolution de la séparation – du malentendu ? – qui avait marqué leurs trois vies. La photographie reposait sur un dualisme de coloris. Contre le fond vert pâle du mur de la chambre d'hôpital, les visages des deux vieillards, pâles, ridés, dominés par des yeux couleur ciel, tranchaient avec celui du fils, nez busqué, teint sanguin, chair pleine, qui étalait, des cheveux aux yeux jusqu'aux lèvres, tous les tons de bruns.

— La prochaine fois, tu l'inviteras, ton papa, dit encore Guiseppe. Il a l'air d'un bon gars.

Surprenant ne dit rien, intrigué par la réaction de Giannina qui avait reporté son attention sur son chaudron en soupirant ostensiblement.

Plus tard, dans la salle à manger sur le mur de laquelle l'oncle Roger souriait mystérieusement en habit de soirée, le souper se déroula en trois temps, les antipasti de Giannina, l'agneau à la menthe de Bouba et le gâteau au chocolat de Maude, d'après la célèbre recette du Café de la Grave à Havre-Aubert. William et Olivier, les deux fils de Geneviève, seules têtes blondes dans cette assemblée de foncés, décryptaient les échanges des adultes qui discutaient politique, souvenirs d'Italie, hockey, gadgets électroniques, prénoms d'enfant. « Maurice », évoqué par Félix, suscita des commentaires passionnés. On fêtait Guiseppe mais surtout Geneviève, qui avait réussi, cinq ans après avoir emménagé avec Surprenant, à lier les deux familles. Giannina et Surprenant se montraient plus réservés. La *nonna* observait son ex-gendre à la dérobée, comme si elle tentait de déterminer ce qui le tracassait. Lourd de fatigue, Surprenant ne pouvait se détacher de son enquête, de la boîte contenant les souvenirs d'Amélie Anna-Belle Caron, du corps de Deschamps à Parthenais, des mains de la basilique et de la tour de l'Horloge, de sa blessure au dos qui élançait, de son père qui répétait « *Follow the money* » et surtout de son arme de service. Pourquoi l'assassin de Deschamps s'était-il servi d'un Walther P99 ? Qui avait pu fouiller dans son classeur et déplacer son verrou de pistolet ? Était-ce une autre forme d'intimidation ?

Geneviève et Guiseppe éteignirent les bougies d'un même souffle. Après le dessert, Surprenant enfila sa veste et sortit retrouver les fumeurs sur le perron. Bouba, Félix et Julien le rastaman, grelottant, tiraient sur des cigarettes. Guiseppe, qui avait abandonné le tabac dix ans plus tôt, d'un coup sec, savourait un cigarillo qui répandait une odeur de bouse et de porto.

— C'est ma fête ! plaida le jubilaire ragaillardi par la compagnie des jeunes.

— Je suis retourné voir la veuve de Brancato aujourd'hui, annonça Surprenant.

— Eva Donato…, murmura Guiseppe rêveusement.

— Vous la connaissiez ?

Guiseppe, dans un premier temps, ne répondit pas. Les trois jeunes, frigorifiés ou se sentant de trop, disparurent à l'intérieur.

— Je la connais. Elle est toujours vivante, du moins elle l'était aujourd'hui quand tu l'as rencontrée.

L'ébriété du vieux maçon semblait s'être dissipée. Surprenant eut le sentiment que son ex-beau-père avait passé la soirée à attendre cet aparté.

— Brancato envoyait de l'argent à sa fille par l'intermédiaire de sa belle-mère.

— Malvina ? On ne l'a pas vue à l'église depuis dix ans.

— Selon la veuve de Brancato, elle serait en Sicile.

Guiseppe tira sur son cigarillo.

— Si tu veux mon avis, elle n'en reviendra pas. Elle va vouloir être enterrée là-bas, à côté de son mari. Eva est plus jeune que moi, mais je me souviens très bien d'elle. C'était une beauté, et puis, évidemment, une *prima cugina* de Vito Scifo.

— D'après nos sources, Luca Brancato, lui, n'a jamais fait partie de la famille.

— Comment te dire ? Luca n'avait pas inventé le bouton à quatre trous. Mais il avait une petite *baby face* quand il était jeune. Je crois qu'il voulait prouver à Eva qu'il pouvait réussir seul, mais il est resté ce qu'il était : un vendeur de pizza.

— Il trafiquait de la coke avec les Rouges.

— Ces cochons de communistes ?

— Non, un gang de rue de Rivière-des-Prairies.

Guiseppe hocha la tête.

— C'était une *joke*. Farce à part, Luca Brancato n'a pas pu faire ça tout seul. Pas de cervelle et peureux comme un écureuil.

— C'est ce que nous croyons. Quelqu'un du SPVM pourrait être de mèche avec lui.

Guiseppe Chiodini, les sourcils froncés, posa sa main sur l'épaule de Surprenant.

— Prends garde. On n'est pas aux Îles ici. Je vais consulter discrètement certaines personnes.

— Surtout pas ! Ma situation est suffisamment compliquée comme ça.

— Parles-en à Jean Rossi, il pourra t'aider.

— Vous le connaissez ?

— Tout le monde le connaît dans la Petite-Italie. Certains ne l'apprécient pas parce que c'est un flic. Excuse-moi. Mais c'est quand même quelqu'un qui a réussi, qui est respecté.

— Il est Sicilien ?

— Pas du tout ! Ces Rossi-là sont du nord. Bologne ou Vérone, un de ces trous perdus.

Deux générations plus tard, l'antagonisme entre les Italiens du sud et ceux du nord suscitait toujours des commentaires.

— Encore une fois, ne dites rien à personne, insista Surprenant.

— *Una tomba, figlio.*

Vingt minutes plus tard, Surprenant retrouvait Félix dans la chambre de William, le fils aîné de Geneviève. Penché sur son ordinateur, un vieux PC dont William réclamait la mise au rancart depuis des lunes, Félix lui enseignait comment télécharger *gratos* des films et des mp3.

— Et le droit d'auteur ? souleva Surprenant.

— On s'en fout, dit Félix. Si tu remarques, il n'y a jamais eu tant de musique.

— J'aimerais te parler.

Le père et le fils se retrouvèrent devant la télé du sous-sol déserté pendant la deuxième intermission du match Canadiens-Tampa Bay. Surprenant coupa le son et l'invita à s'asseoir sur l'un des divans noirs, derniers vestiges de sa maison du chemin du Gros-Cap, sur lesquels Chat avait fait ses griffes avant que Geneviève ne fasse passer sa survie par une visite chez le vétérinaire.

— Qu'est-ce qu'il y a ? demanda un Félix dont le regard légèrement vitreux suggérait qu'il s'était tapé un pétard avec le rastaman.

— Si tu avais à blanchir de l'argent, qu'est-ce que tu ferais ?

— Pourquoi tu me demandes ça, à moi ?

— Tu bizounes dans les compagnies de tes oncles napolitains, tu fais la comptabilité des comptoirs *Instant Cash* du Polock, tu dois avoir certaines idées sur la question.

Félix soupira, comme s'il devait acquiescer à la demande d'un vieillard sénile.

— Beaucoup d'argent ?

— Non, quelques mille par mois.

— Le plus facile, ce sont les guichets ATM. Tu mets de l'argent sale dedans, mêlé avec du propre. L'argent retiré du compte du client passe directement, légalement, dans celui du propriétaire du guichet. Et je ne parle même pas des frais d'utilisation.

— Les propriétaires de guichet doivent obtenir un permis. La police fait enquête.

Félix balaya l'objection du revers de la main.

— Tu crois réellement que c'est sérieux ? Regarde le nombre de bars, de clubs qui exploitent des ATM. Si tu es trop louche, ça te prend juste un bon ami. Tu lui laisses une petite *cut* et tout le monde est content.

— Autrement ?

— Certaines banques sont moins regardantes que d'autres. Ou encore tu montes une business bidon. Le plus simple, ça reste les guichets ou encore les cartes de fidélisation prépayées. Tu achètes cinq mille dollars de points Petro-Canada, par exemple. Pas de papiers, pas de traces électroniques.

— Mais après, faut que tu gazes en batinse.

— Pas besoin. Tu la revends. Il y a un marché secondaire.

— Avec tout ce beau savoir, pourquoi finir ton université ?

— Hé ! Je retiens pas du voisin.

Surprenant leva un œil sur les poutres massives qui soutenaient la maison. Son fils avait, à propos de certaines choses, des connaissances qui ne finissaient pas de l'étonner.

Deux heures plus tard, les invités partis, la cuisine remise en ordre, Geneviève et lui reposaient, douchés, dans le lit conjugal. Dehors, la pluie roucoulait dans les gouttières.

Dès qu'ils avaient été seuls, le malaise s'était de nouveau installé, subtil mais dérangeant.

— Parle, dit Surprenant.

— Ce n'est pas le moment.

— Je te connais. Quelque chose te tracasse.

Silence.

— Tu ne seras pas bien tant que tu ne m'auras pas parlé, insista-t-il.

— Je t'ai déjà parlé.

Il passa la soirée en revue, réfléchissant à ce qu'il n'avait pas su entendre. Ou voir.

— La photo avec mes parents ?

— Tu ne ressembles pas à ton père, André. Pire, c'est presque impossible sur le plan génétique.

— Les yeux ?

Geneviève se tourna, souleva son bras, lui arrachant un grognement de douleur, pour se lover contre lui.

— Même Giannina s'en est aperçue. Tu ne le vois pas parce que tu ne veux pas le voir. Et ça explique tout, depuis le début.

35
LES CAHIERS MANQUANTS

Il remonta le fil de sa vie jusqu'au point d'origine, à ses premiers souvenirs d'Iberville, si flous qu'il se demandait s'il les avait inventés ou tirés de ses rêves. Ensuite, il fit le chemin inverse, de l'enfance à l'âge adulte, muni de sa nouvelle identité. Des dizaines d'incidents inexpliqués se présentaient sous un jour plus logique. L'emprise du secret s'était relâchée. Les acteurs du drame familial pouvaient lever leur masque et abandonner leur rôle, lui le premier. Cette libération n'était pas sans conséquence. Sa mère, son père, ses oncles portaient tous leur part du blâme. Lui-même avait agi égoïstement en provoquant de toutes pièces, à quinze ans, la crise qui lui permettrait d'être hébergé chez Roger, l'homme que sa mère admirait tant. Il s'était enfui d'Iberville et avait abandonné à son sort son jeune frère. Sa mère, quant à elle, avait été statufiée en veuve mangeuse d'hommes.

De retour en 2008, il perdait de nouveau son père, à quarante-sept ans, cette fois sans le plus petit espoir de le revoir vivant.

Geneviève l'avait accompagné pendant la première partie du voyage, puis elle s'était endormie, fatiguée, heureuse de la levée de l'embâcle. Son André avait réintégré la maison de son père, même si celui-ci n'était plus dedans.

Il était maintenant en colère. Pourquoi tout ce drame ? N'aurait-il pas été plus sage de tout mettre à jour, en 1970, au lieu de s'enfoncer dans cette mascarade de non-dits ? Les trois acteurs principaux ne pouvaient-ils pas trouver un accommodement, inventer une autre finale ? Il revit Maurice Surprenant, le livreur de bière aux cheveux longs, gelé dur au milieu de la cuisine. Cet homme trompé avait choisi de quitter la scène. La route avait été son refuge et son espace. Nicole l'avait-elle aimé ?

Il se calma. La réalité, c'était qu'elle l'aimait encore.

Il se dégagea de Geneviève, descendit au rez-de-chaussée, regarda les photographies sur les murs. *Il n'est pire aveugle que celui qui ne veut pas voir.* Enfant, il avait débranché la partie de lui qui avait toujours vu, qui avait toujours su. Il avait entrepris à tâtons, des années plus tard, aux Îles-de-la-Madeleine, son long retour vers la maison.

À 6 heures, de son bureau, il obtint la Polizia di Stato à Rome et parvint, au bout de vingt minutes, à trouver un interlocuteur qui lui assura, dans un excellent anglais, qu'on s'informerait des allées et venues de Malvina Arculeo, veuve Brancato, née en 1922.

Surprenant ouvrit la boîte de carton apportée par tante Ginette. Amélie Caron était décédée le 20 juin. *Caron, Alcindor, Brancato, Crevier, Lavalette, Deschamps.* Surprenant fit défiler les victimes dans sa tête. La première s'était endormie à côté d'un roman. Les autres avaient été criblés de balles, à l'exception de Lavalette, qui avait – au bout de quels avatars ? – été sectionné et plongé dans l'acide. *La première, Amélie. Le dernier, Deschamps.* L'overdose d'Amélie Caron, *qui avait connu Deschamps*, avait-elle provoqué une réaction en chaîne ?

Il griffonna une note : « Téléphones Amélie-Deschamps mai-juin. »

Il s'attarda aux photographies récentes, chercha un lien, une piste. Rien. Il tapa « Amélie Caron » dans un moteur de recherche et trouva la page Facebook de la disparue. Il eut l'impression de pénétrer dans un mausolée. Cent trente-six « amis », en majorité masculins, des messages, des niaiseries, le tout s'arrêtant, après quelques témoignages de stupeur, à la fin juin. Ensuite, l'absence d'entrées, de messages, une mort informatique aseptique. Il remonta le fil des entrées. Amélie y projetait une image positive, enthousiaste, qui semblait sans rapport avec sa vie réelle. Pendant l'hiver, la jeune femme n'avait rien écrit pendant de longues périodes, des semaines, une fois un mois. Mathieu Lopez avait intégré en avril le rang des amis, mais ne s'était manifesté qu'à une occasion, par un « Bonjour, Amélie » qui signalait peut-être sa réticence à entretenir ce jeu de miroirs.

Il retourna à la boîte de carton, cette fois plus méthodiquement. Après une demi-heure de fouilles, un cliché couleur retint son attention. Devant des étagères d'albums colorés, dans ce qui semblait être une grande librairie, Amélie et deux filles de son âge entouraient, tout sourire, une dame grassette qui portait dans ses mains une pile de livres. La photographie était percée d'un trou comme si elle avait été épinglée sur un babillard. À l'arrière, ces seuls mots : « LE TEAM !!! » Surprenant tiqua sur le visage d'une jeune femme, yeux foncés, longs cheveux bruns retenus par une queue de cheval, qui posait au côté d'Amélie. Il avait l'impression vague de l'avoir déjà vue.

Où ? Il scanna la photographie, l'agrandit sur son écran. Le visage souriant de la fille à la queue de cheval provoquait chez lui un titillement qu'il connaissait bien. L'information, probablement sans importance, ressurgirait quand il n'y penserait plus. Il envoya la photo à son adresse au travail.

Il se fit un deuxième café et s'attela à la lecture du cahier « Hiver 2008 ». Coups de foudre, espoirs, rejets, mal à l'âme, divagations, Amélie y exposait, dans une prose véhémente mais claire, les montagnes russes d'un cœur déboussolé, en mal d'amour et de certitudes. Nulle mention d'Anna-Belle, de la drogue et de la prostitution. En plus d'être une « toxico bipolaire », Amélie Caron possédait peut-être plusieurs personnalités. Ce qu'il tenait entre les mains, c'était le journal officiel, presque une fiction, le pendant du miroir Facebook. Sa face cachée, celle qui lui faisait honte, à qui la montrait-elle ? Probablement à personne.

Du pouce, il apprécia l'épaisseur de la pile de cahiers. « Elle écrivait, elle écrivait, c'était étourdissant », avait dit tante Ginette. Malgré son mode de vie et son caractère fantasque, Amélie s'épanchait avec régularité et respectait scrupuleusement le passage des saisons, changeant de carnet aux solstices et aux équinoxes. Le journal, entrepris en 2002, semblait complet, sauf le cahier « Automne 2006 » et le dernier, « Printemps 2008 », qui couvrait la période où elle avait été hospitalisée à Louis-H et avait fréquenté Mathieu Lopez et Deschamps. À en juger par la discipline de la diariste et par les allusions de sa tante, les deux cahiers étaient manquants.

À 7 h 30, il déposait la photographie réunissant Amélie Caron et l'inconnue sur son bureau à Versailles. Se remémorant la possible visite dans son casier, il parcourut la salle des enquêteurs à la recherche de caméras de surveillance. Si elles existaient, elles étaient bien cachées.

Il retourna à son bureau, se prépara un macchiato et parcourut les journaux. « L'œuvre d'un déséquilibré ? », titrait *Le Journal de Montréal.* Le tam-tam urbain battait son plein. En page 3, sans jamais mentionner le nom de Mathieu Lopez, un jeune journaliste citait « des sources » pour affirmer que le SPVM orientait son enquête vers un jeune homme récemment hospitalisé en psychiatrie. Dans un encadré, un psychiatre évoquait les ravages psychologiques causés par l'afflux des drogues de synthèse sur le marché québécois. Dans un autre, le critique péquiste en matière de santé exhortait le gouvernement Charest à trouver des solutions au problème de l'itinérance engendrée par la désinstitutionnalisation. En page 7, Michel Vandal faisait preuve de chance ou de clairvoyance en laissant entendre que la mort de Pierre-Antoine Deschamps, qu'il appelait maintenant son ami alors qu'il avait été son rival acharné, était reliée à la protection d'une taupe au sein du SPVM.

Où a-t-il appris ça ? pesta mentalement Surprenant.

Sasseville se pointa, cette fois avec des muffins.

— Cette fille, elle te dit quelque chose ? demanda Surprenant en brandissant sa photographie.

La réponse fut négative. Sasseville s'attarda moins à la personne qu'à l'environnement, lui suggérant de tenter de dater la photo à l'aide des livres en arrière-plan ou d'identifier la librairie à l'intérieur de laquelle elle avait été prise.

Brazeau fit son apparition, pas rasé. Sous sa veste, il portait, peut-être pour souligner qu'il faisait des heures supplémentaires, une chemise de golf.

— C'est aujourd'hui que j'apprends si je suis un meurtrier ?

— Ce matin, tu ferais un beau bandit.

— Merci. J'ai dormi tout seul avec la maudite machine à pression positive. Réveillé à 5 heures avec des brûlements d'estomac. Voilà pour la grasse matinée.

— J'ai eu une idée cette nuit, dit Surprenant. On devrait passer tous les téléphones de *La Presse* au crible pour la journée de jeudi. Deschamps a pu utiliser un autre téléphone que le sien.

— Es-tu malade ? Avec le nombre de lignes dans une boîte comme ça ?

Sasseville annonça que Guzman ne se présenterait pas avant 10 heures.

— Problème d'allaitement, expliqua-t-elle avec un soupçon d'envie dans la voix.

— Il n'y a rien de pire, professa Brazeau. Je me mets sur le compte de la mémé sicilienne. J'ai réussi à parler avec autre chose qu'un Sri Lankais à la banque.

— Surveille ton langage, LP, dit Sasseville. Hier, c'était les Italiens. Aujourd'hui, c'est les Sri Lankais. Des gens mal intentionnés pourraient penser que tu es raciste.

— L'apnée du sommeil me rend politiquement incorrect.

— Je m'attelle aux téléphones de *La Presse*, proposa Sasseville. J'en ai pour la journée.

Surprenant, silencieux, semblait perdu dans ses pensées.

— Houston appelle Cap-aux-Meules, nasilla Brazeau en ouvrant la boîte de muffins. Qu'est-ce que tu comptes faire, en ce beau dimanche ?

— Quelque chose que j'aurais dû faire il y a longtemps.

L'aréna Yvon-Chartrand était situé boulevard de la Concorde, de l'autre côté du pont Pie-IX, à moins d'un kilomètre du parc où Jahmad Duval avait fait connaissance avec le poing droit de Brazeau. Christian Thouin était assis, comme convenu, dans la dernière rangée des gradins, à l'angle sud-ouest.

— Salut, dit Surprenant en s'assoyant.

— Salut.

L'homme, la fin trentaine, les épaules découpées, les traits durs sous des cheveux courts, déjà grisonnants, fixait une patinoire qui ne présentait rien d'excitant : une surfaceuse conduite par un col bleu obèse. Thouin ne débordait pas de bonne humeur.

— Désolé de gâcher ton jour de congé, dit Surprenant, qui se résigna à questionner son collègue de côté et non de face.

— Tu es nouveau, je crois ?

— Arrivé en juillet.

— Tu travailles sur l'amputeur ? Je voudrais bien savoir ce que la jeune Caron a à faire là-dedans.

Brazeau avait contacté Thouin l'avant-veille. Ce dernier avait eu le temps de se renseigner, et ce, d'autant plus facilement que Surprenant avait attiré l'attention des médias.

— Si tu veux, on va en rester à la mort d'Amélie.

— Si c'est de même, OK.

Thouin restait défensif. Plus que d'être dérangé un dimanche matin à l'aréna, il n'aimait pas qu'un de ses dossiers soit révisé par les crimes majeurs.

— La conclusion de ton rapport est « mort accidentelle par overdose ». Tu as envisagé d'autres hypothèses ?

— La porte était verrouillée, la fille était seule, il n'y avait pas de trace d'effraction, pas de lettre d'adieu, aucun témoignage incriminant. Ce que j'ai su, c'est qu'elle venait de rechuter après avoir été *clean* pendant un bout. C'est toujours un moment dangereux, d'autant plus que l'héroïne était plus concentrée que d'habitude.

— Vous avez eu d'autres cas semblables ?

— Cinq morts en douze jours à Montréal. Une belle Saint-Jean-Baptiste ! Tu peux vérifier.

Le ton de Thouin exprimait la défiance, mais aussi l'impuissance. Lui, sergent-enquêteur au poste 33 du SPVM, ne pouvait empêcher que de jeunes prisonnières des gangs de rue meurent seules à côté d'une seringue et d'un cellulaire mauve au deuxième étage d'un bloc de la rue Jarry, pas plus qu'il ne pouvait enrayer le flot de substances qui irriguait les bars, les écoles, les prisons, les pharmacies, les maisons de Montréal.

— Quelqu'un la lui fournissait, cette héroïne.

— Alcindor ? Il avait bien tricoté son affaire. Tout ce que j'ai pu faire, c'est l'embêter. Coffrer un *pimp* à l'ère numérique, faut se lever de bonne heure.

— N'empêche qu'il s'est fait descendre deux semaines plus tard.

Un sourire éclaira le visage de Thouin.

— Ça ne m'a pas fait de peine. Remarque que ce n'était pas sur mon territoire. Au moins, je n'ai pas affaire tous les jours à cette racaille-là.

L'attention de Thouin s'était reportée sur la patinoire. Les joueurs des deux équipes, aux applaudissements des parents, venaient de sauter sur la glace.

— Peewee ? s'informa Surprenant.

— BB.

Surprenant observa un instant les jeunes, les Cobras et les Braves d'après leurs chandails, qui patinaient en rond comme des enragés, encouragés par un tonitruant *I will survive*. L'édifice, relativement neuf, dégageait malgré tout une odeur rance d'humidité, de gaz d'échappement, de sueur et de patate frite.

— C'est lequel ? demanda Surprenant.

— Le 35. Il a failli faire le AA.

Félix n'avait jamais été attiré par le hockey. Trop délicat, trop douillet, pas une tête à ça. Lui, privé de père, avait dû se contenter de jouer sur la patinoire extérieure de l'école Saint-Georges. Vrai qu'il n'avait pas un gros coup de patin.

— Qu'est-ce que Rossi faisait dans l'appartement d'Amélie Caron ?

— Quand il se passe quelque chose en lien avec le crime organisé, il veut être informé.

— Le lien, en l'occurrence, c'était la prostitution pour les Rouges ?

— J'ai fait comme d'habitude, je l'ai appelé.

— Combien de temps a-t-il passé dans l'appartement ?

— Aucune idée, j'étais occupé avec le concierge. En plus, j'avais un autre appel.

— D'après la tante d'Amélie, certains de ses objets personnels ont disparu. Ça te sonne une cloche ?

Thouin posa sur lui un regard à la fois exaspéré et circonspect.

— Écoute-moi bien, Surprenant. Amélie Caron est morte d'une overdose accidentelle. Rossi avait parfaitement le droit d'être sur les lieux. J'ai signalé le cas au coroner et demandé une autopsie, selon la procédure. Qu'est-ce que tu voulais que je fasse d'autre ?

Surprenant faillit faire observer que Desmond Alcindor, proxénète et trafiquant, n'avait pas été inquiété par la justice. À quoi bon ? De toute évidence, la mort d'Amélie Caron n'avait pas été traitée comme un crime, mais comme un accident. De plus, le 35 exécutait un lancer de pratique sur le gardien.

— Poteau, fit-il remarquer. Une idée de ce qui a pu arriver à Alcindor ?

— Ses affaires ne marchaient plus aussi bien, d'après ce que j'ai entendu dire. Tu dois en savoir plus que moi là-dessus. C'est pas le premier meurtre de ta série ?

— Ça ou le deuxième. Une dose d'héroïne, ça se trafique.

36
CARTE BLANCHE

Vue de l'autoroute Métropolitaine, Montréal pointait, dans un rappel des mains de Brancato et de Crevier, ses feuillus décharnés vers un ciel de plomb. De retour à Versailles, Surprenant s'arrêta auprès de Sasseville.

— Où est LP ?

— Parti récupérer les vidéos de surveillance de la banque de la mémé Brancato. Il paraît qu'elle a un coffret de sûreté.

— La mémé ? Elle ne va plus à la messe, ça me surprendrait qu'elle se rende à la banque ! Les jeunes sont rentrés ?

— Ils sont à Verdun sur la piste de la Mercedes. Sébastien, de la maison, m'aide avec les listes d'appel de *La Presse*.

— Pourrais-tu convoquer Mathieu Lopez ici, pour un interrogatoire en bonne et due forme ? Vérifie une autre fois son emploi du temps, essaie de le faire craquer.

Sasseville, qui semblait déjà débordée avec le dossier des appels, poussa un soupir de découragement.

— T'en fais pas, on va y arriver, dit Surprenant en posant sa main sur son épaule.

Elle le regarda d'un air curieux. Il s'éloigna, penaud. *C'est tout ce qui me manque, un grief pour harcèlement sexuel.*

10 h 40... Il retrouva son bureau avec une sensation de fatigue. S'il pouvait s'allonger quelque part... La salle des enquêteurs, avec ses espaces de travail séparés par des cloisons, ses chaises ergonomiques, était remarquable par l'absence de toute surface pouvant s'apparenter à un lit ou un sofa. Le tapis, par contre, semblait relativement propre. Il se coucha sur le dos, la tête appuyée sur sa veste repliée, et appela Ana Tavares sur son cellulaire.

La technicienne brunchait chez sa sœur, qui était aussi sa voisine.

— Qu'est-ce qu'on a comme preuves possibles ? demanda Surprenant.

— Les mégots frais dans la cour du Stromboli, mais c'est mince. On peut tenter un ADN là-dessus. Est-ce que Lopez fume ?

— Il s'entraîne pour le triathlon. On n'a rien d'autre ?

— On ne peut rien prouver avec les éclats de bois dans les plaies. Les vêtements de Brancato et de Crevier sont au labo à Parthenais. Ils cherchent des fibres, des liquides corporels. Rien jusqu'ici. Nous n'avons toujours pas le 22 qui a servi pour les meurtres. Du nouveau ?

— Pas vraiment. Juste une impression de déjà-vu. Une fille photographiée en compagnie d'Amélie Caron.

— Qui est Amélie Caron ? La dernière fois qu'on s'est parlé, c'était avant-hier chez Deschamps.

Surprenant lui communiqua les récents développements, avec un malaise croissant. Pourquoi faisait-il confiance à cette femme qu'il ne connaissait que depuis huit jours ?

— Envoie-moi la photo, suggéra la technicienne. On ne sait jamais. Si j'étais toi, je m'intéresserais aux cahiers manquants. Quelqu'un les a fait disparaître et ce n'est pas la tante Ginette.

— Bonne idée.

— Et fais attention à toi, encore une fois.

Malgré la sollicitude d'Ana, Surprenant raccrocha en se demandant s'il allait accéder à sa demande. Sur la photo, la compagne d'Amélie n'avait-elle pas des traits portugais ou méditerranéens ? *Le stress te rend paranoïaque.* Il appela Ginette Caron à Trois-Rivières. Elle se souvenait très bien de la photographie marquée « LE TEAM ! ! ! », qui avait orné le mur de la chambre d'Amélie au sous-sol. Sa nièce avait travaillé comme vendeuse au Salon du livre de Montréal en 2006. Elle avait aimé l'expérience, qui, malheureusement, ne s'était pas répétée.

— Vous avez une piste ? demanda la tante.

— Peut-être. À part sa coloc, Rose, Amélie avait-elle des amies à Montréal ?

— Elle voyait beaucoup de monde, mais elle était plutôt seule. C'est comme ça que ça se passe dans les grandes villes, non ?

Un Salon du livre… 2006… Le Salon de Montréal se tenait en novembre, ce qui ramenait l'un des cahiers manquants. Il réintégra sa chaise, examina la photographie à l'aide d'une loupe et déchiffra un titre d'album en arrière-plan : *Le Ballon d'Alexis.* L'album pour enfants avait paru au troisième trimestre 2006 aux éditions de l'Arc-en-ciel. D'après le site de la maison, la directrice des éditions de l'Arc-en-ciel s'appelait Louise Gagnon. « Aiguille et botte de foin », aurait dit Brazeau. La correctrice, Ariane Giorgis, était plus facile à localiser. Au bout de dix minutes, Surprenant obtint un numéro de téléphone et une voix au bout du fil. Il lui expliqua la situation, nota son adresse de courriel et lui expédia la photographie.

Le café de son thermos était tiède. Il parvint, après différentes tractations administratives, à parler avec Vinny Palizzolo à Toronto.

— Surprenant, tu es un fils de pute, entama le serveur.

— Bonjour, Vinny. Au moins, vous êtes dans un endroit sûr.

— C'est peut-être sûr, mais ce n'est pas confortable. Qui va me rembourser mon billet d'avion ?

— Nous avons à parler d'autre chose. La coke qui était dans le coffre du Stromboli, par exemple.

— Je n'ai rien à dire là-dessus.

— Vous n'êtes accusé de rien.

— Pourquoi je pourris dans cette prison de merde ?

— Il y avait de la coke dans le coffre du restaurant. Luca Brancato est mort. Nous sommes sur une piste sérieuse. Vous pourriez nous aider un peu.

Palizzolo se taisait.

— Vous pourriez rentrer tranquillement à Montréal et garder votre petite Giulia les vendredis.

— Tu enregistres, là ?

— Non. Il y a vous et moi.

Nouveau silence, puis :

— Je peux répondre à certaines questions, pas à d'autres.

— Est-ce que le comportement de votre patron avait changé ces derniers temps ?

— Il était nerveux. Il perdait de l'argent.

— Rien que ça ?

— L'argent lui sortait par le nez, tu comprends ?

— Et le commerce ne marchait plus ?

Palizzolo réfléchit à la question. La formulation lui parut probablement assez vague pour risquer une réponse.

— *Il commercio finito.*

Surprenant remercia Palizzolo et déposa le récepteur. La salle était calme. Sa veste pliée sur le tapis l'invitait. Il l'avait souvent expérimenté : l'orée du sommeil était une période propice à la récupération de souvenirs. S'il relaxait un peu, pas longtemps, quelques minutes, il retrouverait peut-être la trace de la fille à la queue de cheval.

Il se réveilla en sursaut : Guzman, sourire aux lèvres, lui tirait gentiment le pied droit.

— Pas sûr que c'est une bonne idée de dormir à Versailles, André...

— Hein ?

— C'est ton tour.

— Mon tour de quoi ?

— Ton Walther.

— J'avais oublié.

Surprenant se mit debout. 11 h 45. Brazeau se pointa, les joues rougies par le froid, des bandes vidéo sous le bras.

— Le coffret de sûreté est au nom de la vieille, mais Brancato avait une procuration. J'ai les bandes du dernier mois.

— Les guichets et l'intérieur de la banque ?

— Oui. J'ai aussi une copie du registre d'accès aux coffrets. Ça va limiter mes recherches. As-tu faim ?

— Pas vraiment, je me lève. En plus, je dois descendre à la salle de tir.

Brazeau s'éloigna, non sans lui décocher un regard soupçonneux.

À 13 heures, Mathieu Lopez fut réinterrogé, cette fois par Sasseville et Brazeau dans les rôles du bon et du méchant. Le jeune homme, flanqué d'un avocat-conseil de *La Presse*, soutint le barrage de questions avec un calme relatif. Sous caméra, observé derrière la vitre teintée par Guité et le brigadier général lui-même, l'interrogatoire ne permit aucune percée notable : si Mathieu Lopez n'avait pas d'alibis, rien de concret ne le reliait aux scènes de crime. Ses liens avec Amélie Caron semblaient strictement amicaux. S'il était l'amputeur, pourquoi aurait-il attiré l'attention sur lui en utilisant son père comme courroie de transmission ?

Le jeune homme refusa de rencontrer un psychologue de l'équipe de crise du SPVM. Par contre, il accepta de revoir sa psychiatre, le lendemain si cela pouvait rassurer sa famille et les policiers. Quand il quitta Versailles, aussi droit qu'il y était entré, Sasseville dit à Brazeau :

— Ce gars-là ne retournera pas à Louis-H. C'est comme si la mort de son père l'avait guéri.

À 13 h 30, Surprenant reçut un appel de Sicile. Malvina Arculeo était arrivée à Palerme, via Rome, le jeudi 6. *Le lendemain des funérailles de son fils*, pensa Surprenant. Selon les renseignements disponibles, elle vivait actuellement chez un petit-neveu à Agrigente. Questionné sur la possibilité d'explorer ses finances, son homologue italien évoqua une série de démarches juridiques qui prendrait plusieurs semaines.

Surprenant, maintenant affamé, allait descendre au mail quand une bulle, sur son écran, l'avertit de l'arrivée d'un courriel de A. Giorgis, la correctrice des éditions de l'Arc-en-ciel. Il l'ouvrit, le lut deux fois, referma sa messagerie. Mains sur le front, coudes sur le bureau, il réfléchit quelques instants avant de cacher la photo de la fille à la queue de cheval sous une pile de paperasse.

Guité lui avait fourni la corde pour se sauver ou pour se pendre. Surprenant en conclut qu'il lui avait ainsi donné carte blanche. Il posa sa main gauche sur son téléphone, hésita, la retira. Il prit son cellulaire, chercha parmi ses contacts le numéro personnel d'Ivan Dukic.

37
LES LUMIÈRES DE LA VILLE

Le Starlight était un restaurant juché au douzième étage d'une tour de bureaux du boulevard De Maisonneuve. Sous un éclairage minimaliste qui mettait en valeur les lumières de la ville, on y mangeait des plats trop chers, au son d'un jazz juste assez débauché pour que les hommes d'affaires, qui constituaient le gros de la clientèle, aient le sentiment de fréquenter un endroit cool. Aspiré par de discrètes bouches de ventilation, l'air transportait des effluves de viande grillée, de tomate et de basilic. Jean Rossi était ici au pays de ses ancêtres.

Surprenant aussi, à un moindre titre.

Le sergent-détective de l'antigang était assis à une petite table à l'angle sud-est du restaurant. Qu'il l'ait demandé ou qu'il jouisse de privilèges d'habitué, les tables environnantes étaient libres. Rossi l'invita, d'une main toujours porteuse d'une alliance, à s'asseoir. Devant lui, un verre de limoncello et une assiette creuse contenant un fond de sauce brunâtre. Surprenant déposa sur la table une grande enveloppe et s'assit en face de son collègue.

— Tu m'as dit que tu aurais mangé, commença Rossi d'un ton détendu. Je me suis permis une gâterie. Ils font très bien les orichiette aux porcini ici. Qu'est-ce que tu veux boire ?

Surprenant s'informa des scotchs et commanda un Dalmore.

— Bel endroit, dit-il en promenant son regard sur les gratte-ciel.

— C'est ma ville.

Surprenant songea que son collègue avait peut-être choisi l'endroit pour l'intimider, lui le nouveau, le gars des Îles et de Beauport.

— C'est ma ville aussi.

— Je sais. Tu as étudié à Brébeuf et tu as épousé la fille de Guiseppe Chiodini.

Le serveur revint avec le scotch. Rossi leva son verre pour trinquer. Il était pâle, ses traits étaient tirés. Surprenant leva son verre à son tour.

— *Salute.*

— *Salute.* La santé, c'est ce qu'il y a de plus important, n'est-ce pas ? Pour revenir à Guiseppe, dis-lui d'arrêter d'appeler à gauche et à droite avec une voix de conspirateur. Ça lui attirera des ennuis. Si je peux te donner un conseil, ne mêle jamais ta famille à ton travail.

— Vous n'avez pas toujours obéi à ce principe.

Le visage de Rossi se contracta dans une expression qui ressemblait davantage à une grimace qu'à un sourire.

— Arrête de me vouvoyer. Je me sens encore plus vieux. Tu as parlé à ma fille Juliette cet après-midi.

— Une bien belle fille, ta Juliette. Étrange que, tout d'un coup, tu aies retiré de ton bureau la photo où ta femme posait avec vos enfants…

Surprenant tira de l'enveloppe la photographie prise au Salon du livre en 2006. Rossi la regarda, imperturbable, puis vrilla ses yeux dans ceux de Surprenant.

— Qu'est-ce que tu veux ?

Quand Surprenant l'avait rencontrée, en fin d'après-midi, dans un café de la rue Laurier, Juliette Rossi ne portait plus sa queue de cheval, mais une coupe dégradée, asymétrique, qui lui donnait une allure canaille, tempérée par des vêtements sages, jupe et chandail assortis dans les tons de brun, et par un diamant à l'annulaire. La jeune enseignante avait annoncé qu'elle avait peu de temps: son mari et elle présentaient une offre d'achat sur une maison en début de soirée. Elle se souvenait très bien d'Amélie Caron, « une fille très spontanée, un peu lunatique, mais sympathique ». Son visage n'exprimait aucun trouble.

— Pourquoi me questionnez-vous à son sujet? avait-elle demandé. J'ai travaillé avec cette fille pendant six jours, au Salon du livre de 2006.

— Amélie Caron est morte d'une overdose en juin.

Juliette Rossi avait fait « Oh! » en réprimant un mouvement de recul.

— Vous ne le saviez pas?

— J'aurais dû le savoir?

— Pas nécessairement.

Juliette Rossi avait joué avec sa bague, perplexe. Surprenant l'observait. Tinamer de Portanqueu, l'enfant qui vit du bon côté des choses, ce n'était pas Amélie, c'était elle.

— Amélie a-t-elle rencontré, par hasard, des membres de votre famille? avait-il repris.

Juliette Rossi avait regardé du côté de la rue, soit elle fouillait dans ses souvenirs, soit elle se demandait si elle devait couper court à l'entretien.

— Maintenant que vous en parlez... Papa est venu me visiter au Salon, le samedi soir. C'était mon anniversaire. Il avait organisé un souper-surprise au restaurant. Je lui ai présenté Amélie. Ils ont parlé un peu pendant que je ramassais mes affaires. Le lendemain, elle m'a dit que j'étais chanceuse d'avoir une famille. Pourquoi me posez-vous ces questions? Ç'a rapport avec papa?

Il lui avait assuré que non tout en se réjouissant qu'elle paraisse convaincue du contraire.

— Qu'est-ce que tu veux? répéta Rossi, plus durement.

— Te raconter une histoire. Une histoire triste.

— Ton histoire triste, elle finit bien, au moins?

Surprenant scrutait Rossi. Ses yeux cernés exprimaient la ruse, mais surtout la lassitude. Le col de sa chemise laissait voir un cou amaigri. Il sentait la nicotine et l'eau de Cologne, comme un petit veuf à un rendez-vous galant.

— Ce n'est pas de mon ressort. C'est ton histoire. Elle commence par deux longues maladies. Ta femme, Christine, meurt d'un cancer du sein il y a six ans. Coup dur. De l'avis de tout le monde, vous formiez un couple uni. Un an plus tard, ton fils Louis reçoit un diagnostic de sclérose en plaques. La maladie évolue. Aujourd'hui, il se déplace en fauteuil roulant, ce qui ne l'empêche pas d'être propriétaire, du moins sur papier, d'une brasserie sur Saint-Laurent.

— Les rapports de la SQ à ton sujet disaient vrai : tu es le champion des fouille-merdes.

— Ton histoire, tu préfères l'entendre ici ou au tribunal ?

— Laisse ma famille tranquille.

— Tu as près de soixante ans. Tu aurais pu prendre ta retraite il y a cinq ans. Seulement, tu avais besoin de toute ta paie. Les deux filles sont à l'université, en éducation et en sciences humaines. Ta pension, si tu disparais prématurément, n'est transférable qu'à une conjointe survivante. Tu es un homme de famille. Comment t'assurer que Louis aura ce qu'il faut pour garantir son bien-être ? Tu avais besoin d'un supplément de revenu. Les magouilles n'ont plus de secret pour toi. Pourquoi ne pas en profiter, juste un peu, pour une bonne cause ?

— Tu n'as rien contre moi. C'est du bluff.

— Il y a beaucoup d'argent à faire dans la dope. Parce que tu fermes les yeux sur le gros du trafic, tu as accès à de la cocaïne à très bon prix. Auprès de qui exactement ? Ça ne devrait pas être difficile à découvrir quand tu cesseras de brouiller les ondes à l'antigang. Tu ne peux pas revendre toi-même, évidemment. Tu as besoin d'un intermédiaire, d'où Luca Brancato, que tu as côtoyé au secondaire.

Surprenant tira une deuxième photo de l'enveloppe.

— C'est toi, à quinze ans, dans l'équipe de soccer de l'école Lucien-Pagé. Le troisième à gauche, dans la deuxième rangée, avec la *baby face*, c'est Brancato.

— Où as-tu trouvé ça ?

— Le jeune Dukic analyse l'ordi de Deschamps.

— Luca Brancato était de mon âge. On est allés à la même école, c'est tout.

— Disons que tu ne t'en es pas vanté. Revenons à ta combine. Tu vends à ton ami Brancato, avec un bon profit, et tu le mets en contact avec Alcindor, qui écoule la marchandise sur la rue. Brancato sert de coupe-feu. Alcindor ne connaît pas ton implication dans le réseau. Ton argent sale disparaît dans le guichet ATM de la brasserie de ton fils. Celui de Brancato sert à financer les études de sa fille et aussi à payer sa propre consommation, établie par l'autopsie et par le témoignage de Palizzolo.

Rossi vida son verre.

— Continue, dit-il à Surprenant.

— Pépin en juin dernier : Amélie Caron meurt accidentellement d'une overdose. Elle connaissait ta fille. Elle t'avait rencontré au Salon du livre en 2006. Tu te rends à son appartement de la rue Jarry. J'ai parlé à Christian Thouin et au propriétaire de l'immeuble. Tu es resté plus d'une demi-heure dans l'appartement. Tu escamotes certains objets compromettants, la dernière partie du journal, peut-être un exemplaire de *L'Amélanchier*. Autre chose ? Je ne sais pas. Ce qui est certain, c'est que tu apprends, probablement par le journal, qu'Amélie est liée à Pierre-Antoine Deschamps, le journaliste qui te colle au cul depuis des années.

— Ce n'était pas un privilège personnel : il collait au cul de tout le monde au SPVM.

— Essaie pas de me bourrer, Rossi. J'ai lu ce que Deschamps a publié depuis cinq ans. C'est écrit, là, en plein journal : les saisies de drogue étaient en chute libre. La GRC elle-même commençait à trouver que ça sentait mauvais. La conclusion était claire : les corps policiers, en particulier l'antigang, étaient infiltrés. Deschamps t'avait dans sa mire et il ne lâchait pas.

— Et puis après ?

— Mathieu, le fils de Deschamps, a présenté Amélie Caron à son père. Deschamps ne reculait devant rien quand il s'agissait de fouiller une histoire. En mai et en juin, il a appelé Amélie sept fois. Est-ce qu'ils se sont vus ? Connaissant Deschamps, c'est possible. Amélie travaillait pour Alcindor. Est-ce qu'elle savait des choses au sujet de ses liens avec Brancato et toi ? C'est possible aussi. Qu'est-ce que tu as trouvé dans l'appartement d'Amélie ? Que contenait son journal ? As-tu conclu qu'elle avait appris à Deschamps des choses à ton sujet ? Une chose est sûre : la mort d'Amélie a servi de déclencheur.

— De déclencheur à quoi ? demanda Rossi, impavide.

— Au premier meurtre, celui d'Alcindor.

— J'ai tué Alcindor ?

— Comme tu as tué Brancato, Crevier et Deschamps.

— ABCD. *L'assassin connaît l'alphabet.* Rien que ça ?

Quiconque n'ayant pas connu Rossi aurait pu croire qu'il affichait un sourire désinvolte. Surprenant ne s'y trompa pas : son adversaire jaugeait ses chances de s'en tirer.

— À la fin juin, après la mort d'Amélie, il se passe deux choses. Pour commencer, le trafic de cocaïne entre Brancato et Alcindor cesse. La soupe devenait trop chaude. Tu as décidé de te retirer des affaires et de prendre ta retraite du SPVM avant que l'histoire ne sorte au grand jour. Deux semaines plus tard, Alcindor est assassiné devant sa maison. Ma théorie est qu'il avait appris que tu étais son fournisseur et qu'il te faisait chanter. Tu l'as tué parce qu'il était devenu dangereux.

— Tu délires, Surprenant. Alcindor a été descendu par les Rouges ou par les Italiens.

— Avec le pistolet de l'amputeur ? Ç'a été ton erreur. Si tu avais utilisé une autre arme pour tuer Brancato et Crevier, on n'aurait peut-être pas remonté à Alcindor et à Amélie Caron.

— Pourquoi j'aurais tué Brancato ?

— Parce que tu n'as pas réglé ton problème en liquidant Alcindor. Brancato était devenu accro à la coke, ses affaires allaient moins bien. La *baby face* s'était aguerrie, était devenue une sorte de monstre.

Est-ce qu'il a voulu te faire chanter lui aussi ? Chose certaine, comme dans le cas d'Alcindor, tu supprimais un témoin encombrant. Mais cette fois, tu ne t'es pas contenté de le fusiller bêtement. Tu as créé « l'amputeur ».

— Moi, Jean Rossi, je suis l'amputeur ?

— C'était le plus difficile à comprendre. Pourquoi as-tu monté cette mise en scène, les mains tranchées, les branches d'amélanchier ? C'était inutilement dangereux. Les références à l'amélanchier pouvaient même permettre de remonter à Amélie Caron, donc à toi. Mais Deschamps te talonnait. Pour le neutraliser, pour lui faire peur, tu t'es renseigné sur son fils et tu as imaginé ce personnage de l'amputeur qui mutilait ses victimes et exposait des trophées comme les *sicarios* mexicains. Tu as semé des pistes qui menaient à Mathieu Lopez, le psychotique toxico aux amphétamines dont la mère a été assassinée. C'était le point faible de Deschamps. Nous savons que vous communiquiez.

— J'imagine que je suis aussi la taupe ! ricana Rossi.

Surprenant prit une gorgée de scotch.

— Évidemment. Depuis combien de temps ? Je ne sais pas. Deschamps était ton ennemi, mais tu t'amusais aussi à l'amadouer ou à le tenir à distance en lui filant des informations, vraies ou fausses. Tu essayais d'être toujours un coup en avant, mais ça devenait difficile. Tu savais que Deschamps suivait cette affaire de près. Les branches d'amélanchier ne servaient qu'à ça, à lui rappeler que tu étais au courant pour Amélie et lui.

— Pourquoi aurait-il eu peur que je révèle des choses à propos d'Amélie Caron ?

— Je ne sais pas ce qui s'est passé entre Deschamps et elle, mais j'imagine qu'un chroniqueur judiciaire de *La Presse* n'aimerait pas voir son nom associé à une junkie qui se prostitue pour les Rouges. En plus, tu le piégeais en le transformant en courroie de transmission. Tu l'as appelé de la cabine téléphonique de la rue Saint-Jacques, tu lui as envoyé des courriels et, surtout, tu as tué Stéphane Crevier.

— Et de trois !

— En tuant Crevier, qui était directement relié à son fils et à lui, tu augmentais la pression. Mais Deschamps était têtu et je le talonnais de mon côté. Tu t'es donné un mal du diable, les vidéos sur YouTube, le courriel me discréditant, la visite chez Deschamps la nuit suivant son meurtre. Quelqu'un est entré et est sorti, sans rien emporter. Ce que tu voulais, c'était l'ordinateur et les dossiers de Deschamps, mais nous les avions déjà. Tu avais raison de t'en inquiéter. Ivan Dukic a fini par t'identifier parmi les pseudos qu'utilisait Deschamps pour masquer ses traces. Tu étais le numéro 6. Et ce numéro 6 était lié à certains téléphones, toujours des portables jetables.

— J'aurais tué Deschamps parce qu'il m'avait percé à jour ?

— À 16 h 32, le jour de sa mort, Deschamps t'a appelé de *La Presse* à un nouveau numéro, encore une fois un portable jetable. Je ne sais pas ce qui s'est dit. Ce qui est clair, c'est que tu ne voulais pas qu'il me parle. Tu n'avais pas le temps d'organiser ta mise en scène habituelle, alors tu l'as abattu en pleine rue. Je ne sais pas si tu as utilisé ton arme de service ou un autre Walther. Ce que je sais, c'est qu'Esmeralda, la femme de ménage, t'a vu sortir de la salle des enquêteurs à minuit et demi dans la nuit de mercredi à jeudi. Je crois que tu as fouillé dans mes affaires. Heureusement, mon arme était chez moi.

Rossi hocha la tête, comme s'il appréciait la qualité de la preuve amassée contre lui.

— Dukic a retrouvé l'endroit où tu as acheté ton cell jetable, ajouta Surprenant. On a une bande vidéo sur laquelle on te reconnaît clairement, avec le jour et l'heure. Tu es baisé, Rossi.

— Tu as fini ?

— Non. Il me reste une question.

— Vas-y.

— Pourquoi ? Alcindor était un trafiquant, Brancato, un ancien ami qui avait mal tourné. Crevier, lui, était une petite crapule, un pédophile, ça n'a pas dû te faire trop de peine de lui mettre une balle dans le coco. La seule victime innocente, dans cette histoire, c'est Deschamps, un journaliste qui ne faisait que son travail. Un père de famille, aussi. Tu as choisi ce lieu de rencontre, nous sommes seuls, je n'enregistre pas, tu pourras nier tout ce que tu vas me dire. Alors, ma question, c'est pourquoi ? Tu t'apprêtes à prendre ta retraite et tu tues quatre personnes.

Rossi promena son regard sur la ville, le chantier du Quartier des spectacles, la tour De La Gauchetière, la Place-Ville-Marie et son phare tournant, la lointaine traînée lumineuse de l'autoroute Bonaventure. Puis, il signifia au serveur de renouveler les consommations.

— Tu as bien travaillé, lâcha-t-il en se tournant vers Surprenant. Je l'ai dit à Hudon, dès que j'ai appris ton embauche : « Un vert de la SQ, ça va nous apporter la malchance. » En passant, Hudon n'est au courant de rien. Pauvre petit ! Il se fie à moi, comme si j'étais son père.

— Encore une fois, pourquoi ?

Apparemment plus détendu, Rossi sourit et porta son index à ses lèvres. Le serveur revint avec le scotch et le limoncello, s'éclipsa.

— J'ai été un bon flic, commença Rossi. Honnête, incorruptible. Quand ma femme est morte, quand Louis est tombé malade, j'ai trouvé que ça ne m'avait pas beaucoup rapporté. Je n'avais que ma pension et ma maison. Alors, je me suis dit : « Pourquoi pas moi ? Je ne suis pas plus fou qu'un autre. » Les choses ont bien été pendant quelques années. Puis cette fille, Amélie... Je laissais passer le stock, ça affectait des gens, mais je n'avais pas de noms, pas de visages... Là, il y avait cette pauvre fille morte à côté d'une seringue, une fille que Juliette avait côtoyée quelques jours pendant un Salon du livre...

Rossi leva ses sourcils broussailleux, comme pour souligner l'importance du fait : les gens n'avaient de réelle importance que s'ils étaient reliés à lui ou à ses proches.

— J'ai fouillé dans ses affaires, j'ai ouvert son journal. Si je n'avais pas lu ce journal, peut-être le reste n'aurait-il pas suivi. Elle essayait d'arrêter, il y avait eu cette rechute, j'ai eu le sentiment que j'en avais assez.

— Laisse tomber les bons sentiments, Rossi. Ce que tu as dû découvrir ce jour-là, c'est qu'Alcindor savait que tu étais le fournisseur de Brancato et que Deschamps était sur ta piste, tout près.

Rossi fixa Surprenant d'un air irrité : il tenait à raconter son histoire selon son point de vue et à sa façon.

— Alcindor n'était pas raisonnable. Je l'ai descendu avec une arme semblable à celle que Mathieu utilisait dans ses compétitions de tir. Je croyais que ça arrêterait là, mais Deschamps voulait me faire tomber et j'avais maintenant une certaine prise sur lui. Alors, je suis descendu aux enfers, pour sauver mon nom, pour ne pas que mes enfants gardent de moi l'image d'un pourri et d'un tueur. J'éprouvais une sorte d'excitation. Je pouvais créer des crimes parfaits, déjouer mes confrères, jouer double jeu jusqu'au bout.

— Tu orientais les soupçons vers Mathieu ? C'était injuste, non ?

— Tout était circonstanciel. Il pouvait être soupçonné, mais pas condamné, pour la bonne raison qu'il n'avait rien fait. Deschamps aurait dû comprendre et se fermer la trappe. Jeudi, il m'a dit qu'il allait te parler le soir même. J'ai paniqué et je l'ai tué. C'est le seul meurtre que je regrette vraiment.

— Et maintenant ? demanda Surprenant au bout d'un moment.

— Je vais régler l'addition et te suivre à Versailles.

Surprenant, étonné, ne dit rien. Sa montre indiquait 22 h 20. Le Starlight ne comptait plus que deux autres clients, un couple d'amoureux qui ne semblait pas conscient du passage du temps. Rossi signa la facture de la main gauche. *Il doit avoir éprouvé un certain plaisir à trancher des mains droites*, pensa Surprenant, qui avait lui-même vécu sa part de vexations quant à son hémisphère dominant. Rossi salua le patron en sortant et précéda Surprenant vers l'ascenseur.

— Tu vois un inconvénient à ce que nous prenions ma voiture ? demanda Rossi. Moi, les décapotables…

— Tant que c'est moi qui conduis.

Les portes de l'ascenseur s'ouvrirent. Il était vide. Les deux hommes entrèrent.

— Cinquième sous-sol, indiqua Rossi.

Tout en se demandant pourquoi Rossi était descendu aussi bas un dimanche soir alors que le stationnement souterrain était presque vide, Surprenant s'avança pour appuyer sur le bouton.

— Bouge pas ou je te descends!

Surprenant se retourna lentement. Dans le coin opposé de l'ascenseur, Rossi pointait vers lui un pistolet.

— Mon petit 22, expliqua Rossi, dont le visage exprimait une rage froide. L'arme du crime! Pas puissant, mais ça fait la job.

— Es-tu fou? Penses-tu que tu t'en sortiras en me tuant?

— Tu es vraiment naïf, Surprenant. Apprends une chose avant de crever: quand un gars se met à table, c'est un moment dangereux. Il a parlé, il n'a plus rien à perdre. Tu aurais dû prendre des précautions, te faire couvrir en te présentant ici. Maintenant, retourne-toi et fixe la porte. Un geste et je tire.

SS1… SS2… SS3… Surprenant, les mains glacées, le cœur affolé, fixait les panneaux d'acier. Quand ils s'ouvriraient, quand Rossi lui ordonnerait de sortir, il y aurait peut-être un coup à jouer. SS4… Il perçut un mouvement derrière lui. Une douleur fulgurante à la tête, dans un flash, une noix de coco s'écrasant sur l'asphalte, et ce fut le noir.

38
DÉCEMBRE

Brazeau s'approcha de l'arbre de Noël, décrocha une guirlande argentée et, d'un geste théâtral, l'enroula autour de son cou de taureau.

— La guirlande, c'est la première fois, commenta Lorraine Gendron.

— Il est en état de chanter ? demanda Surprenant.

— C'est ce que je me demande chaque année. Vous êtes remis de votre commotion ?

— Je n'ai plus de maux de tête. Le neurologue m'assure que tout est rentré dans l'ordre, mais il m'a déconseillé de jouer au hockey cet hiver, même dans une ligue de garage.

— Sage précaution.

La secrétaire personnelle de Guité avait repris son poste deux semaines plus tôt, à l'étonnement général. Officiellement, elle avait subi une chirurgie mineure. Officieusement, la rumeur voulait que Guité ait obtenu sa réinsertion en intercédant auprès du brigadier général. Selon d'autres racontars, elle n'était plus salariée, mais jouissait d'un contrat des plus lucratifs.

Brazeau donna ses instructions au jeune homme qui, derrière son ordinateur, veillait à l'enrobage musical de la fête. Il était près de minuit et les danseurs commençaient à se clairsemer. Brazeau s'avança, micro en main, tandis que résonnait, dans ce salon d'un hôtel du centre-ville loué pour l'occasion, l'intro de Puccini.

Nessun dorma! Nessun dorma!

Puissante et presque juste, la voix de ténor du sergent couvrit les conversations. Jouant de sa guirlande comme son idole Pavarotti de son écharpe, LP savourait son moment de gloire annuel. *Que personne ne dorme!* Les convives, les membres des escouades spécialisées et le personnel de soutien, semblaient obéir, se rassemblant devant l'estrade, certains avec leurs manteaux sur le dos.

Ma il mio mistero è chiuso in me
Il nome mio nessun saprà!

— Vous pouvez traduire? demanda Lorraine Gendron à l'oreille de Surprenant. Vous avez quelques notions d'italien, non?

— «Mais mon mystère est scellé en moi, personne ne saura mon nom!», répondit Surprenant en souriant.

— Beaucoup de mystères sont scellés, en effet...

La secrétaire énonçait à la fois une évidence et une question: le traditionnel party de Noël, en ce 13 décembre 2008, était terni par un malaise. La mort de Jean Rossi et la finale en queue de poisson de l'affaire de l'amputeur avaient laissé au SPVM et au Québec tout entier un goût d'inachevé. Seules certaines personnes, aussi rares que muettes, pouvaient tisser un lien causal entre les deux événements.

Rossi, le vétéran aguerri, avait bien fait les choses. Au soir de ce que chacun appelait maintenant «le fameux dimanche», sa sortie de route, boulevard Gouin, avait revêtu toutes les apparences d'un accident: sa Lexus avait louvoyé sur la chaussée, avait évité une camionnette venant en sens inverse, avait freiné avant de capoter, de sauter le garde-fou et de terminer sa course dans la rivière des Prairies. Sur lui, on avait trouvé son Walther P99, dont l'expertise balistique devait révéler qu'il n'avait pas servi, de même qu'aucune autre arme appartenant à un membre des escouades spécialisées, à abattre Deschamps.

Le suicide de Rossi exclu, ses enfants avaient empoché la double prime d'assurance liée aux morts accidentelles. De son côté, le SPVM avait pu enterrer le valeureux policier avec les honneurs qui lui étaient dus : le cercueil de Jean Rossi avait quitté l'église de la Madonna della Difesa porté par six de ses confrères, dont Guité lui-même. Surprenant, qui avait discrètement assisté aux funérailles, avait noté avec une certaine délectation que les rôles étaient inversés ce jour-là. Sonny Leggio, flanqué de ses deux joueurs de football, avait observé la scène assis dans une Cadillac au coin de Henri-Julien. À cause des lunettes fumées, impossible de savoir s'il était heureux ou attristé.

Séduisante dans une robe noire que Surprenant avait, au risque de se faire rabrouer, qualifiée d'« andalouse », Ana Tavares le salua de la tête en se dirigeant vers le vestiaire. Une heure plus tôt, pendant qu'ils dansaient un slow aussi sage que le leur permettaient les circonstances, la technicienne, qui n'était pas dans le secret des dieux, l'avait une nouvelle fois sondé :

— C'est étrange : l'amputeur ne s'est plus manifesté depuis l'*accident* de Rossi.

— Qu'est-ce qui te faisait croire que je me faisais *framer* ?

— C'était assez évident que les Italiens avaient quelqu'un au SPVM, non ? Et tu es comme un terrier. Tu mets ton nez partout. Même dans mon cou.

— Ton parfum, c'est quoi ?

— *Peut-être un jour*. C'est de l'importation privée.

Le décès de Rossi avait tout de même donné quelques sueurs froides à la direction. De discrètes visites, la nuit même, à son domicile et à Versailles, devaient rassurer les initiés. Impeccable, Rossi avait effacé toute trace de ses méfaits. Pendant quelques jours, on avait craint que le 22 de l'amputeur ou le Walther relié au meurtre de Deschamps ne fassent surface. Rossi semblait s'en être débarrassé proprement, ce qui n'empêcha pas les rumeurs de courir au SPVM. Certains profanes, dont le gros Lavallée, soutenaient l'hypothèse que le sergent-détective, malade, s'était sacrifié, moyennant de généreuses contributions au patrimoine familial, pour protéger quelqu'un d'autre.

Abreuvé par les médias électroniques et sociaux, le public avait été fort déçu de voir la liste des victimes officielles de l'amputeur des ruelles s'arrêter à deux. Avec ce compte, l'on ne tenait même pas un véritable tueur en série. Pendant des semaines, les journalistes s'étaient agités autour de l'affaire, à l'affût de développements. Michel Vandal, peut-être informé par une nouvelle taupe, avait suscité un certain intérêt lorsqu'il avait révélé que Vinny Palizzolo avait été détenu en Ontario. Les autorités torontoises avaient déclaré sans rire que le serveur avait été appréhendé à Pearson pour avoir lancé à la blague qu'il transportait une bombe. Palizzolo, heureux de s'en tirer à si bon compte mais soucieux de pallier la perte de son billet d'avion, avait vendu à un journal à potins ses impressions de son séjour, fort éprouvant, dans les geôles ontariennes.

All'alba vincerò ! Vincerò !

Pendant que LP massacrait triomphalement la finale de son aria, Stéphane Guité, élégant dans un complet trois pièces agrémenté d'une cravate ascot mauve, vint rejoindre Lorraine Gendron et Surprenant. D'une façon aussi naturelle qu'efficace, il s'immisça entre ses deux subalternes.

— « À l'aube, je vaincrai ». Ce *Brazzo*, quand même ! Qu'est-ce que vous mijotez ?

— Je disais à Lorraine à quel point l'atmosphère s'était assainie au sein du SPVM, railla Surprenant.

— Avons-nous déjà eu des problèmes dans notre service ? demanda Guité.

— Je vous laisse, *messieurs*, dit la secrétaire en s'éloignant.

LP salua, s'enfargea presque dans son fil de micro.

— Un dernier verre ? offrit Guité.

— Pourquoi pas ?

Le lieutenant l'entraîna vers un coin de la salle, moins éclairé, où étaient empilées les boîtes de vaisselle du traiteur. Avec des airs de conspirateur, il se pencha, ouvrit un carton et en tira une bouteille de scotch.

— Lagavulin 15 ans, glissa-t-il entre ses lèvres. Tu m'en diras des nouvelles.

— Tu ne bois pas de la piquette.

— Je reçois parfois des cadeaux. Rien d'illégal, évidemment.

Depuis la mort de Rossi, les relations entre les deux hommes s'étaient approfondies. Si Guité ne se départissait jamais de sa réserve, Surprenant avait de plus en plus l'impression de mériter son estime. Ils s'étaient acquittés ensemble d'une pénible tâche : convaincre les trois enfants Deschamps que leur père avait été exécuté par « le crime organisé ». Ils mentaient, sans être loin de la vérité. Charles Hudon, rudement attaqué, soutenait maintenant qu'il était probable que Rossi ait protégé les intérêts des Scifo pendant plus d'une décennie.

Guité trouva deux verres propres, servit quelques onces du précieux liquide. Les deux hommes trinquèrent. Surprenant trempa ses lèvres dans le nectar en se demandant quelle tête avait fait Clifford Biggs lorsqu'il avait pris livraison, à Los Angeles, de sa caisse de Glenlivet.

— C'est buvable, opina-t-il.

— Buvable ! Je suppose que j'aurais dû t'offrir de la bagosse ?

Sous leurs yeux, les convives félicitaient Brazeau, savouraient un dernier alcool, évaluaient leurs chances de lever quelque proie.

— J'ai été surpris de voir réapparaître Lorraine, glissa Surprenant.

Guité sourit dans la pénombre.

— Elle nous a rendu de précieux services.

— Ce n'était pas par hasard qu'elle avait renoué avec Deschamps ?

— Le hasard ! Est-ce que ça existe ? Deschamps nous embêtait. Il était seul, il aimait les femmes, il était sûr de nous manipuler. Lorraine… comment dire ?… faisait des heures supplémentaires.

Guité, heureux, peut-être éméché, cligna de l'œil gauche.

— Et mon oncle ?

Le patron des escouades spécialisées devint soudainement sérieux. Il but une gorgée de scotch, feignit de s'intéresser aux derniers soubresauts de la fête.

— Le crime est une pyramide. Les crapules les plus puissantes sont en haut, mêlées aux riches et aux élus. Pour infiltrer ces milieux, les corps de police et même les gouvernements doivent disposer d'hommes discrets. D'après ce que j'ai pu glaner au ministère de la Sécurité publique, ton oncle était, autant sous les libéraux que sous les péquistes, un de ces hommes discrets. Les magouilleurs n'y ont vu que du feu.

— D'où mon embauche aux crimes majeurs...

— Quand j'ai eu le poste aux escouades spécialisées, mon mandat était clair : faire le ménage. Mon nouveau patron était formel, il y avait une taupe parmi les enquêteurs. Je ne savais pas à qui me fier. J'ai eu l'idée d'aller chercher quelqu'un à l'extérieur, à la SQ. J'avais besoin d'un *outsider* honnête, avec une tête de cochon et des antécédents plutôt louches. Tu correspondais au profil.

— Merci.

— Il fallait te convaincre. Il fallait aussi que tu ne te méfies pas de cette procédure inhabituelle. Mon patron m'a parlé de ton oncle, qui nous filait des tuyaux à l'occasion. Ton oncle n'était pas très chaud à l'idée de te plonger là-dedans. La perspective de te laisser sa maison et de te voir revenir à Montréal, près de tes enfants, l'a emporté. Avant de mourir, il a rempli pour nous une dernière mission : t'introduire au sein du SPVM. Crois-moi, tu as passé le test.

Surprenant, le cœur serré en dépit de ces félicitations, avala une gorgée de scotch. Malgré les semaines qui passaient, il commençait à peine à assumer ses origines. Il devait casser sa véritable histoire, comme une paire de souliers neufs. Deux semaines plus tôt, à l'aube d'un vendredi venteux, Geneviève et lui avaient inséré leurs valises dans le coffre de la Z3 et avaient mis le cap sur New York. Au sortir du pont Champlain, elle avait remarqué qu'il filait tout droit sur l'autoroute des Cantons-de-l'Est au lieu de prendre la sortie vers la 15 et la 87.

— Tu veux passer par le Vermont ?

— Par Iberville.

Elle avait pris sa main et n'avait rien ajouté. Il n'avait pas mis de musique, comme s'il désirait s'imprégner, sur l'autoroute déserte, du grondement du moteur et du chuchotement de l'air contre le pare-brise. Ils avaient franchi le Richelieu en amont de Saint-Hilaire et avaient remonté le chemin des Patriotes jusqu'à Iberville, allongeant leur voyage d'une grosse heure.

La rivière était basse, grise. À Iberville, il avait roulé jusqu'au cimetière Saint-Athanase, au bout de la 9e Avenue.

— Tu viens ? avait-il demandé à Geneviève.

— Je vais t'attendre ici.

Il était sorti dans le matin glacial. Cinq cents mètres à l'ouest, rue Riendeau, sa mère recevait à souper, deux fois par semaine, le déserteur de la rivière à Barbotte. Il était trop tôt pour savoir la tournure qu'adopterait leur relation. Nicole, ragaillardie mais prudente, promenait toujours Balou entre la rivière, la pharmacie et le cimetière. *That Maurice*, sa guitare à ses côtés, écrivait, sept heures par jour, des mémoires qui portaient le titre kérouacien de *Une vie dans le chemin*. Il se disait porté par une nouvelle ambition : rembourser « cenne par cenne » la facture du Cedars-Sinai. Aux dernières nouvelles, il s'était débarrassé de sa sonde.

ROGER SURPRENANT
1935-2008

Hérissée d'un gazon neuf, plus clairsemé, la terre qui recouvrait le cercueil s'était tassée de deux ou trois centimètres. La pierre tombale elle-même, commandée chez un tailleur italien de Montréal, tranchait avec ses voisines par la qualité de son granit et de sa facture. Enterré à Iberville dans le lot des Surprenant, l'oncle Roger avait trouvé une dernière façon de sortir du rang.

Mains dans les poches, collet remonté, Surprenant était demeuré quelques minutes devant la tombe de son père. Que lui avait-il laissé ? Un amour caché et beaucoup de mystère. Après avoir eu cette pensée saugrenue – il était son propre cousin –, il avait compris que la levée de ce secret l'avait mis en possession d'un sentiment inestimable : son père avait toujours veillé sur lui.

Il avait tiré sa pierre chanceuse de sa poche, l'avait caressée des doigts. De son soulier, il avait soulevé une motte de gazon. S'agenouillant, il avait déposé son talisman dans la terre humide, contre le socle qui supportait la pierre tombale, en plein centre, de façon à ce qu'il puisse la retrouver un jour, peut-être.

Il avait remis le gazon en place. Rien ne paraissait.

S'il avait eu de la religion, il aurait pu faire un signe de croix, murmurer une prière. Il avait simplement dit « Salut, Roger » et s'était éloigné. Appuyée contre la Z3, cheveux au vent, Geneviève le regardait.

REMERCIEMENTS

Les citations de *L'Amélanchier*, de Jacques Ferron, sont tirées de la réédition parue chez Typo en 1992.

Je remercie Sadie Aimes, Marthe Desgagnés, Gabriel Dionne, Pierre Dufort, Patrick Leimgruber, Madeleine, Alexis et Pierre Lemieux, Paul-Émile Lévesque, Feu Nérée Poirier, Marc Riverin, Jean-Michel Schembré qui ont contribué à divers titres à l'élaboration de ce roman.

Je suis particulièrement redevable à Marc Choquette et Marie-Hélène Rouleau, pour leur lecture attentive de différentes versions, à Sylvie Martin et Diane-Monique Daviau, pour la révision linguistique.

Ce livre aurait probablement vu le jour, mais n'aurait assurément pas été le même, sans Marie-Noëlle Gagnon, qui en a assuré l'édition.

Enfin, merci à toi, Evelyn, qui me laisses, avec amour, vagabonder dans mes pensées et par le monde.

Imprimé sur du papier Enviro 100% postconsommation
traité sans chlore, accrédité ÉcoLogo et fait à partir de biogaz.